A BÍBLIA DA ASTROLOGIA
♈ ♉ ♊ ♋ ♌ ♍ ♎ ♏ ♐ ♑ ♒ ♓

A BÍBLIA DA ASTROLOGIA

O GUIA DEFINITIVO DO ZODÍACO

Judy Hall

Tradução:
CARLOS AUGUSTO LEUBA SALUM
ANA LUCIA DA ROCHA FRANCO

Editora
Pensamento
SÃO PAULO

Título original: *The Astrology Bible – The Definitive Guide to the Zodiac.*
Copyright ©2005 Octopus Publishing Group.
Copyright do texto ©2005 Judy Hall.
1ª edição 2008.
6ª reimpressão 2021.
Publicado pela primeira vez na Grã-Bretanha em 2005 por Godsfield Books, uma divisão da Octopus Publishing Group Ltd., 2-4 Heron Quays, Docklands, Londres E14 4JP.
Todos os direitos reservados. Nenhuma parte deste livro pode ser reproduzida ou usada de qualquer forma ou por qualquer meio, eletrônico ou mecânico, inclusive fotocópias, gravações ou sistema de armazenamento em banco de dados, sem permissão por escrito, exceto nos casos de trechos curtos citados em resenhas críticas ou artigos de revistas.

A Editora Pensamento-Cultrix Ltda. não se responsabiliza por eventuais mudanças ocorridas nos endereços convencionais ou eletrônicos citados neste livro.

Dados Internacionais de Catalogação na Publicação (CIP)
(Câmara Brasileira do Livro, SP, Brasil)

Hall, Judy
   A Bíblia da astrologia : o guia definitivo do zodíaco / Judy Hall ; tradução Carlos Augusto Leuba Salum, Ana Lucia da Rocha Franco. -- São Paulo : Pensamento, 2008.

   Título original: The astrology Bible : the definitive guide to the zodiac.
   Bibliografia.
   ISBN 978-85-315-1523-1

   1. Astrologia 2. Zodíaco I. Título.

08-01468   CDD-133.5

Índices para catálogo sistemático:
1. Astrologia   133.5

Direitos de tradução para o Brasil adquiridos com exclusividade pela
EDITORA PENSAMENTO-CULTRIX LTDA.
Rua Dr. Mário Vicente, 368 – 04270-000 – São Paulo, SP
Fone: (11) 2066-9000 – E-mail: atendimento@grupopensamento.com.br
http://www.editorapensamento.com.br
que se reserva a propriedade literária desta tradução.

SUMÁRIO

Introdução	6
O zodíaco	24
Os elementos	124
As qualidades e as polaridades	136
Os planetas	148
As casas e os ângulos	228
Os aspectos	264
Juntando as peças	288
O desdobramento do mapa	298
Astrologia dos relacionamentos	316
Astrologia e saúde	368
Eclipses	382
Glossário	390
Bibliografia	394
Índice	395
Agradecimentos	400

Introdução

A astrologia é uma ferramenta altamente versátil, que o capacita a se conhecer plenamente. O mapa dos céus no momento do seu nascimento, conhecido como mapa natal, é um reflexo da sua personalidade singular, pode orientá-lo na vida amorosa, direcioná-lo à profissão certa e até ajudá-lo a ser um pai (ou mãe) melhor. Mas a astrologia é muito mais do que isso: é um dos melhores meios disponíveis para compreender os outros. Sabendo combinar os diferentes fatores num mapa natal, você consegue enxergar além do rosto que as pessoas apresentam ao mundo e descobrir quem realmente são.

Os astrólogos estudam, há milhares de anos, os efeitos da atividade planetária e a sua correspondência com o comportamento humano, a personalidade, a saúde, o karma e muito mais. Esta "bíblia" contém tudo o que você precisa saber sobre astrologia. Quanto maior a sua compreensão dessa arte profunda, melhor você entenderá a sua vida e a vida das pessoas à sua volta. Se você já tem prática em astrologia, este livro aprofundará e expandirá o seu conhecimento sobre a tradição do zodíaco.

TESOURO SEM DONO

Para os antigos, os planetas eram seres vivos que regiam determinadas áreas da vida, descritas através dos signos do zodíaco. A cada signo e a cada planeta correspondiam alguns aspectos fisiológicos e algumas ervas, usadas para curar. Cada signo e cada planeta tinha também os próprios metais, pedras preciosas, cores e animais. Todo esse conhecimento foi sendo mapeado ao longo dos milênios e se transformou num tesouro de tradições astrológicas. Este livro contém tudo o que você precisa saber sobre as correspondências astrológicas e a sua aplicação. Quanto mais você souber sobre astrologia, maior a percepção que terá da sua vida e da vida de todos à sua volta.

O zodíaco

Na primeira seção deste livro, você vai explorar os signos do zodíaco e a quintessência da personalidade de cada um, descobrindo quem são como pais e filhos, conhecendo as suas forças e fraquezas, investigando profunda-

O homem antigo olhava o céu e via desenhos.

mente as suas emoções. Essa seção traz à luz karma e qualidades sombrias, simpatias e antipatias, e atitudes com relação a dinheiro. Você descobrirá também quais as profissões e atividades de lazer que são mais adequadas aos diferentes signos.

Os planetas e o que os cerca
Nas seções seguintes, você encontrará tudo o que é preciso para entender os planetas e o efeito das relações geométricas entre eles; os elementos e qualidades a que pertencem os signos e que alteram sutilmente a maneira da energia planetária fluir; e a estrutura do mapa, o teatro em que os planetas representam a dança da vida.

Síntese
A arte da astrologia está em juntar os diferentes componentes do mapa natal num todo coerente. Juntando as Peças (ver pp. 288-97) mostra como sintetizar as várias partes, avaliando forças e fraquezas para descobrir como as energias vão se manifestar em termos de personalidade e potencial.

A astrologia na sua vida
No entanto, a prática da astrologia não se limita a esse tipo de leitura do mapa natal. A astrologia pode ajudá-lo a melhorar os seus relacionamentos e a sua saúde. Ela também o auxilia – por meio da compreensão do significado do movimento diário dos planetas – a se alinhar à cadência dos acontecimentos e ao desenrolar do futuro.

Um glossário abrangente no final do livro (ver pp. 390-93) define termos astrológicos.

PASSADO E PRESENTE

A astrologia nos tempos antigos

Os seres humanos olham para os céus em busca de orientação desde o começo dos tempos. Há cerca de 35.000 anos, um dos nossos ancestrais rabiscou um calendário lunar num pedaço de osso para registrar as fases da Lua. Adorado por seus poderes doadores de vida, esse corpo místico guiava os caçadores e dizia às antigas comunidades quando plantar e quando colher, através dos seus crescentes e minguantes. Stonehenge, construído há 20.000 anos, é uma elaborada calculadora solar e lunar, mapeando na pedra complexos fenômenos astronômicos. Artefatos semelhantes foram descobertos em vários lugares do mundo antigo.

Nesses primeiros tempos, não se fazia distinção entre astrologia – observar os céus e daí conjeturar significados – e astronomia, o estudo estritamente científico dos corpos celestes. Na Babilônia, na Arábia, na Índia, na China e no Egito, os mapas do céu permitiam aos astrônomos-sacerdotes calcular a época propícia para assuntos de Estado e casamentos reais. Suas observações estavam longe de ser primitivas. Como revelam os mapas do céu encontrados em antigos templos egípcios, os primeiros astrólogos tinham conhecimento de certas ocorrências no espaço profundo que,

Os mapas antigos e medievais eram traçados dentro de um quadrado.

mesmo hoje, são detectadas apenas pelos mais modernos telescópios.

O passado recente

Na Europa medieval e na antiga América, a astrologia permeava todos os aspectos da vida. A prática médica era baseada na astrologia: as ervas eram cultivadas, colhidas e prescritas de acordo com princípios astrológicos. No momento em que a doença atacava, era traçado um mapa para o doente, que recebia então uma mistura de ervas que era preparada com base na interpretação desse mapa.

Muitos manuscritos medievais trazem maravilhosas ilustrações do zodíaco.

Os astrólogos da Idade Média refinaram também a arte da predição. Nostradamus, talvez o mais conhecido dos astrólogos medievais, tinha que disfarçar as suas projeções em "quartetos" obscuros para evitar a atenção da Inquisição.

Astrologia hoje

Na sua forma contemporânea, a astrologia é usada em todos os aspectos da vida, por qualquer um que deseje ter uma compreensão maior. Ela é usada regularmente como ferramenta psicológica e terapêutica, para informar decisões de negócio e na orientação profissional. Como ferramenta prática para aumentar o bem-estar pessoal, ela pode identificar áreas de compatibilidade e conflito, indicar a época perfeita para um evento importante e mostrar como seguir em frente quando todos os caminhos parecem bloqueados.

DISCIPLINAS ASTROLÓGICAS

Astrologia natal

A astrologia natal trata do mapa natal, que descreve a vida se desenrolando do nascimento à velhice (ver também p. 22). Você pode usá-lo para chegar a uma compreensão melhor de si mesmo: verificar qual é o tipo da sua personalidade, identificar necessidades emocionais e explorar processos interiores de pensamento. O mapa natal revela o potencial inato. Reconhecendo as suas forças e fraquezas, você pode aproveitar melhor as oportunidades de crescimento à medida que forem surgindo. A astrologia natal pode orientá-lo também em áreas como relacionamentos e profissão.

Os astrólogos sempre viram uma correlação entre as ocorrências no céu e as ocorrências na Terra.

Astrologia preditiva

A astrologia tem sido usada há milênios para prever o futuro. Os planetas não fazem com que as coisas aconteçam, mas os astrólogos observam há muito tempo as correlações entre determinadas atividades planetárias e coisas que acontecem concomitantemente na Terra. Um acidente, por exemplo, tem mais probabilidade de acontecer quando o explosivo planeta Urano e o ardente e obstinado Marte se cruzam.

Observando o movimento diário dos planetas e calculando como ele afetará o signo solar ou o mapa natal de alguém, o astrólogo consegue prever acontecimentos, reconhecer a possibilidade de mudança e identificar oportunidades ou bloqueios no caminho. Nada é estatístico, mas, compreendendo a progressão dos planetas, você pode aprender a usar as mudanças a seu favor.

Terapia astrológica

As pessoas tendem a consultar um astrólogo quando atingem um ponto crítico da vida. Podem estar em busca de compreensão e conforto ou querendo saber como enfrentar uma mudança. Por isso, muitos astrólogos combinam conhecimento astrológico com alguma qualificação como conselheiro. Com essa capacidade, ajudam a identificar "programações" – expectativas inconscientes, passadas pelos pais, que limitam a experiência de vida. Aprendendo a reagir de uma nova maneira aos acontecimentos e às pessoas, você pode recuperar o controle da sua vida ou atingir o seu pleno potencial.

Sinastria (análise de relacionamentos)

A sinastria é um ramo da astrologia que trata de relacionamentos. É usada para identificar áreas de compatibilidade, para superar dificuldades próprias de uma relação e para fortalecer a intimidade. A simples comparação dos signos solar e lunar dos parceiros pode ajudar cada um deles a compreender melhor o outro e a dinâmica da relação. Para entender profundamente a personalidade e as necessidades emocionais de alguém, você precisa estudar o mapa natal dessa pessoa (ver também pp. 345-57 e 364-67).

Astrologia médica

A primeira tarefa de um astrólogo médico é descobrir quando a doença começou. Ele traça então um mapa desse momento, que vai ajudá-lo a descobrir a causa da doença ao revelar tensões, stress, esgotamento de energia, desequilíbrios e deficiências sutis. Como parte de um tratamento holístico, o astrólogo costuma prescrever ervas ou remédios homeopáticos (ver também Astrologia e saúde, p. 368).

Astrologia kármica (de vidas passadas)

Um astrólogo kármico busca nas vidas passadas as respostas para os problemas do presente. Assim, um mapa astrológico kármico identifica créditos, déficits e padrões interiores de expectativa emocional que a pessoa leva de uma vida para outra. Esse ramo da astrologia é usado para ajudar as pessoas a compreender relacionamentos, vocações e vida familiar – e a dar um fim a padrões recorrentes de comportamento negativo.

Astrologia horária

Na astrologia horária, o astrólogo lida com perguntas específicas, como "Devo comprar essa casa?" ou "Vou casar com essa pessoa?", para as quais pode dar respostas inequívocas. Ele prepara um mapa do momento exato da pergunta e aplica então um conjunto de "regras" para chegar à resposta.

Astrologia eletiva

A astrologia eletiva procura identificar momentos propícios. Se um empreendedor quer descobrir o melhor momento para iniciar um novo negócio, o astrólogo eletivo pode traçar os mapas de várias datas possíveis e determinar a mais favorável.

Astrologia mundana

Abrangendo as áreas da astrologia financeira e política, a astrologia mundana se ocupa de acontecimentos mundiais e tendências socioeconômicas. Os astrólogos especializados nessas áreas podem prever o movimento do mercado de ações com bastante precisão e muitos investidores se valem dessa habilidade.

Muitas empresas se beneficiam do conhecimento astrológico.

Astrologia empresarial

A astrologia empresarial é um campo que se expande rapidamente. Muitas empresas empregam hoje o próprio astrólogo, à semelhança dos antigos reis. O astrólogo da casa traça perfis de candidatos à contratação, prevê tendências financeiras e mercadológicas ou orienta a respeito do melhor momento para comprar e vender.

ASTRODATA

A estrutura geocêntrica
A astrologia é geocêntrica, o que significa que põe a Terra no centro do nosso universo. Sabemos que a Terra gira em torno do Sol, mas os astrólogos traçam os seus mapas como se o Sol, a Lua e os planetas se movessem em torno da Terra – que é o que *parece* acontecer quando se vê o céu aqui da Terra. Os mapas astrológicos são apresentados em forma de círculo porque mostram também a parte oculta do céu, abaixo do horizonte.

Círculos astrológicos
O traçado dos mapas astrológicos tem como base uma série de círculos que se cruzam. Embora sejam invisíveis, esses círculos podem ser traçados matematicamente. O caminho circular que o Sol faz a cada ano é chamado eclíptica. O círculo imaginário que circunda a Terra e marca o seu centro é o Equador. O nome dado à projeção no espaço do Equador terrestre é "Equador celeste".

Um quarto círculo é formado pela grande roda de estrelas, agrupadas em constelações que parecem estar no caminho que o Sol percorre anualmente em torno da Terra. Esse vasto círculo, dividido em 12 áreas iguais, é o zodíaco.

O Grande Ano
Como a atração gravitacional exercida pelo Sol e pela Lua é desigual, o giro da Terra não é uniforme. Como um pião, ela descreve um amplo movimento oscilante, executando uma lenta precessão. Um ponto branco

imaginário feito no topo da Terra descreveria um círculo. O tempo que os pólos da Terra levam para completar uma rotação em torno desse círculo é conhecido como Grande Ano – um período de mais ou menos 25.800 anos, como em geral se entende.

A precessão dos equinócios

Quando o Sol, visto da nossa perspectiva, faz a sua viagem anual em torno da Terra, ele parece cruzar duas vezes o Equador – sul-norte para o hemisfério norte e norte-sul para o hemisfério sul. Esses pontos de cruzamento são o que os astrônomos chamam de equinócios.

OS SOLSTÍCIOS E OS EQUINÓCIOS

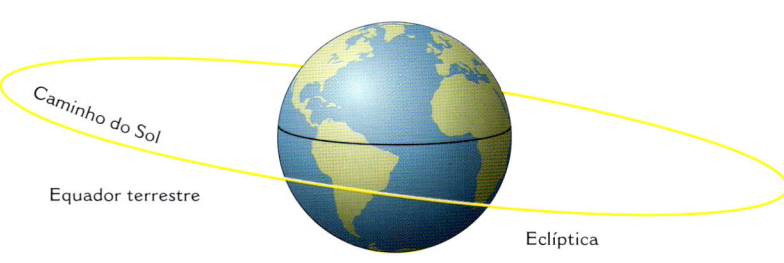

21 de junho – solstício de verão
(Sol sobre o Trópico de Câncer)

21 de setembro – equinócio de outono
(Sol sobre o Equador)

Caminho do Sol

Equador terrestre

Eclíptica

21 de março – equinócio da primavera
(Sol sobre o Equador)

21 de dezembro – solstício de inverno
(Sol sobre o Trópico de Capricórnio)

A ERA DE AQUÁRIO

É na constelação de Peixes que o Sol tem nascido nos últimos 2.000 anos. De acordo com as características desse signo, a Era de Peixes na Terra tem sido marcada pela religião e por sociedades que compartilham um sistema de crenças. Os astrólogos acreditam que a era que está se iniciando agora, a Era de Aquário, será uma era humanitária em que homens e mulheres farão de tudo para viver com liberdade, igualdade, paz e fraternidade.

Ao longo de cada Grande Ano, à medida que a Terra faz a sua lenta rotação, os pontos de cruzamento do Sol se deslocam levemente com relação às estrelas ao fundo, de maneira que o Sol parece se aproximar da constelação vizinha. Esse fenômeno é conhecido como "precessão dos equinócios".

Em termos astrológicos, o Grande Ano é dividido em 12 "meses", ou eras, com cerca de 2.000 anos cada um. A cada nova era, o Sol parece surgir numa nova constelação, ou signo do zodíaco, no equinócio vernal (da primavera). Então, ao longo do Grande Ano, o equinócio vernal percorrerá todos os signos do zodíaco.

O zodíaco simbólico

Os astrólogos reconhecem que o universo não é estático e que os céus sobre nós estão em constante movimento. No entanto, em vez de redesenhar o zodíaco, eles preferem usá-lo como foi desenhado no início da prática da astrologia. De acordo com esse zodíaco original, o equinócio vernal ocorre *sempre* no ponto que os astrólogos chamam de 0º de Áries. O Sol astrológico, simbólico, continua então o seu caminho, movendo-se no sentido anti-horário através das constelações, para terminar o ano no signo de Peixes.

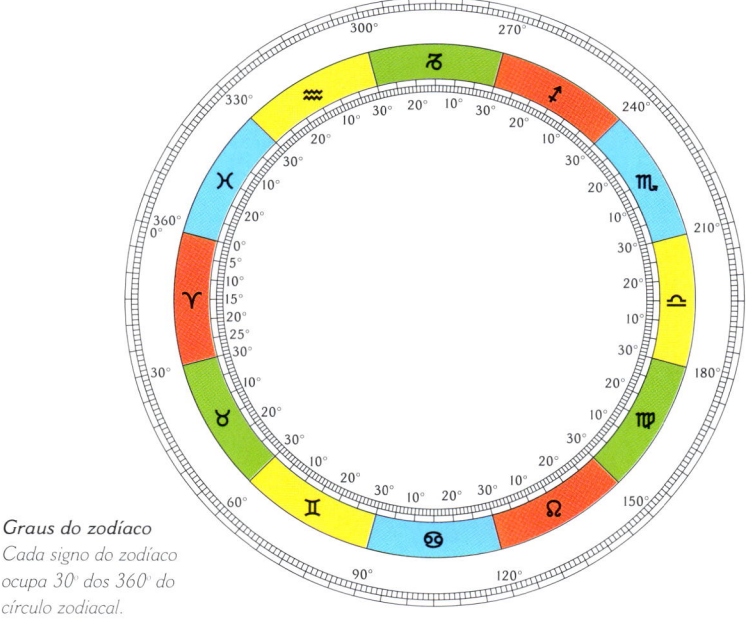

Graus do zodíaco
Cada signo do zodíaco ocupa 30° dos 360° do círculo zodiacal.

Os Nodos

Os Nodos são pontos abstratos no espaço, com base nos pontos em que os planetas cruzam a eclíptica, o trajeto anual do Sol. Embora todos os planetas tenham Nodos, a maioria dos astrólogos usa apenas os Nodos Lunares, pontos de força na órbita mensal da Lua em torno da Terra e áreas de eclipse (ver também pp. 220-27).

TEMPO ASTROLÓGICO

Hora Média de Greenwich
Os astrólogos baseiam os seus cálculos na Hora Média de Greenwich (GMT – Greenwich Mean Time). Você tem que fazer ajustes para descobrir a posição planetária na hora do seu nascimento se nasceu numa zona temporal diferente do GMT. Pode ser também que você precise fazer ajustes para compensar o Horário de Verão, já que essa diferença também altera a relação da hora oficial do seu nascimento com o GMT.

A posição dos planetas
Os astrólogos usam tabelas para saber onde estavam os planetas num dado momento. Uma tabela dessas, conhecida como efeméride, mostra também as fases da Lua e os eclipses.

ZONAS DE TEMPO

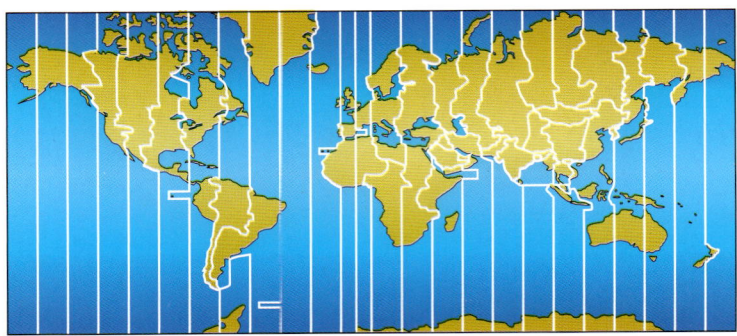

Para determinar a posição de um planeta, vá ao mês em questão na efeméride e depois vá descendo pela coluna à esquerda para encontrar a data. Use uma régua para ir lendo as posições dos planetas. (Hoje em dia, o computador calcula as diferenças de horário para você.)

A efeméride mostra as posições ao meio-dia e você terá que calcular as posições dos planetas em outros horários. Para isso, veja quanto o planeta se deslocou desde o meio-dia do dia anterior, divida a resposta por 24 para obter o deslocamento horário, então some ou subtraia esse resultado, multiplicado pela diferença de tempo entre meio-dia e o horário que está calculando. Se o horário for 4 da tarde, por exemplo, multiplique por 4.

COMO LER UMA EFEMÉRIDE

NOVEMBRO 2003 **LONGITUDE**

Dia	Tempo	☉	0 hr ☽	Meio-dia ☽	Verdad. ☊	☿	♀	♂	♃	♄	♅	♆	♇
1 Sab	14 41 27	8♏38 44	5♒ 50 23	12♒ 33 39	20♉ 31.9	13♏ 6.8	28♏15.2	7♓29.9	13♍ 9.7	13♋ 9.7	28♒ 55.0	10♒ 25.5	18♐ 18.3
2 Do	14 45 24	9 38 47	19 11 35	25 44 27	20R 31.4	14 42.6	29 29.8	7 53.0	13 19.5	13R 11.2	28R 54.6	10 25.9	18 20.1
3 Seg	14 49 20	10 38 50	2♓ 12 33	8♓ 36 13	20 30.5	16 17.9	0♐ 44.4	8 16.6	13 29.1	13 10.3	28 54.3	10 26.2	18 22.0
4 Ter	14 53 17	11 38 55	14 55 47	21 11 35	20 29.3	17 52.7	1 59.0	8 40.6	13 38.6	13 9.3	28 54.1	10 26.6	18 23.9
5 Qua	14 57 13	12 39 2	27 23 58	3♈ 33 14	20 28.1	19 27.2	3 13.6	9 5.0	13 48.1	13 8.2	28 53.9	10 27.1	18 25.9
6 Qui	15 1 10	13 39 10	9♈ 39 43	15 43 43	20 27.1	21 1.2	4 28.2	9 29.8	13 57.4	13 7.0	28 53.8	10 27.6	18 27.8
7 Sex	15 5 6	14 39 20	21 45 31	20 45 23	20 26.4	22 34.9	5 42.8	9 55.0	14 6.6	13 5.7	28 53.7	10 28.1	18 29.8
8 Sáb	15 9 3	15 39 32	3♉ 43 35	9♉ 40 24	20 26.0	24 8.1	6 57.4	10 20.6	14 15.7	13 4.2	28D 53.7	10 28.6	18 31.7
9 Do	15 13 0	16 39 46	15 36 3	21 30 49	20D 25.9	25 41.1	8 12.0	10 46.5	14 24.7	13 2.7	28 53.7	10 29.2	18 33.7
10 Seg	15 16 56	17 40 1	27 24 57	3♊ 18 44	20 26.0	27 13.7	9 26.5	11 12.8	14 33.5	13 1.0	28 53.8	10 29.8	18 35.7
11 Ter	15 20 53	18 40 19	9♊ 12 27	15 6 24	20 26.2	28 45.9	10 41.1	11 39.5	14 42.3	12 59.2	28 53.9	10 30.4	18 37.8
12 Qua	15 24 49	19 40 38	21 0 55	26 56 21	20 26.3	0♐ 17.8	11 55.7	12 6.5	14 50.9	12 57.4	28 54.1	10 31.1	18 39.8
13 Qui	15 28 46	20 40 59	2♋ 53 4	8♋ 51 28	20R 26.4	1 49.4	13 10.3	12 33.8	14 59.5	12 55.4	28 54.3	10 31.8	18 41.9
14 Sex	15 32 42	21 41 21	14 51 59	20 55 3	20 26.3	3 20.7	14 24.8	13 1.5	15 7.9	12 53.3	28 54.6	10 32.6	18 43.9
15 Sáb	15 36 39	22 41 46	27 1 10	3♌ 10 47	20 26.1	4 51.7	15 39.4	13 29.4	15 16.1	12 51.2	28 55.0	10 33.3	18 46.0
16 Do	15 40 35	23 42 13	9♌ 24 25	15 42 34	20 26.0	6 22.4	16 53.9	13 57.7	15 24.3	12 48.9	28 55.3	10 34.1	18 48.1
17 Seg	15 44 32	24 42 41	22 5 42	28 34 16	20D 25.9	7 52.7	18 8.5	14 26.3	15 32.3	12 46.5	28 55.8	10 35.0	18 50.2
18 Ter	15 48 29	25 43 11	5♍ 8 43	11♍ 49 22	20 26.1	9 22.8	19 23.0	14 55.2	15 40.2	12 44.0	28 56.3	10 35.9	18 52.4
19 Qua	15 52 25	26 43 43	18 36 32	25 30 23	20 26.6	10 52.5	20 37.6	15 24.3	15 48.0	12 41.4	28 56.8	10 36.8	18 54.5
20 Qui	15 56 22	27 44 17	2♎ 30 58	9♎ 38 11	20 27.2	12 21.8	21 52.1	15 53.8	15 55.6	12 38.7	28 57.4	10 37.7	18 56.7
21 Sex	16 0 18	28 44 52	16 51 49	24 11 25	20 27.9	13 50.8	23 6.6	16 23.5	16 3.1	12 36.0	28 58.0	10 38.7	18 58.8
22 Sab	16 4 15	29 45 30	1♏ 36 24	9♏ 5 58	20 28.4	15 19.3	24 21.1	16 53.5	16 10.5	12 33.1	28 58.7	10 39.7	19 1.0
23 Do	16 8 11	0♐ 46 9	16 39 10	24 14 56	20R 28.6	16 47.4	25 35.7	17 23.7	16 17.7	12 30.1	28 59.4	10 40.7	19 3.2
24 Seg	16 12 8	1 46 49	1♐ 52 3	9♐ 29 18	20 28.1	18 15.0	26 50.2	17 54.3	16 24.8	12 27.1	29 0.2	10 41.8	19 5.4
25 Ter	16 16 4	2 47 31	17 5 24	24 39 7	20 27.1	19 42.1	28 4.7	18 25.0	16 31.7	12 23.9	29 1.1	10 42.9	19 7.6
26 Qu	16 20 1	3 48 14	2♑ 9 20	9♑ 35 1	20 25.5	21 8.5	29 19.2	18 56.1	16 38.5	12 20.7	29 2.0	10 44.0	19 9.8
27 Qui	16 23 58	4 48 58	16 55 19	24 9 35	20 23.7	22 34.2	0♑ 33.7	19 27.3	16 45.2	12 17.3	29 2.9	10 45.1	19 12.0
28 Sex	16 27 54	5 49 44	1♒ 17 18	8♒ 18 11	20 21.9	23 59.2	1 48.2	19 58.8	16 51.7	12 13.9	29 3.9	10 46.3	19 14.2
29 Sab	16 31 51	6 50 30	15 12 7	21 59 8	20 20.6	25 23.2	3 2.7	20 30.5	16 58.0	12 10.4	29 5.0	10 47.6	19 16.5
30 Do	16 35 47	7 51 17	28 39 24	5♓ 13 12	20D 20.0	26 46.2	4 17.1	21 2.5	17 4.2	12 6.9	29 6.0	10 48.8	19 18.7

Efeméride – Novembro de 2003 – Como você vê nessa efeméride, ao meio-dia de 23 de novembro de 2003, Vênus ♀ estava a 25⁰, 35,7 (dentro da constelação de) Sagitário. Ao meio-dia do dia seguinte, Vênus tinha se deslocado para 26⁰, 50,2 de Sagitário. Então, às 11 da noite de 23 de novembro, como está assinalado no mapa natal das pp. 22-3, Vênus teria se deslocado cerca de meio grau.

O MAPA NATAL

O mapa natal pega um momento no tempo e o congela. É o mapa do que você teria visto no momento do seu nascimento se tivesse aberto os olhos e olhado para o céu, além do que estava fora de vista, abaixo do horizonte. Da sua perspectiva na Terra, os planetas parecem se mover à sua volta, de modo que você está no centro do seu mapa natal.

COMPONENTES DO MAPA NATAL

- Os signos do zodíaco (ver pp 24-123)
- Os ângulos (ver pp. 228-39)
- Os elementos (ver pp. 124-35)
- As casas (ver pp. 240-63)
- As qualidades (ver pp. 136-47)
- Os aspectos (ver pp. 264-87)
- Os planetas e as suas posições (ver pp. 148-227)

Em geral, as qualidades e os elementos aparecem em espaços na parte de baixo do quadro. As localizações planetárias, as cúspides das casas e os aspectos aparecem no círculo do mapa e nos espaços abaixo.

MAPAS GERADOS POR COMPUTADOR

Embora seja totalmente possível traçar o seu próprio mapa natal, hoje em dia muita gente recorre à tecnologia moderna usando o computador. Há muitas empresas que oferecem esse serviço, anunciando em revistas de astrologia e na Internet. Para obter uma cópia do seu mapa, basta fornecer o dia, a hora e o local do seu nascimento.

COMO LER O MAPA NATAL

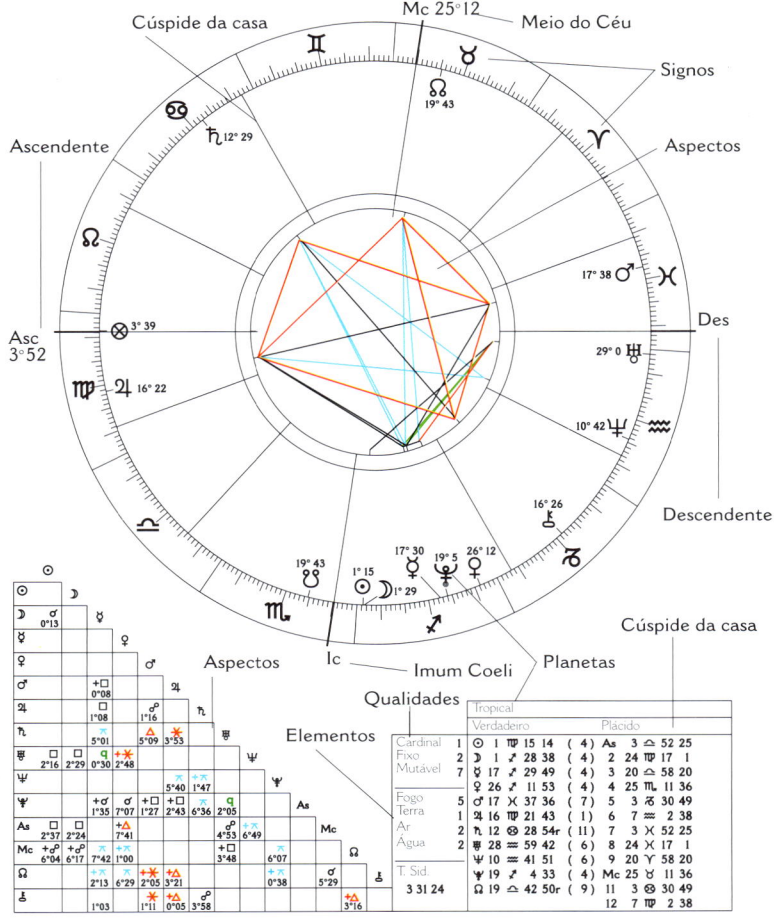

Mapa natal – 23 de novembro de 2003, 23:22– Nesse dia, a Lua nova foi eclipsada em 1º de Sagitário. O Ascendente está em Virgem e o Meio do Céu em Touro.

O zodíaco

O zodíaco é o caminho que o Sol parece percorrer pelo céu. Ele é dividido em doze signos que representam o total da experiência humana: cada um indica um tipo básico de personalidade, ligado à posição do Sol no nascimento.

Cada signo tem o seu lado positivo, construtivo, e o seu lado negativo, destrutivo. Áries, por exemplo, é um signo corajoso, impulsivo, com uma natureza fortemente assertiva. Esse é o aspecto construtivo. Quando usada destrutivamente, essa natureza assertiva se torna agressiva e Áries se transforma num torturador.

As qualidades ocultas de um signo residem na sua "sombra". Esses atributos sombrios refletem os aspectos negativos do signo, ou o lado escuro do signo oposto a ele no zodíaco. Touro e Escorpião, por exemplo, compartilham uma sombra ciumenta, ressentida e de longa memória, enquanto a tendência de Gêmeos para omitir a verdade é o lado desonesto de Sagitário.

É a sintonia com o lado positivo e construtivo do mapa que permite a evolução pessoal e o crescimento da alma.

A VIAGEM DO ZODÍACO

O zodíaco não é simplesmente o caminho celestial do Sol – é uma viagem através da experiência humana. Representa a jornada da alma (o Sol) desde a concepção e a infância até a velhice.

Em Áries, no início da viagem, a alma chega à encarnação e assume um ego. É onde começa o "eu" – a consciência de si mesmo. Em Touro, o Sol adquire substância, tornando-se um corpo físico. Gêmeos é o ponto em que a alma procura se comunicar com os outros e se expressar. No quarto signo, Câncer, o instinto predominante é cuidar dos outros, enquanto em Leão, o quinto signo e o líder natural do zodíaco, a alma luta para brilhar e para ser reconhecida. Virgem condensa o desejo de ser útil aos outros seres humanos e a rotina diária.

No meio do zodíaco, no signo de Libra, a alma está pronta para iniciar um relacionamento, para se encontrar no outro. É aí que ela aprende a ceder e a se adaptar. Em Escorpião, a alma começa a reconhecer o próprio poder criativo e regenerativo. No momento em que alcança Sagitário, a alma está em busca de significado. Em Capricórnio, o impulso é em direção a uma sociedade estável e, no humanitário Aquário, o impulso é para o bem de todos. Quando a alma atinge Peixes, seu desejo é se fundir à unidade de onde partiu – ou fugir do ciclo eterno.

O ANO SOLAR

O Sol leva cerca de um ano para percorrer o zodíaco, ficando uns 30 dias em cada signo. As datas exatas de entrada e saída diferem de um ano para o outro devido ao ajuste cíclico que cria anos bissextos.

A progressão do Sol em torno do zodíaco afeta a estrutura do mapa. O Sol sempre surge no horizonte ao romper do dia, mas o signo em que isso parece acontecer depende da época do ano. Isso explica porque o Ascendente – o signo que estava "surgindo" no horizonte no momento do nascimento de alguém – é diferente na primavera e no verão, mesmo que a hora do dia seja a mesma.

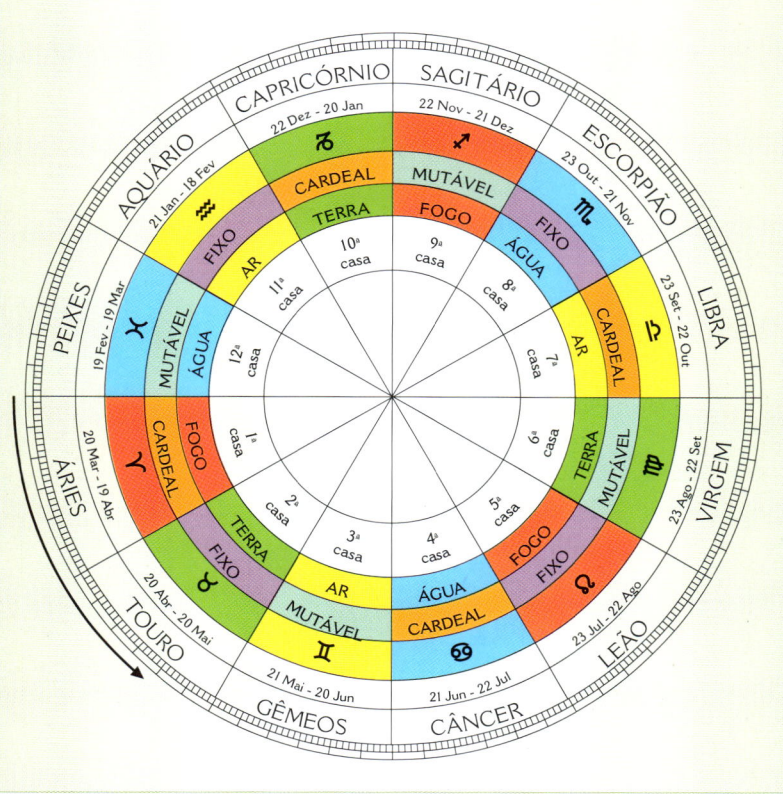

ÁRIES
O carneiro

Glifo	♈ O glifo, ou símbolo, de Áries se baseia nos chifres do carneiro, simbolizando a natureza assertiva e impetuosa do signo e a capacidade a ele associada de enfrentar desafios de cabeça.
Datas	20 de março – 19 de abril
Regente	Marte
Casa natural	Primeira
Qualidade	Cardeal
Elemento	Fogo
Polaridade	Positiva
Exaltação	Sol
Queda	Saturno
Detrimento	Vênus
Palavras-chave	Auto-expressão, asserção, impetuosidade, urgência, iniciativa, coragem, agressividade, impulso, iniciativa, paixão, egoísmo, liderança, egotismo, irascível, temerário, instinto de sobrevivência.

O amor pelo risco do impetuoso Áries pode levar ao amor pelo jogo.

Aparência

Magro e ativo, Áries irradia energia e autoconfiança. O rosto é muitas vezes corado e o cabelo também poder ter um tom avermelhado. Uma das características do rosto ariano que mais chama a atenção são as sobrancelhas em forma de "chifre de carneiro", que se encontram no meio de uma testa caracteristicamente forte. O gosto para se vestir tende ao casual-elegante ou ao esportivo.

Personalidade

É impossível ignorar Áries. Trata-se de uma personalidade assertiva e idealista, impulsionada por um ego poderoso. Nela, a sutileza não tem papel algum. O que você vê – e ouve – é o que existe e Áries sempre fala o que pensa. Obstinado e dinâmico, o carneiro abre caminho com os chifres. O objetivo é vencer e não competir: é isso que torna tudo tão empolgante.

Líder natural, Áries acredita que está sempre certo. Combine a isso uma natureza independente e terá uma personalidade que prefere lidar com as coisas sem ajuda. Não é um jogador de equipe. Quando as coisas dão errado – o que é sempre um risco quando se avança de cabeça – Áries bebe do poço do otimismo eterno e vai em frente.

Mente

Áries tem a mente ágil e adora desafios. Inovador serial, Áries consegue dar atenção total ao momento. Mais impulsivo do que racional, as suas decisões tendem a ser de improviso, mas astutas. Os detalhes ficam à margem: os outros que se preocupem com eles. É uma mente inquieta, que se entedia facilmente e gosta de avançar depressa.

Áries tem um bom senso de humor, que se expressa em observações satíricas. Raramente lhe faltam palavras e pode apelar para o sarcasmo e para trocadilhos sádicos. É rápido na resposta quando alguém deixa alguma coisa a desejar.

Emoções

Embora não tenha propensão à introspecção e nem à melancolia, Áries tem uma ingenuidade infantil que o torna surpreendentemente vulnerável. Quando se inflama, o temperamento de carneiro flameja espetacularmente, sem aviso, e logo desaparece. Com uma tendência a ser centrado em si mesmo, Áries raramente mostra empatia. Mas quando toma conhecimento de uma situação, Áries luta de todo o coração pelos desprivilegiados.

Forças

Áries é um pioneiro corajoso e empreendedor, que valoriza a liberdade e a discussão franca. É uma pessoa generosa e entusiasmada, que faz com que as coisas aconteçam. Apaixonado,

Áries se joga com tudo no trabalho e na diversão. Os problemas são enfrentados de cabeça erguida, com a idéia de encontrar soluções inovadoras.

As colinas de areia são regidas pelo signo de Áries, mas é pouco provável que Áries seja encontrado caminhando numa paisagem assim — esse signo prefere passatempos mais ativos.

Fraquezas

Áries pode ser manipulador e não muito honesto. Eternamente inquieto, falta-lhe perseverança: quer tudo *agora*. Projetos e pessoas podem ser abandonados no meio do caminho. A personalidade ariana pode ser excessivamente egoísta. Quando correr riscos se transforma em obsessão, Áries não tem escrúpulos em arriscar a segurança dos outros.

Áries é no fundo um romântico, dado a gestos impulsivos, como comprar uma única rosa vermelha.

Sombra

A sombra de Áries reúne as tendências vacilantes do seu signo oposto, Libra, levando à procrastinação. Como Libra, a sombra tem dificuldade para dizer não. Há uma atitude "tudo por uma vida tranqüila" que promete muito, mas realiza pouco.

Karma

O karma ariano vem do egoísmo e do egocentrismo do passado. A incapacidade de levar em conta as necessidades dos outros e a insensibilidade aos seus sentimentos criam os desafios kármicos da vida presente: liderança sem opressão e consciência de si mesmo sem absorção em si mesmo.

Gostos

Barulho, excitação, perigo, sexo, sátira.

Aversões

Paz e quietude, monotonia, hipocrisia, injustiça.

Dinheiro

Áries gasta à vontade e muitas vezes por impulso. Inclinado a correr riscos, salvaguardas como seguro e poupança pouca atração exercem. Os arianos são amantes da emoção e do jogo. Quando investem no mercado de ações e *commodities*, é só pela oportunidade de ganhar um monte de dinheiro na hora.

Pimentas vermelhas personificam a natureza quente de Áries.

Como pai ou mãe
Jovem de coração, Áries gosta de brincadeiras de criança, especialmente se a criança em questão tiver uma natureza aventureira. O seu jeito de ser pai (ou mãe) é mais amigável do que rígido. Esse tipo de pai tem mais dificuldade com crianças introspectivas, que preferem a solidão.

Como criança
O jovem Áries é enérgico, insistente, excitável, exaltado – e propenso a acidentes. Destemida, essa criança pode correr riscos de tirar o fôlego dos outros. São comuns os machucados na cabeça.

Uma criança de Áries odeia brincar sozinha e exige estímulos constantes. É feliz num ambiente educacional ativo, aprendendo por meio da ação e da competição. Quando está infeliz e aborrecida, ou não é o centro das atenções, a criança de Áries expressa a sua indignação por meio de crises de agressividade e mau humor.

Profissão
Áries aprecia qualquer situação que demande forte liderança e capacidade empreendedora. No seu caso, as melhores profissões são: oficial do exército, açougueiro, metalúrgico, cirurgião, satirista, empresário, piloto de corridas, piloto de testes, bombeiro, vendedor, negociante, agente de seguros, supervisor, eletricista, psicólogo, explorador, herbalista ou naturopata, *designer* e ator. Trabalhar por conta própria é adequado à natureza independente do signo. Numa empresa, Áries prefere ser o chefe.

Atividades de lazer
Avesso a qualquer idéia de descanso e recuperação, Áries fica feliz em atividade, de preferência intensa. Bicicleta e corrida são bons testes para a re-

sistência de Áries, enquanto o montanhismo oferece o procurado perigo. Corridas de motocicleta, rally, esportes perigosos, artes marciais e *paintball* também são apropriados. Mesmo sem ser por natureza um jogador de equipe, Áries gosta de *hockey*, *rugby* e boxe. Ir a festas também é um passatempo que ele adora. A afinidade do signo com coisas afiadas faz da arte de entalhar madeira uma boa atividade para momentos mais calmos.

Boas idéias para presentes

Um carro de alto desempenho ou acessórios de primeira linha cativam o ego de Áries, enquanto o título de um clube ou um fim de semana de aventuras agradam pela atividade que oferecem. Os arianos gostam também de ferramentas potentes, roupas com *design* exclusivo, rosas vermelhas, roupas esportivas e presentes personalizados de todos os tipos.

Atrás do volante de um carro potente,
Áries é um gênio da velocidade. Cuidado!

CORRESPONDÊNCIAS TRADICIONAIS

Estação	Primavera
Dia	Terça-Feira
Número	9
Fisiologia	Cabeça e rosto, glândulas supra-renais
Pedras de nascimento	Rubi, diamante
Cristais	Ametista, água-marinha, aventurina, pedra-do-sangue, cornalina, citrino, ágata-de-fogo, granada, pirita, jadeíta, jaspe, kunzita, magnetita, turmalina rosa, espinélio laranja, espinélio, topázio
Associações	Eletricidade, coisas afiadas, metais, raiva, sátira
Metal	Ferro
Cores	Vermelho, branco
Animais	Dragão, carneiro, tigre
Alimentos	Alimentos apimentados, condimentados e de gosto forte, qualquer coisa vermelha, alho, cebola, alcaparra, mostarda, pimenta de Caiena
Ervas	Cardo mariano, lúpulo, urtiga, bardana, genciana, pimenta de Caiena, giesta, madressilva, trevo-dos-prados, gotu kola, fo ti, sassafrás, labaça, erva-de-São-João, milefólio, alho, alecrim
Árvores	Espinheiro, azevinho, castanheiro, hamamélis, abeto vermelho, árvores e arbustos com espinhos
Plantas	Urtiga, gerânio, cardo, madressilva, labaça, samambaia, mostarda, língua-de-vaca, anêmona, briônia
Lugares	Inglaterra; Alemanha; Israel; França, especialmente a Borgonha; Itália, especialmente Florença, Nápoles e Pádua; Polônia, especialmente Cracóvia; América do Norte, especialmente Las Vegas e Brunswick; todas as capitais; lugares com instalações esportivas; lugares antes ocupados por carneiros, bois, cervos, ladrões, fornos de cal ou obras de alvenaria; terras recém-cultivadas; regiões arenosas e montanhosas; construções com pé-direito alto e acabamento elaborado; estábulos

TOURO

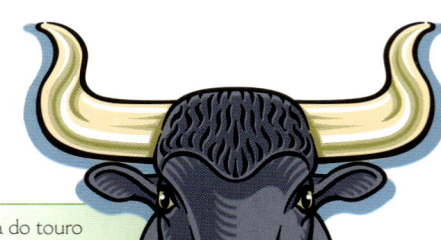

Glifo	♉	Os chifres e a cabeça do touro formam o glifo desse signo, indicando força e determinação.
Datas		20 de abril – 20 de maio
Regente		Vênus
Casa natural		Segunda
Qualidade		Fixa
Elemento		Mutável
Polaridade		Negativa
Exaltação		Lua
Queda		Urano
Detrimento		Marte/Plutão
Palavras-chave		Persistência, materialismo, firmeza, produtividade, praticidade, eficácia, segurança, estabilidade, sensualidade, obstinação, possessivo, rotina, paciente, lento, hedonista, autoindulgente

Aparência

Touro tem, como características, cabeça grande, pescoço curto e ombros fortes sobre um tronco sólido, que afina em direção aos pés, plantados firmemente no chão. Os olhos são grandes e admiráveis sob a testa ampla; o cabelo tende a ser grosso e escuro. Os lábios podem ser grossos e carnudos. O taurino se veste confortavelmente, mas com sensualidade.

Personalidade

Como signo da terra, Touro tem enorme prazer pela jardinagem e em estar próximo da natureza.

A determinação é uma característica-chave da personalidade taurina, assim como a inflexibilidade e a aversão ao risco. Rotina e segurança são essenciais, tanto que Touro pode ficar preso a elas. Extremamente confiável, a devoção ao dever e a lealdade são as qualidades pessoais que Touro mais valoriza, o que faz dele um excelente membro de equipe. É uma personalidade tenaz, que aborda até mesmo a mais mundana das tarefas com diligência e paciência.

Um caráter tão estóico e conformista não tende a causar confusão. Touro pode mostrar uma incrível resistência sob pressão, seguindo ao mesmo tempo a convenção externa. Mas há um lado muito mais leve nessa personalidade. A paixão pela música, pelas artes e pelas boas coisas da vida é tipicamente taurina. Com essa personalidade auto-indulgente, o taurino está sempre em busca do prazer e aproveita ao máximo a sua sensualidade.

Mente

Touro tem a mente lenta e deliberada, sem deixar de ser inteligente. Pensa os problemas do princípio ao fim, prestando muita atenção aos detalhes, chegando a soluções que são sempre práticas e muitas vezes criativas. Levando a imaginação em rédeas curtas, o taurino trabalha com os dados recebidos por meio dos sentidos e rejeita intuições "ilógicas" ou "irracionais". Depois de chegar a uma decisão, Touro raramente reconsidera.

Para alguém com opiniões tão firmes, embora nem sempre as expresse, Touro tem um medo surpreendente de ser julgado, especialmente na área intelectual. É difícil para Touro ver o mundo de qualquer ponto de vista que não seja o seu, o que muitas vezes se traduz em intolerância.

Emoções

Provenientes de uma esmagadora necessidade de segurança, as emoções que prevalecem num taurino são a possessividade e o ciúme. Esse signo não abre mão de nada com facilidade. Além dos bens materiais, quer ter as pessoas também. Um temperamento furioso se esconde atrás do exterior tipicamente calmo, pronto a irromper caso o seu senso de propriedade seja ameaçado. Apesar da lentidão inicial, a sua fúria leva muito tempo para se aquietar. O ressentimento penetra profundamente na psique do Touro.

Forças

O confiável Touro tem muita integridade pessoal. Com bom senso em abundância, esse signo industrioso é excelente para planejar e organizar. Leva sempre as coisas até o fim, sejam quais forem os obstáculos do caminho. Complementando esse aspecto prático, Touro conta com criatividade terrena e capacidade artística.

Fraquezas

Incapaz de perceber diferentes pontos de vista, Touro muitas vezes constrói opiniões intocáveis. Recusa-se a correr riscos e a experimentar coisas novas. Touro pode ser excessivamente possessivo com pessoas e pertences. Essa personalidade pode também mostrar auto-indulgência e uma atitude de ostentação na busca pelas boas coisas da vida.

Sombra

A sombra taurina incorpora o lado desagradável de Escorpião. O mau humor venenoso, a inveja, o ciúme e o ressentimento alimentam uma raiva subjacente. Rancoroso, Touro nunca esquece e acha impossível perdoar.

Shopping-terapia é um conhecido passatempo taurino, mas qualidade é indispensável.

Karma

O karma taurino vem do apego esmagador às posses materiais e da tendência a buscar segurança em coisas externas. O desafio kármico é aprender a abrir mão das coisas em busca de segurança interior, que é eterna e indestrutível.

Gostos

Conforto de qualquer tipo, incluindo boa comida, boa companhia, sexo, luxo e shopping-terapia de boa qualidade.

Aversões

Mudança, incerteza; ser apressado por alguém; sentir frio, fome ou desconforto.

Dinheiro

Touro acumula dinheiro no banco pela segurança, mas também gasta em itens luxuosos, de boa qualidade. O taurino guarda o dinheiro a sete chaves e tem tudo no seguro. Sem nunca embarcar em esquemas para ficar rico depressa, Touro investe só depois de uma pesquisa cuidadosa.

A dedaleira é associada a Touro e era usada para tratar problemas do coração causados por excessos à mesa.

Como pai ou mãe

Touro é um pai conscencioso, favorecendo a disciplina e a rotina. Os filhos de um taurino usufruem de um ambiente altamente estruturado. Há pouco espaço para a espontaneidade, mas a criatividade prática é estimulada.

Abundante e cara, a esmeralda é a pedra do signo de Touro.

Como criança

A típica criança taurina precisa de uma rotina diária previsível e de uma educação prática que estimule o corpo e os sentidos. Costuma ter um "cobertor de segurança" ou um item muito estimado, que faz com que se sinta segura. Em geral com medo de se aventurar no mundo, essa criança precisa de um estímulo suave. As confrontações frente a frente tendem a levar a crises de mau humor ou à recusa obstinada a se mover e, por isso, é melhor evitá-las.

Profissão

O interesse pela boa comida faz de Touro um excelente crítico de restaurantes ou gerente ou dono de restaurante. Muitas vezes, a profunda ligação do signo com a terra encontra expressão no trabalho de paisagista, horticultor, agricultor orgânico, agrimensor, construtor, arquiteto ou agente imobiliário. Touro pode ser também cantor ou músico, negociante de arte ou antiguidades, artista que tenha como veículo o corpo, joalheiro ou artesão. O confiável Touro pode ser um excelente funcionário do governo, administrador, financista, banqueiro, corretor de investimentos ou gerente de escritório.

Atividades de lazer

Oferecer jantares é um passatempo apreciado pelo taurino. Dada a forte conexão com a terra, o paisagismo, a renovação de ambientes, a marcenaria e a escultura são boas válvulas de escape, assim como a pintura. O amor pelo lar se manifesta no prazer de cozinhar, colecionar obras de arte e antiguidades, decorar interiores, costurar e fazer tapeçarias. Yoga, dança, luta, judô, futebol e caminhadas são boas escolhas para o taurino quando a questão é se exercitar.

Boas idéias para presentes

Chegado à ostentação, Touro aprecia um relógio de ouro, uma refeição *gourmet* ou acessórios com um bom *design*. Chocolates de alta qualidade, loções e óleos aromáticos caros, lingerie de seda e pijamas de cetim são boas opções para esse signo sensual. A aparência externa significa muito e, por isso, os presentes têm que ter uma apresentação atraente.

Óleos caros, com perfume sensual, deliciam o coração taurino, especialmente se usados para massagem.

CORRESPONDÊNCIAS TRADICIONAIS

Estação	Final da Primavera
Dia	Sexta-feira
Número	6
Fisiologia	Garganta, pescoço, glândula tireóide, cordas vocais e ouvidos
Pedra de nascimento	Esmeralda
Cristais	Topázio, água-marinha, azurita, espinélio negro, pedra boji, diamante, esmeralda, cianita, kunzita, lápis-lazúli, malaquita, quartzo rosa, rodonita, safira, selenita, olho-de-tigre, turmalina, variscita
Associações	Natureza, cantar, prosperidade e posses
Metal	Cobre
Cores	Verde, rosa, azul-claro, branco com limão
Animais	Vaca, elefante
Alimentos	Maçã, espinafre, beterraba, trigo e outros cereais, uva, pêra, aspargo, alcachofra, banana-da-terra
Ervas	Salva, tomilho, tanaceto, potentilha, alcaçuz, olmo vermelho, vara dourada, uva ursina, feno-grego, menta, ligústica
Árvores	Figueira, amendoeira, ameixeira, freixo, cipreste, macieira, murta
Plantas	Rosa, papoula, violeta, dedaleira, videira, lírio, margarida, musgo, dente-de-leão, narciso, lírio-do-vale, espora, linhaça
Lugares	Chipre; Irã; Ilhas Gregas; Suíça; Turquia; Irlanda, especialmente Dublin; Alemanha, especialmente Leipzig; Itália, especialmente Mântua, Parma e Palermo; América do Norte, especialmente St Louis; hotéis de luxo; qualquer lugar quente, confortável e luxuoso, com comida excelente; campos suavemente ondulados; estábulos; porões e ambientes baixos; lojas de móveis

GÊMEOS

Glifo	♊	O algarismo romano II representa a dualidade da natureza de Gêmeos.
Datas		21 de maio – 20 de junho
Regente		Mercúrio
Casa natural		Terceira
Qualidade		Mutável
Elemento		Ar
Polaridade		Positiva
Exaltação		Nodo Norte
Queda		Nodo Sul
Detrimento		Júpiter
Palavras-chave		Comunicativo, multifacetado, adaptabilidade, dualidade, duplicidade, versatilidade, curiosidade, sociabilidade, superficialidade, astúcia, sagacidade, duas caras, caprichoso, inquieto, inconstante, simetria.

A turmalina verde, uma das pedras de Gêmeos, acalma os nervos.

Aparência

De aparência jovem, Gêmeos é resistente e enérgico, com braços longos e finos e pernas que nunca se aquietam. Os olhos, penetrantes como os de um pássaro, ficam sob sobrancelhas afiladas, num rosto estreito, com cabelos finos e claros. A cabeça geralmente se inclina para o lado, numa interrogação. Gêmeos se veste de um jeito peculiarmente elegante, sendo que os homens preferem uma aparência professoral.

Personalidade

Gêmeos é a dupla personalidade original. Brilhante, comunicativo e charmoso, de um momento para o outro o geminiano pode ficar amuado e amargo. É uma personalidade essencialmente sociável e a mais faladora de todos os signos. Gêmeos tem um toque infantil em seu caráter, recusando-se a envelhecer. Adora truques e quebra-cabeças e é um inveterado pregador de peças.

Sempre ocupado, Gêmeos costuma ter mais de um emprego. Esse signo muda de opinião diariamente e nunca admite que está errado. Há uma falta de foco em Gêmeos que arruína qualquer esperança de um estilo de vida consistente. Gêmeos está sempre em busca de um novo estímulo. Tem muitas idéias, que lhe vêm rapidamente, mas nem sempre tem a perseverança necessária para realizá-las.

A mente de Gêmeos raramente se aquieta: é um signo que busca estímulos constantes.

Mente

Gêmeos insiste em comentar o mundo, à medida que o percebe. Com habilidades verbais altamente desenvolvidas, essa mente esvoaça como uma borboleta, processando instantaneamente informações de muitas fontes e saltando para conclusões que são comunicadas a quem quiser ouvir. Gêmeos sabe um pouco sobre tudo, mas não tem concentração para focalizar uma só coisa por muito tempo.

Convincente, Gêmeos não hesita em torcer a verdade para chegar ao resultado pretendido. Essa mente manipula e pode convencer os outros de que preto é branco. Para vencer uma batalha verbal, a sua agilidade mental e o gosto por trocadilhos podem degenerar em sarcasmo.

O vôo da borboleta, rápido como uma flecha, simboliza a mente de Gêmeos.

Emoções

Gêmeos não fica à vontade com as emoções e lhe falta flexibilidade emocional. Esse signo cerebral prefere dissecar os sentimentos de outras pessoas, mas tem pouca empatia ou sensibilidade. Racionalizando habilmente as suas emoções até anulá-las, Gêmeos usa a conversa como forma de esconder o sentimento genuíno. O esgotamento emocional pode levar à depressão profunda.

Forças

A mente versátil é o maior bem de Gêmeos. As idéias chovem e o geminiano realiza múltiplas tarefas naturalmente.

Fraquezas

Gêmeos tem dificuldade para saber qual é exatamente a verdade e está sempre modificando as suas histórias sem nem perceber. Fatos inconvenientes tendem a ser descartados, especialmente quando há uma oportunidade para manipular. Com duas caras, Gêmeos adora fofocar e acha impossível guardar um segredo.

Sombra

A inconfiabilidade da sombra de Gêmeos aparece abertamente de vez em quando. É o vigarista, o artista da trapaça que persuade os outros de que alguma coisa é um bom negócio. Em geral, é motivado pelo tédio, reagindo também à estupidez ou à sensação de ter sido esnobado.

Karma

No domínio de Gêmeos, o karma gira em torno de inverdades ou esquemas nefandos. A negatividade passada envolve fofocas, calúnias, informações falsas, traição e engano deliberado. O desafio kármico da vida presente é identificar a verdade e se ater a ela.

Gostos

Tudo o que tem a ver com palavras: livros, teatro, jornalismo, Internet; jogos e quebra-cabeças.

Gêmeos gosta da excentricidade peculiar de antigas ferramentas de escrita.

Aversões

Paz e quietude, sensação de tédio ou solidão, pessoas que não ouvem ou que têm opiniões rígidas.

Dinheiro

Dinheiro no banco não é importante. Esse signo cheio de recursos sempre consegue levantar um dinheirinho quando é preciso, mesmo que por meios questionáveis. Os esquemas de enriquecimento rápido e as trapaças financeiras são invenções de Gêmeos. Essa personalidade não pensa duas vezes antes de pedir dinheiro emprestado aos amigos ou de lhes emprestar dinheiro, não se importando com as dívidas no cartão de crédito. Jogador natural e investidor astuto, Gêmeos faz apostas – e ganha.

Como pai ou mãe

Embora dispostos a brincar, pais de Gêmeos tratam os filhos como pequenos adultos. Quando se trata de disciplina, tentam argumentar. Uma criança retraída ou introvertida deixa Gêmeos atrapalhado.

Como criança

Curiosa e comunicativa, a criança de Gêmeos precisa de um ambiente intelectualmente estimulante, logo a partir do nascimento. Gêmeos precisa saber. O jovem Gêmeos pega uma coisa e a desmonta para ver como funciona, lê to-

A lavanda é excelente para ajudar o insone Gêmeos na hora de dormir.

O computador lap-top foi provavelmente imaginado pela primeira vez por um Geminiano apressado.

dos os livros da biblioteca, surfa na Internet sem que ninguém lhe tenha ensinado e ouve música em volume alto enquanto faz a lição de casa.

Embora Gêmeos seja feliz como filho único, os amigos são muito importantes. Quando não há nenhum, um amigo invisível serve. O maior problema dessa criança é ficar quieta e prestar atenção. Um geminiano entediado pode partir rapidamente para um comportamento destrutivo.

Profissão

Gêmeos é claramente compatível com qualquer coisa que envolva multitarefas e comunicação, podendo ser um bom jornalista, comentador de rádio ou professor. Gêmeos pode ser também um excelente navegador, engenheiro civil, assistente pessoal ou vendedor de livros. Eloqüente que é, pode trabalhar como representante de vendas, agente de viagem ou de propaganda, demonstrador, relações públicas ou especialista em comunicação.

O yoga pode ser excelente para Gêmeos ordenar e aquietar a sua mente borboleteante.

Atividades de lazer

A preferência é por atividades que envolvam outras pessoas e um convite para uma festa é sempre bem recebido. Quando Gêmeos fica quieto, é para ver um filme ou consertar um relógio. Quanto à atividade física, as primeiras escolhas são t'ai chi, yoga e esportes de raquete. Tocar teclado ou um instrumento de sopro numa banda também é um bom passatempo para Gêmeos, enquanto escrever, falar outras línguas e lidar com o computador mantêm a sua mente ocupada. Gêmeos pode ser um comprador compulsivo.

Boas idéias para presentes

Gêmeos gosta de brinquedos tecnológicos, especialmente os mais modernos equipamentos de comunicação. Jóias também agradam, assim como livros e entradas para o teatro.

Uma jóia é sempre um presente aceitável para Gêmeos, especialmente se for incomum.

CORRESPONDÊNCIAS TRADICIONAIS

Estação	Começo do verão
Dia	Quarta-feira
Número	5
Fisiologia	Sistemas nervoso e respiratório, mãos e braços, timo
Pedras de nascimento	Turmalina, ágata
Cristais	Apatita, apofilita, água-marinha, espinélio azul, calcita, crisocola, crisoprásio, citrino, ágata dendrítica, obsidiana verde, turmalina verde, safira, serpentina, quartzo turmalinado e rutilado, olho-de-tigre, topázio, variscita, ulexita, zoisita
Associações	Instrumentos de escrita
Metal	Mercúrio
Cores	Amarelo, preto, branco com pontos vermelhos
Animais	Pega, pássaros pequenos, papagaio, macaco, borboleta
Alimentos	Nozes, sementes, vegetais que crescem acima do chão, exceto repolho
Ervas	Unha-de-cavalo, verbasco, marroio-branco, erva santa, hissopo, ênula-campana, erva-cidreira, skullcap, salsa, ulmária, alcarávia, manjerona, semente de anis
Árvores	Árvores que dão frutas oleaginosas, especialmente avelã
Plantas	Lírio-do-vale, lavanda, lobélia, samambaia, mil-folhas, madressilva, tanaceto, grama-da-praia, garança, linhaça
Lugares	Armênia; Sardenha; Bélgica; América do Norte, especialmente Nova York e San Francisco; Inglaterra, especialmente Londres; Itália, especialmente Lombardia; Espanha, especialmente Córdoba; Alemanha, especialmente Nuremberg; centro de cidades; colinas, montanhas e locais áridos; cofres; baús e arcas; casas de espetáculos; salas de jantar; estabelecimentos educacionais

CÂNCER
O caranguejo

Glifo	As patas do caranguejo simbolizam a natureza apegada e fiel desse signo, mas o glifo faz também uma alusão aos seios, que alimentam e aconchegam.
Datas	21 de junho – 22 de julho
Regente	Lua
Casa natural	Quarta
Qualidade	Cardeal
Elemento	Água
Polaridade	Negativa
Exaltação	Júpiter
Queda	Marte
Detrimento	Saturno
Palavras-chave	Nutrição, emocionalidade, defensividade, simpatia, vulnerabilidade, apego, tenacidade, ambição, melancólico, protetor, suscetível, gregário, astuto, inseguro, nostalgia, sentimental, manipulador.

Aparência

O canceriano típico tem o rosto redondo e pálido e cabelo castanho-claro. O corpo tende a ser curto e sólido e com seios fartos no caso das mulheres. Olhos pálidos e lacrimosos olham timidamente para o lado sob pálpebras abaixadas. A postura característica é de proteção, com as mãos cruzadas sobre o diafragma. Câncer escolhe roupas confortáveis e caseiras. Quando gosta de uma roupa, costuma usá-la até que, literalmente, caia aos pedaços.

Câncer encontra um grande consolo perto da água.

Personalidade

O grande cultivador do zodíaco, Câncer nunca é direto nem se põe em evidência, sendo fácil ignorá-lo. O que está sob a casca do caranguejo fica bem escondido e é de difícil acesso. Intimamente ligado às fases da Lua, Câncer oscila, podendo ser gentil, carinhoso e compassivo ou então duro, irritadiço e cheio de autopiedade. Há um choque evidente entre a parte ambiciosa e extrovertida do signo e o aspecto suave e sensível, que precisa desesperadamente de aprovação. Câncer quer fazer parte de um grupo, mas também deseja o sucesso e está pronto a se indispor com as pessoas para atingi-lo.

O lar é de vital importância para Câncer. Qualquer rompimento em casa provoca uma angústia emocional que afeta todas as outras partes da sua vida. Mudar de casa é um grande trauma. Sentimental e nostálgico, Câncer guarda tudo do passado. O que os outros vêem como tranqueira, Câncer considera essencial para a sua segurança e para os seus sentimentos.

Mente

Câncer raramente vai direto ao ponto e muitas vezes se vê dominado pela emoção, de modo que os processos de pensamento podem ser irracionais, embora orientados pela segurança. Acontecimentos e amores do passado também têm muito peso nas decisões intelectuais. Embora a mente canceriana trabalhe melhor com a intuição à solta, as decisões tomadas dessa forma pedem uma avaliação lógica num momento posterior, já que podem ter sido influenciadas por necessidades emocionais ou pelos sentimentos dos outros.

Emoções

Câncer põe tudo de lado pelo desejo de proteger e cuidar. Sendo tão afinado com os sentimentos e necessidade dos outros, é difícil para essa personalidade se afastar e definir a própria posição. É um signo que muitas vezes se vê sobrecarregado e tende a mudanças de humor. Mal-entendidos e ressentimentos surgem facilmente numa paisagem agudamente emocional, na qual tudo é avaliado à luz de experiências anteriores. Quando se vê ameaçada, o que muitas vezes acontece, essa personalidade vulnerável e reservada se retrai para um ambiente protegido como um útero, no qual as emoções possam ser processadas e compreendidas.

Forças

Altamente intuitivo a respeito das necessidades dos outros, Câncer é muito afetivo e ferozmente protetor. Há ocasiões em que esse signo solícito parece ser o assistente social do resto do zodíaco. Na esfera profissional, a sagacidade da mente canceriana, combinada a uma excelente memória, muitas vezes se traduz em perspicácia para negócios.

O belo lírio d'água simboliza a natureza receptiva de Câncer.

Fraquezas

As fraquezas vêm da suscetibilidade emocional. Quando vulnerável, Câncer se torna ciumento e possessivo, agarrando-se a tudo que represente segurança.

Sombra

O lado sombrio de Câncer vem do forte controle emocional que esse signo gostaria de ter sobre as coisas – e sobre as pessoas. É uma sombra manhosa, nascida da insegurança pessoal.

Karma

Câncer vive sobrecarregado por situações ou relacionamentos do passado, que se recusa a liberar. Há muitas questões de co-dependência e de "amor sufocante" que merecem atenção. O karma positivo está muitas vezes associado aos cuidados que Câncer oferece. O

A pedra-da-lua é a pedra canceriana.

desafio para este signo é descobrir uma maneira de cuidar de si mesmo sem depender do apoio emocional dos outros.

Gostos
Lar, tudo o que tem a ver com água, itens de valor sentimental, boa comida.

Aversões
Notoriedade, independência emocional nos outros.

Dinheiro
Esse signo orientado à segurança sente-se desprotegido se não tiver um bom pé-de-meia. Muitas vezes acusado de mesquinharia, Câncer é generoso com quem ama. Como tem faro para negócios e raramente confia nos outros, esse signo cuida em geral dos próprios assuntos financeiros. Os investimentos são analisados com cuidado.

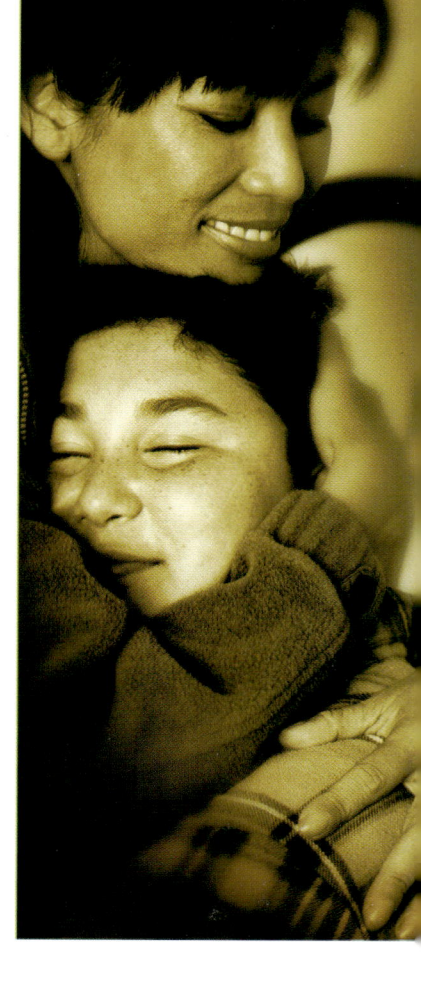

A maternidade e a criação dos filhos estão sempre perto do coração canceriano.

Como pai ou mãe
Transbordante de sentimento maternal, Câncer é carinhoso e solícito com os filhos, proporcionando-lhes um ambiente com muito amor. No extremo, esse amor pode ser possessivo, prejudicando o desenvolvimento da auto-suficiência. O pai ou a mãe de Câncer fica com o coração na mão quando a criança é um pouquinho ousada e se enfurece quando essa criança é ameaçada por algum perigo, real ou imaginário.

Como criança
O canceriano jovem precisa de um ambiente estável e protetor, em que possa aprender, e da constante demonstração do amor dos pais. É uma criança afetuosa, que prefere ficar perto dos pais. Muito incentivo é necessário para ajudar o jovem canceriano a alçar vôo.

Profissão
Os cancerianos e cancerianas podem ser excelentes assistentes sociais, berçaristas, babás, parteiras, acompanhantes, diretores de recursos humanos, administradores de condomínio, professores de pré-escola ou enfermeiros. A ligação com comida é bem aproveitada em profissões como *hotelier*, *caterer* ou *chef*. Já a ligação com a casa sugere um bom *designer* ou decorador de interiores. Como esse signo fica feliz na água ou perto dela, pode trabalhar como construtor de barcos, pescador ou marinheiro. Pode também ser um bom vendedor de antiguidades, curador de museu, negociante ou historiador.

Atividades de lazer
Com forte ênfase em atividades domésticas, é típico de Câncer bordar, fazer tricô, colecionar antiguidades, visitar brechós e cozinhar para os ami-

gos. A forte afinidade de Câncer com a água se manifesta em atividades como velejar, pescar e nadar. A joalheria artesanal é um bom *hobby*, assim como a fotografia. Um dos esportes preferidos é a luta-livre. Esse signo de coração gentil também encontra tempo para trabalhos de caridade.

Boas idéias para presentes

Câncer valoriza qualquer coisa que venha do passado. Então, uma antiguidade ou uma ida ao cinema para ver um filme antigo são excelentes idéias. Jóias de prata, pérolas ou florzinhas brancas e cheirosas são apreciadas, assim como uma fotografia da família.

Velejar é um excelente passatempo para esse signo da água – que pode ser surpreendentemente competitivo.

CORRESPONDÊNCIAS TRADICIONAIS

Estação	Meio do verão
Dia	Segunda-feira
Número	2
Fisiologia	Seios, mamilos, sistema linfático, órgãos reprodutores femininos, trato alimentar
Pedras de nascimento	Pedra-da-lua, pérola
Cristais	Âmbar, berilo, espinélio marrom, cornalina, calcita, calcedônia, crisoprásio, esmeralda, pedra-da-lua, opala, turmalina rosa, rodonita, rubi, ágata-musgo, ágata-de-fogo, ágata dendrítica
Associações	O passado, o lar
Metal	Prata, cobre
Cores	Branco, cinza-enfumaçado, verde, ferrugem, iridescência
Animais	Caranguejo, sapo
Alimentos	Frutos do mar, alface, cogumelos, pepino, abóbora, melão, figo, leite, alimentos aquosos, repolho, papaia
Ervas	Hortelã-pimenta, hortelã, verbena, estragão, hissopo
Árvores	Amieiro, salgueiro, acanto, árvores ricas em seiva
Plantas	Convólvulo, rosa branca, lótus, lírio d'água, junco, flores silvestres, drósera, cravo-de-defunto, morrião-dos-passarinhos, madressilva, eritrônio
Lugares	Canadá; Escócia; Ilhas Maurícias; Países Baixos, especialmente Amsterdã; Itália, especialmente Veneza; Turquia, especialmente Istambul; cidade de Nova York; qualquer lugar tranqüilo perto da água; todas as águas navegáveis, especialmente grandes rios e o mar; casas perto da água; lagos, poços, fossos, nascentes, terrenos pantanosos; adegas e lavanderias

LEÃO

Glifo ♌	O símbolo de Leão é a juba. O Rei dos Animais simboliza a natureza real do signo.
Datas	23 de julho – 22 de agosto
Regente	Sol
Casa natural	Quinta
Qualidade	Fixo
Elemento	Fogo
Polaridade	Positiva
Exaltação	Netuno
Queda	Nenhum
Detrimento	Urano
Palavras-chave	Persistência, real, orgulho, entusiasmo, autoconfiança, generosidade, teimoso, brincalhão, turbulento, vaidade, drama, benevolente, dominante, digno, pomposo, protetor.

Aparência

Leão nunca passa despercebido. É uma personalidade dramática, que gosta de

É mais do que provável que a mulher de Leão seja presidente do conselho ou líder de equipe.

causar impacto. De altura acima da média, o corpo é generoso e bem formado. A postura é imponente e autoritária, ou brincalhona e travessa, dependendo do humor. Os olhos leoninos são ousados e convidativos. O cabelo é arrumado para impressionar e as roupas são caras e elegantes.

Personalidade

Leão faz muita pose. Com magnanimidade de espírito e amor contagiante pela vida, o lugar de Leão é no centro do palco e ele exige adulação como se fosse um direito. O signo é um regente natural, posto na Terra para governar os outros, gostem ou não. Felizmente, Leão tem uma natureza tão charmosa que a maioria das pessoas perdoa essa intromissão na sua vida. Déspota megalomaníaco ou benevolente, há em Leão algu-

Lugares de areias quentes são regidos por Leão, que se esbalda no calor.

ma coisa exuberante e infantil, mesmo quando é mandão e dominador.

Leão acredita que é especial e fará de tudo para obter tratamento especial. Nesse tipo de personalidade, há muito orgulho em jogo. Os outros muitas vezes se curvam sem pensar diante de Leão. Ninguém gosta de ofendê-lo. Um Leão irritado é capaz de congelar o ambiente e paralisar com o olhar – e fica difícil convencê-lo a desistir do bote.

Mente

É praticamente impossível fazer com que Leão mude de opinião sobre o que quer que seja. Geralmente bombástico, esse signo pensa em linhas retas. As opiniões que Leão formulou na juventude continuam as mesmas na velhice. Os processos de pensamento são lentos e ponderados – e às vezes pomposos. O Leão pode achar que deu toda a atenção a um assunto, só que muitas vezes os detalhes são esquecidos e as conclusões tendem a ser baseadas na intuição e não nos fatos. Mas Leão faz bonito e angaria poder graças a influências incontestáveis.

Emoções

O orgulho é a mais forte das emoções de Leão. A face externa desse signo nunca deixa de mostrar confiança e *joie de vivre*. Mas a situação pode ser diferente por dentro. Quando Leão tem uma forte confiança em si mesmo, coisas incríveis podem acontecer, mas se essa confiança for abalada, Leão leva um longo tempo para se recuperar.

Os outros às vezes se aproveitam de Leão, que é ingênuo e confiante, achando que todos têm altos padrões de integridade e lealdade. Cercado pela equipe certa, Leão é poderoso e criativo.

Forças

A calorosa benevolência de Leão e a sua boa índole podem levar a luz do Sol para a vida dos outros. É um espírito altamente criativo.

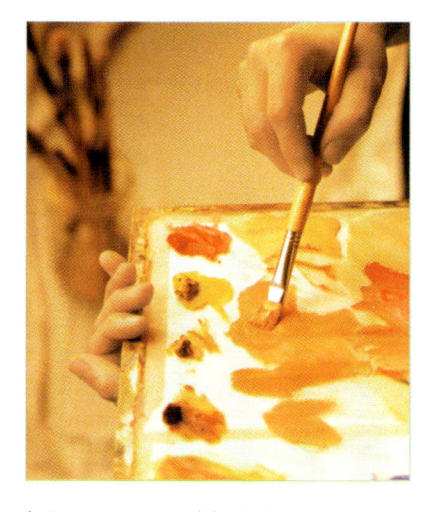

Leão, o regente natural da criativa quinta casa, muitas vezes tem uma forte inclinação artística.

Fraquezas

O Leão tende a querer mandar nos outros. Como quer sempre fazer bonito, o signo pode ser vulnerável a falsos elogios. Esnobismo, orgulho e arrogância arruínam esse signo, assim como a inclinação pela boa vida.

Sombra

A tendência desse signo para organizar os outros pode se transformar num desejo compulsivo de controle. O lado sombrio de Leão procura explorar a fraqueza dos outros.

Karma

Autocrático e inflexível, Leão precisa reconhecer a responsabilidade que vem junto com o poder. O desafio kármico é se tornar pessoalmente dotado de poder em vez de exercer poder sobre os outros.

Gostos

Aplausos, compras, boa comida, vinho, as artes, a ópera, qualquer coisa com paixão e vivacidade.

Aversões

Frustrações, ser motivo de riso, gente tímida e apagada, controle orçamentário.

Muitos Leões são conhecedores de bom vinho.

Dinheiro

Leão é um gastador e muitas vezes vive muito acima dos seus meios. O dinheiro simplesmente escorre entre os seus dedos dourados. Não que Leão se importe, já que tem o apoio dos outros e uma capacidade inata de gerar mais dinheiro. Mas, mesmo sem dinheiro, esse signo é generoso e mantém um estilo de vida ostentoso.

Rara e bela, a olho-de-gato é uma das pedras de Leão.

Como pai ou mãe

Como pai ou mãe, Leão é afetuoso, brincalhão e criativo. Este tipo de pai ou de mãe se orgulha de proporcionar de tudo aos filhos, que são incentivados a explorar criativamente o mundo. Espera que os filhos se saiam excepcionalmente bem, seguindo o modelo leonino.

Como criança

Essa é a criança de ouro, que se destaca na multidão e que tem sempre uma corte de admiradores, o que pode deixá-lo mimado demais. Ela precisa de um ambiente escolar em que possa brilhar, com oportunidades para dançar e atuar. A disciplina é importante para manter sob controle esse ego em desenvolvimento. Quando contrariada, logo se transforma numa prima-dona.

Profissão

Leão é naturalmente ator, dançarino, produtor ou apresentador de televisão, modelo, estrela do rock, esportista ou desenhista de moda. Esse signo pode ser também um excelente vitrinista, engenheiro de calefação, ourives ou negociante de ouro. Sente-se bem também exercendo autoridade como juiz, orientador de jovens, professor, político, presidente ou advogado. Como o signo tem uma forte ligação com diversão e lazer, profissões como psicodramatista ou gerente de centro de lazer também são apropriadas. E dada a ligação com o coração, muitos Leões se tornam cardiologistas ou cirurgiões cardíacos.

A dança dá ao Leão a oportunidade de brilhar.

Atividades de lazer

Leão combina indolência com energia: não gosta muito de esportes que exigem esforço, mas gosta de ser visto numa academia da moda. As atividades aeróbicas mantêm a boa forma de Leão, assim como a dança. Esportes de equipe não muito puxados são aceitáveis, contanto que Leão seja o capitão.

Não há nada que Leão aprecie mais do que adorar o sol na praia.

Sendo um ator natural, Leão é excelente em grupos amadores de teatro, gostando de debater qualquer coisa que envolva representação. Comer fora é sempre um prazer. O lado criativo do Leão se revela em *hobbies* artísticos e trabalhar para uma boa causa aquece o seu coração. Com um interesse surpreendente em estratégia, Leão gosta de jogos de tabuleiro.

Boas idéias para presentes

Leão adora tudo o que é vistoso e ostentoso, e de preferência caro. Um camarote na ópera é uma boa idéia, ou uma suíte num hotel. Cashmere e ouro também levam nota alta, assim como um retrato de Leão numa moldura adornada.

CORRESPONDÊNCIAS TRADICIONAIS

Estação	Fim do verão
Dia	Domingo
Número	1
Fisiologia	Coração, coluna, base das costas
Pedras de nascimento	Olho-de-gato, rubi
Cristais	Olho-de-tigre, âmbar, pedra boji, cornalina, crisocola, citrino, damburita, esmeralda, ágata-de-fogo, granada, berilo dourado, turmalina verde e rosa, kunzita, larimar, moscovita, ônix, calcita laranja, petalita, pirolusita, quartzo, obsidiana vermelha, rodocrosita, topázio, turquesa, espinélio amarelo
Associações	Vinho
Metal	Ouro
Cores	Laranja, amarelo-dourado, vermelho, verde
Animais	Leão, gato doméstico, lince
Alimentos	Salsa, alimentos ricos, carne, nozes, mel, espinafre, couve galega, agrião
Ervas	Eufrásia, erva-doce, erva-de-São-João, borragem, agripalma, açafrão, alecrim, arruda, anis, camomila
Árvores	Árvores cítricas, cedro, loureiro, palmeira, nogueira
Plantas	Flor de maracujá, quelidônia, girassol, cravo-de-defunto, narciso silvestre, lavanda, lírio amarelo, papoula, visco
Lugares	Itália, especialmente Roma; França, especialmente a Riviera; República Checa, especialmente Praga; Turquia; sul do Iraque; Líbano; Boêmia; Índia, especialmente Mumbai; América do Norte, especialmente Chicago ou Filadélfia; resorts exclusivos; selvas; bosques e florestas; desertos e lugares inacessíveis; qualquer lugar perto do fogo ou de uma fornalha; castelos

LEÃO

VIRGEM
A donzela

Glifo	♍	O glifo de Virgem representa uma donzela segurando espigas de milho, símbolo da natureza produtiva do signo.
Datas		23 de agosto – 22 de setembro
Regente		Mercúrio
Casa natural		Sexta
Qualidade		Mutável
Elemento		Terra
Polaridade		Negativa
Exaltação		Mercúrio
Queda		Vênus/Netuno
Detrimento		Júpiter/ Netuno
Palavras-chave		Serviço, discriminação, análise, eficiência, perfeccionismo, conscencioso, pureza, fertilidade, meticuloso, submisso, modesto, eficiente, detalhista, pedante, tacanho.

Aparência

Virgem está quase sempre impecável, irradiando eficiência. O corpo é esguio, os gestos econômicos e os cabelos em ordem. A postura é atenta, pronta para servir. Muitos virginianos usam uniformes, de um tipo ou de outro. Quando não está de uniforme, Virgem opta por roupas funcionais, que não saem da moda. As cores são combinadas e coordenadas.

Tomar notas meticulosamente é o forte de Virgem.

Personalidade

Quieta e reservada, a personalidade de Virgem é extremamente eficiente. Virgem sempre tem tudo sob controle. O fato de todos os outros signos contarem com isso pode fazer de Virgem um *workaholic*. Abnegado e com o instinto de servir, acha difícil não ceder. Virgem gosta de ver tudo certo e isso tem um preço. A personalidade desse signo pode ser crítica demais, não tolerando erros. A preocupação excessiva pode levar à exaustão nervosa.

Virgem personifica um forte conflito entre a sensualidade natural de um fértil signo da terra e o desejo inato de pureza. Parte da personalidade virginiana é sempre intocada e pura. O outro aspecto da donzela é voluptuoso e fecundo. Quando as inibições diminuem, essa personalidade revela uma inclinação aos prazeres da carne que pode levar depois a uma crise de consciência.

Mente

Regido pelo planeta Mercúrio, Virgem é um signo intelectual. É uma personalidade que tende ao conhecimento especializado, com uma clareza mental que poucos signos têm. Mas há também nesse signo um pouco de pedantismo tacanho. Virgem age com cautela, preferindo categorizar, analisar e organizar em vez de mostrar uma visão mais ampla. Diante de um problema, o instinto de Virgem é dividi-lo em pequenas partes, geralmente em detrimento do todo. Cronicamente preocupado, esse signo pode mostrar considerável tensão nervosa, o que perturba a concentração e gera disfunções no corpo.

Emoções

Para Virgem, as emoções são desagradavelmente confusas. Como tem a perfeição como meta e um profundo medo do fracasso, Virgem prefere não se arriscar a descobrir imperfeições interiores. Para esse signo, as emoções podem ficar seriamente confusas, ainda mais quando o forte impulso sexual entra em conflito com o alto nível de exigência. A única saída para Virgem é analisar o sentimento até acabar com ele.

Forças

A eficiência de Virgem é lendária. Esse signo é agraciado com integridade, criatividade prática, senso comum, confiabilidade e olho para detalhes. Embora quieto e reservado, esse signo está sempre pronto a ajudar os outros.

O humilde botão-de-ouro, ou ranúnculo, é uma das flores de Virgem.

Fraquezas

No extremo, a obsessão por detalhes faz com que Virgem sucumba ao pedantismo e à falta de visão. A tendência a ser crítico e cheio de razão, combinada a metas inatingíveis, impede que Virgem consiga atingir os padrões de perfeição que lhe aumentariam a auto-estima e lhe tirariam as dúvidas a respeito de si mesmo.

Florzinhas de cores brilhantes são regidas por Virgem.

Sombra

A sombra pudica de Virgem foge de qualquer coisa "doentia" e, no entanto, pode ter uma profunda atração por voyeurismo ou pornografia. Reprimida essa atração, resta-lhe a suspeita furtiva de que sabe mais do que qualquer um.

Karma

Levada longe demais, a personalidade de Virgem pode facilmente descambar para o servilismo. Esse signo tem que aprender a servir de coração e com verdadeira humildade, sem buscar reconhecimento nem recompensa. O desafio kármico é usar o julgamento e o discernimento sem se tornar crítico demais e nem pedante.

Gostos

Fazer listas, limpeza e ordem, artes e artesanato.

O peridoto é uma das pedras de Virgem.

Aversões

Bagunça, sujeira, desorganização, comportamento despudorado nos outros, barulho.

Dinheiro

Econômico, Virgem planeja com cuidado o orçamento e raramente gasta dinheiro em frivolidades, preferindo pesquisar preços em busca do mais barato. Vivendo modestamente e gastando menos do que ganha, Virgem sempre tem dinheiro no banco. Esse signo sabe exatamente para onde vai o dinheiro. Paga as contas em dia e tem horror a dívidas. O planejamento financeiro é importante para esse signo cauteloso e os investimentos que escolhe são os que têm crescimento lento mas garantido.

O xadrez é um jogo que oferece um bom desafio para esse signo, amante da estratégia e da organização.

Como pai ou mãe

O pai ou a mãe desse signo cuida muito dos filhos e planeja cuidadosamente o seu futuro. Estabelece padrões bem altos e toma medidas sérias quando o filho não consegue ficar à altura deles – mas só porque quer de coração o melhor para o filho.

Como criança

Meticuloso e organizado desde muito jovem, Virgem sempre sabe onde estão as suas coisas. Essa criança gosta de experiências práticas e de um aprendizado cuidadosamente planejado. Embora raramente se suje, ela pode se beneficiar pessoalmente do contato com o solo. A jardinagem é uma atividade apreciada, assim como trabalhos manuais.

Profissão

Graças à sua forte ligação com saúde e higiene, Virgem trabalha muitas vezes como profissional de saúde, higiene ou limpeza, farmacêutico, enfermeiro, dietista ou nutricionista. A eficiência do signo faz dele um excelente assistente pessoal, cientista, inspetor, analista, redator, crítico, pesquisador, revisor, bibliotecário, treinador de empresa ou estatístico. Virgem pode também encontrar satisfação como artesão, jardineiro, ajudante de loja, professor, lingüista, consultor ou professor de yoga.

Atividades de lazer

Os jogos de equipe atraem Virgem, assim como clubes esportivos, yoga, caminhadas e passeios de bicicleta. Muitos virginianos são excelentes artesãos, escolhendo *hobbies*

A necessidade de servir muitas vezes leva Virgem a profissões em que possa cuidar de alguém.

como marcenaria, entalhes em madeira, bordado e modelagem. Consertar aparelhos elétricos também é um passatempo apreciado. Para exercitar a mente, Virgem muitas vezes estuda por prazer ou faz trabalho de caridade. A forma precisa e eficiente desse signo abordar a vida é espelhada no xadrez e no computador.

Boas idéias para presentes

O título de um clube ou a assinatura de uma revista são presentes adequados. Produtos que ajudam a relaxar e óleos de banho também são uma boa escolha, assim como alguma coisa ligada ao passatempo preferido.

Virgem tem uma ligação muito forte com saúde e boa forma e, como signo da terra, é sensual e gosta de ser cuidado.

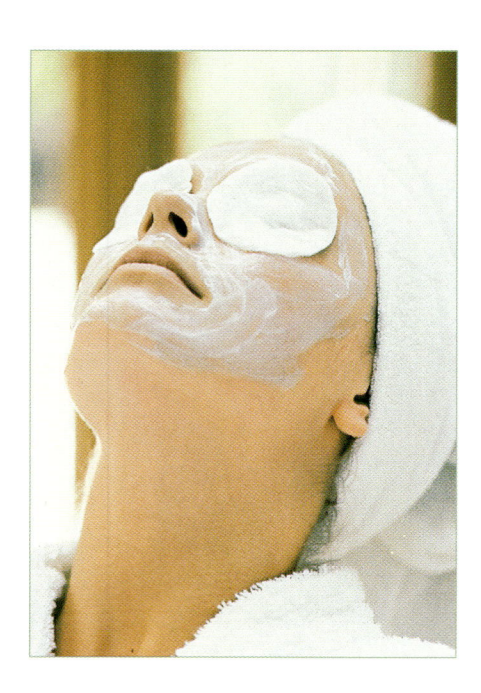

CORRESPONDÊNCIAS TRADICIONAIS

Estação	Começo do outono
Dia	Quarta-feira
Número	5
Fisiologia	Abdômen, intestinos, baço, sistema nervoso central
Pedras de nascimento	Peridoto, sárdonix
Cristais	Amazonita, âmbar, topázio azul, dioptásio, cornalina, crisocola, citrino, granada, magnetita, pedra-da-lua, ágata-musgo, opala, obsidiana púrpura, rubelita, quartzo rutilado, safira, sodalita, sugelita, smithsonita, okenita
Associações	Colheita
Metal	Mercúrio, cobre
Cores	Azul-marinho, cinza-escuro, marrom, verde, preto, qualquer coisa com salpicos ou bolinhas
Animais	Rato, insetos, gato, abelhas
Alimentos	Endívia, painço, milho, trigo, cevada, aveia, centeio, arroz, batata, cenoura, nabo, rutabaga, banana-da-terra, todos os vegetais que crescem sob a terra, nozes, amoras, erva-doce
Ervas	Escutelária-da-virgínia, endro, valeriana
Árvores	Árvores de frutas oleaginosas, sabugueiro, castanheiro-da-índia
Plantas	Florzinhas de cores brilhantes, botão-de-ouro, lavanda, escutelária-da-virgínia, miosótis, áster, glória-da-manhã, mimosa, linhaça
Lugares	Suíça; Mediterrâneo oriental; França, especialmente Paris e Lyon; Grécia, especialmente Creta; Turquia; Alemanha, especialmente Heidelburg; América do Norte, especialmente Boston; bibliotecas; armários; estâncias de cura; leiterias; milharais; silos e fábricas de malte; celeiros; qualquer lugar arado ou cultivado

LIBRA
A balança

Glifo	Símbolo da natureza essencialmente justa do signo, a inanimada Balança da Justiça representa a tendência de Libra para "pesar as coisas" antes de agir.
Datas	23 de setembro – 22 de outubro
Regente	Vênus
Casa natural	Sétima
Qualidade	Cardeal
Elemento	Ar
Polaridade	Negativa
Exaltação	Saturno
Queda	Sol
Detrimento	Marte
Palavras-chave	Relacionamento, harmonia, parceria, cooperação, diplomacia, conciliação, perfeccionismo, indecisão, compromisso, insinceridade, julgamento, adaptação, vacilante, frívolo, pacífico, adequado, estético, determinado.

Aparência

Com seu jeito sossegado, Libra tem uma boa aparência – mas vive se olhando no espelho só para ter certeza. Tem um rosto atraente, com boa estrutura óssea e o olhar claro. O cabelo de Libra é tipicamente longo e ondulado, o corpo é curvilíneo e a estatura tende a ser baixa. Esse signo prefere tecidos luxuosos, sempre de olho na combinação de cores. Mas se Libra se vestisse com pano de saco, o efeito ainda seria agradável.

Personalidade

Em geral, Libra é considerado o signo mais equilibrado do zodíaco, mas nem sempre é esse o caso. Libra é uma personalidade vacilante que pode mudar de um extremo ao outro ou ficar em cima do muro. Esse tipo sociável, extrovertido e charmoso tem necessidade de agradar os outros e prefere a harmonia à verdade, sendo capaz de mentir e manipular para manter a vida do jeito que gosta. Libra é capaz de se adaptar, de se ajustar e de ceder para deixar todo mundo feliz, mas no fundo o libriano é forte.

Um relacionamento é essencial para Libra, que se sente incompleto quando está só. Essa personalidade faz de tudo para atrair um parceiro.

Um relacionamento amoroso é vital para a felicidade de Libra.

Mente

Libra tem a mente ágil, capaz de abstrações e de julgamentos perspicazes. Os librianos mostram muita habilidade para planejamento e estratégia. Essa mente gosta também do calor de um debate – talvez pela oportunidade de liberar a agressividade contida.

A fraqueza mental de Libra é a indecisão, nascida da tendência a enxergar todos os lados de uma questão – e a ficar em cima do muro. Qualquer pressão para que tome uma decisão é sentida como stress. Libra quer fazer tudo certo – e ser justo. No esforço para agradar todo mundo, esse signo faz uma verdadeira ginástica mental, acrescentando uma ou duas mentirinhas para não ferir os sentimentos de ninguém. Mas quando as mentiras começam a crescer como bola de neve e o artifício fica complexo demais, Libra se cansa e abre o jogo.

Música de todos os tipos agrada a natureza artística de Libra.

Emoções

Idealmente, esse signo evitaria todas as emoções, com a exceção do amor romântico. Libra deseja profundamente uma relação, o que pode levar a emoções intensas. Em geral, esse signo não sofre com ciúme, mas qualquer ameaça ao relacionamento pode despertar insegurança e sentimentos de inadequação.

Forças

Esse signo tem um excelente poder de negociação e mediação. Com personalidade delicada e diplomática, Libra acalma as coisas e acha o meio termo. Libra também tem bom gosto inato e capacidade para criar uma atmosfera harmoniosa, seja qual for o ambiente.

Fraquezas

Em busca da perfeição, Libra omite impropriedades e encobre os problemas. A necessidade de ter um relacionamento pode ser tão aguda que as concessões se acumulam, acabando por levar à insatisfação. A indecisão e a tendência à preguiça sugerem que Libra pode acabar não cumprindo o que promete.

Libra encontra um enorme prazer junto à natureza – o único lugar em que fica feliz sozinho.

Sombra

Para um signo tão pacífico, Libra tem uma sombra surpreendentemente egoísta, incorporando os traços mais detestáveis de Áries. Absorvido em si mesmo e obstinado, é como se toda a preocupação com o bem-estar dos outros que Libra normalmente exibe se invertesse. Essa sombra mente e engana para atingir os seus próprios fins egoístas.

Karma

Para os librianos, o karma gira em torno de relacionamentos e da tendência a se adaptar em detrimento de si mesmo. A indecisão e uma relação relaxada com a verdade são outras áreas que merecem exame. Para Libra, o desafio kármico é ser aberto e verdadeiro nos relacionamentos futuros, de modo que as necessidades de ambas as partes sejam atendidas.

Gostos

Paz e harmonia, um ambiente agradável, as artes.

Aversões

Confusões, discussões, diferenças de opinião.

A pomba, símbolo da paz, é tradicionalmente associada a Libra.

Dinheiro

Embora Libra faça meticulosos planos financeiros, pode ainda assim contrair grandes dívidas por causa do seu amor pela boa vida. Felizmente, tem capacidade para ganhar o suficiente para pagar as suas dívidas.

Os investimentos são cuidadosamente pesquisados e planejados com vistas à segurança a longo prazo – quando Libra se dá a esse trabalho. Sempre generoso e disposto a gastar com luxo e qualidade, esse signo adora fazer compras e não consegue resistir a uma pechincha.

Como pai ou mãe

O pai ou mãe de Libra gosta de brincar com os filhos, contanto que a brincadeira não envolva confrontação. É um pai ou uma mãe que disciplina com afabilidade e não com regras estritas. No entanto, o desejo de perfeição desse signo pode levar a padrões severos, principalmente no que diz respeito a trabalho acadêmico.

Como criança

Como criança, Libra aprende rapidamente para agradar as pessoas e mediar disputas. Essa criança cativante precisa ser conduzida gentilmente pela vida. Como a sua prioridade são as pessoas, ela aprende melhor num ambiente sociável, com ênfase na cooperação e não na competição, onde o amor pelo aprendizado e pelas artes seja incentivado.

Para o libriano, o morango é o alimento do amor.

Profissão

O gosto excelente de Libra e o seu amor pela estética apontam para profissões como *designer* de interiores, artista gráfico, consultor de imagens, esteticista, estilista, consultor de compras, negociante de arte ou qualquer coisa no ramo musical. Com a aparência que tem, Libra pode ser modelo. A tendência à diplomacia e à justiça sugere que o libriano pode ser juiz ou advogado, diplomata, trabalhador social, conciliador, consultor administrativo, funcionário de agência de encontros, avaliador ou vendedor de imóveis. Libra pode também encontrar satisfação profissional como veterinário, cabeleireiro, terapeuta sexual ou atendente de vôo.

Atividades de lazer

As safiras representam a dedicação ao amor, própria de Libra.

Libra prefere esportes praticados em dupla, como tênis ou dança. T'ai chi e natação também são boas opções. Libra gosta de desenhar e confeccionar roupas bonitas, além de cuidar da casa e do jardim. Atividades calmas como pintar, fotografar, ler e ouvir música são apropriadas. Exposições de arte, cinema, concertos e casas noturnas também oferecem a esse signo sociável oportunidades de se extravasar.

Boas idéias para presentes

Libra tem bom gosto, é avesso a presentes baratos ou sem graça. Diante de padrões tão exigentes, o presente mais seguro pode ser um "vale-presente" de algum lugar realmente exclusivo.

CORRESPONDÊNCIAS TRADICIONAIS

Estação	Meio do outono
Dia	Sexta-feira
Número	6
Fisiologia	Rins, região lombar, sistema endócrino
Pedras de nascimento	Safira, opala
Cristais	Ametrina, apofilita, água-marinha, aventurina, pedra-do-sangue, quiastolita, crisolita, espinélio verde, turmalina verde, jade, kunzita, lápis-lazúli, lepidolita, obsidiana mogno, pedra-da-lua, peridoto, prehnita, pedra-do-sol, topázio
Associações	Vinho, música
Metal	Cobre
Cores	Azul-claro, rosa, preto, carmesim escuro, âmbar, amarelo-limão
Animais	Todos os animais pequenos, pombas, cisnes, lagartos e pequenos répteis
Alimentos	Agrião, morango, leite, mel, frutas, trigo, alcachofra, aspargo, temperos
Ervas	Amor-de-hortelão, poejo, tomilho, matricária, erva-dos-gatos, potentilha, angélica, uva-ursina, bardana, cabelo de milho, salsa, gaultéria, folhas de buchu
Árvores	Freixo, plátano, figueira, álamo, lilás, zimbro
Plantas	Todas as flores azuis, malva, rosas opulentas, videira, melissa, violeta, limão, amor-perfeito, prímula, dália, margarida, rosa centifólia
Lugares	Argentina; Burma; China; Tibete; Viena e a região alpina da Áustria; Portugal, especialmente Lisboa; França, especialmente Arles; grandes navios cruzeiros; celeiros, moinhos, telheiros; a encosta das colinas, o topo das montanhas e qualquer lugar com ar puro e limpo; áreas áridas, arenosas ou pedregosas, onde antes se praticava a falcoaria; câmaras internas; sótãos

ESCORPIÃO

Glifo	♏	O ferrão no rabo do escorpião é sugerido pelo glifo farpado. A flecha sugere também a natureza transcendente do signo.

Datas 23 de outubro – 21 de novembro

Regentes Marte e Plutão

Casa natural Oitava

Qualidade Fixa

Elemento Água

Polaridade Negativa

Exaltação Urano

Queda Lua

Detrimento Vênus

Palavras-chave Transformação, intensidade, mestria, magnetismo, penetração, poder, sexualidade, segredos, destruição, misterioso, desconfiado, oculto, trauma, autodestruição, vingativo, ressentimento, controle.

Aparência

Inescrutável e de olhar intenso, Escorpião tem olhos escuros e pensativos. O corpo é forte, sutilmente magnético e o olhar não revela nada. O cabelo e a pele são geralmente escuros. Roupas bem cortadas e com estilo forte dão brilho à aparência marcante.

Personalidade

É difícil conhecer o carismático escorpião, que prefere continuar assim. O ar reservado de Escorpião só aumenta o seu perigoso charme. É uma personalidade altamente intuitiva que compreende muito bem os outros, descobrindo instintivamente os sentimentos que tentam esconder.

Com um esmagador desejo de poder, Escorpião não hesita em usar o conhecimento que lhe vem através da intuição para manipular as pessoas. Esse signo vai aonde os outros signos têm medo de ir, quebrando todos os tabus. No entanto, é uma perso-

Escorpião é tradicionalmente o signo mais sexual e mais intenso do zodíaco.

Tradicionalmente, Escorpião tem uma correspondência com amendoeiras.

nalidade resistente às mudanças, que levou a resistência passiva a uma forma de arte. É raro essa pessoa dizer não diretamente, mesmo que lucrasse com isso. Do mesmo modo, a proverbial ferroada no rabo indica que esse signo pode ser autodestrutivo. Mas, em geral, Escorpião não sabe por que se comportou desse modo.

Mente

Escorpião tem a mente astuta e vai diretamente ao centro do problema. Combinando lógica com intuição, o Escorpião é um excelente estrategista, que pode praticamente hipnotizar os outros para que façam o que ele quer. Os padrões de pensamento e as opiniões tendem a ser rígidos e invariáveis. Poucos conseguem mudar o modo de pensar de um Escorpião.

Escorpião pode ser implacavelmente autocrítico, especialmente quando tenta entender a motivação. É uma personalidade desconfiada que guarda mágoas passadas e permite que pensamentos de vingança se desenvolvam. Tudo é julgado à luz do sofrimento passado, especialmente no nível emocional. Escorpião demora para confiar e, caso seja traído, não perdoa e nem esquece.

Emoções

As emoções de Escorpião ficam muito bem escondidas, o que as torna ainda mais intensas. É uma personalidade com emoções muito poderosas, relacionadas em geral com amor e ciúme. Quando Escorpião cai vítima dessas emoções, a razão sai pela janela.

Escorpião pode sofrer com sentimentos de inadequação, o que é mascarado com a sua maneira arrogante. Sempre com medo de ser traído ou abandonado, o comportamento insensível desse signo e as suas manobras de poder podem provocar justamente essa reação.

Forças
Escorpião tem enorme tenacidade e resistência. Esse signo perspicaz pode penetrar nas profundezas da outra pessoa.

Fraquezas
Compulsivo e obsessivo, Escorpião é uma alma suscetível que busca controle total sobre os outros. A sua ferroada é letal, mas Escorpião pode ser intensamente masoquista.

O vermelho-escuro das rosas simboliza a paixão – e o glamour – de Escorpião.

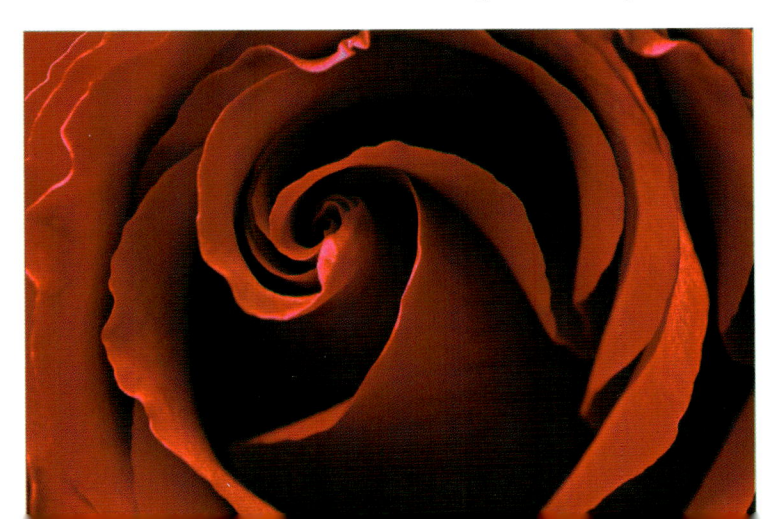

Sombra

A sombra de Escorpião é venenosa e cheia de rancor. Reúne todos os ressentimentos do signo, combinando-os com a obstinação que compartilha com o seu signo oposto, Touro. Fortemente atraída pela autodestruição, essa sombra cai facilmente em práticas masoquistas e sádicas.

Karma

Essa personalidade tem problemas relacionados ao uso, abuso e mau uso do poder. Para Escorpião, o desafio kármico é descobrir o tesouro escondido nos acontecimentos traumáticos do passado. A própria sobrevivência de Escorpião faz parte desse tesouro, assim como a força que desenvolveu como resultado do desafio.

Gostos

Qualquer coisa misteriosa, clandestina ou que seja tabu; o erótico e o exótico; esportes perigosos; planejar vingança.

Aversões

Exposição pessoal, mudança.

Dinheiro

Escorpião está sempre no controle e tem uma atitude "o que é meu é meu" quando se trata de dinheiro, embora não seja necessariamente mesquinho. O instinto de autopre-

Escorpião gosta de esportes perigosos e do mundo subterrâneo.

servação desse signo se revela nas finanças bem organizadas, visando conservar a riqueza. Ao mesmo tempo, Escorpião é um gastador liberal e gosta de fazer investimentos arriscados, sabendo intuitivamente que são um bom negócio.

Como pai ou mãe
Escorpião leva as responsabilidades paternas ou maternas muito a sério, estabelecendo desde cedo uma rotina metódica. É um disciplinador com idéias fixas sobre a criação dos filhos. Empenha-se também em promover o interesse pelas maravilhas do mundo natural, incentivando os filhos a correr riscos na exploração do ambiente.

Como criança
Quieta e intensa, essa criança reservada vive em geral num mundo interior de fantasia. É uma personalidade sensível, facilmente magoada e intensamente ciumenta. Sob pressão, o jovem Escorpião pode dar ferroadas sem provocação aparente. Essa criança tem também traços de crueldade, que se manifestam em atividades como arrancar pernas de insetos. O estímulo de um ambiente intelectualmente desafiador, em que Escorpião possa investigar o funcionamento do universo, muito fará para reduzir o dano.

Profissão
Ligado a tudo o que é oculto e encoberto, Escorpião pode trabalhar como médico, cientista, investigador, detetive particular, funcionário de asilo, psiquiatra, agente de pesquisa, psicólogo, hipnoterapeuta, agente funerário ou corretor de seguros. As ligações do signo com sexo e medicina levam Escorpião a profissões como ginecologista, parteira e terapeuta sexual. O perfil de Escorpião é adequado também para *designer* de ar-

Como signo da água, Escorpião é atraído por qualquer atividade aquática, mas especialmente natação.

mas nucleares, tripulante de submarino, mergulhador, policial, praticante de medicina complementar, açougueiro, pessoa de negócios ou profissional de um departamento de águas e esgotos.

Atividades de lazer

Escorpião é especialmente atraído pelo oculto: metafísica, mistérios e magia de todos os tipos. Esse signo regido por Marte gosta também de artes marciais, de malhar e de correr. O perigo que o signo busca pode ser encontrado em corridas de moto, exploração de cavernas ou leitura de romances de suspense. Bares e casas noturnas são boas diversões para ele. Como a água é uma forte atração, mergulho e *snorkeling* são atividades apropriadas. Essa personalidade intensa é também atenta ao aperfeiçoamento pessoal e estuda por prazer, podendo desenvolver obsessão por computador.

Boas idéias para presentes

Como Escorpião é um excelente detetive, um bom jogo de mistério pode ser a resposta. Um livro sobre enigmas ocultos também é uma boa idéia. Lingerie exótica e roupas de couro são apreciadas pelos dois sexos.

A turquesa é uma das pedras de Escorpião.

CORRESPONDÊNCIAS TRADICIONAIS

Estação	Meio do outono
Dia	Terça-feira
Número	9
Fisiologia	Genitais, órgãos reprodutores, bexiga, uretra, reto
Pedras de nascimento	Topázio, turquesa
Cristais	Malaquita, lágrima-de-apache, água-marinha, berilo, pedra boji, caroíta, dioptásio, esmeralda, granada, turmalina verde, diamante de Herkimer, kunzita, pedra-da-lua, obsidiana, espinélio vermelho, rodocrosita, rubi, hidenita, variscita
Associações	Sexo, morte, nascimento e renascimento
Metal	Ferro, plutônio
Cores	Vermelho-profundo, castanho, preto, marrom
Animais	Escorpião, águia, cobra, lagarto, invertebrados
Alimentos	Feijão, cebola, alho-porró, carne, temperos, alimentos de gosto marcante
Ervas	Marroio-branco, folhas de sarça, cardo mariano, cocleária, linária comum, absinto, salsaparilha, *black cohosh*, *blue cohosh*, *aloe vera*, cáscara sagrada, noveleiro, *dong quai*, ginseng, poejo, folhas de fambroesa, sene, palmito-serra, falso-unicórnio
Árvores	Árvores densas, abrunheiro, *bramble*, rododendro, vidoeiro, estramônio
Plantas	Flores vermelhas, açucena, lírio, acônito, crisântemo, cravo, rododendro, madressilva, genciana, urze, mostarda-dos-campos
Lugares	Tibete; Noruega; África do Sul; Marrocos; Uruguai; Síria; América do Norte, especialmente Cincinnati e Washington, DC; ilhas desertas; qualquer lugar perto da água, incluindo poças, pântanos, charcos e brejos barrentos

SAGITÁRIO
O arqueiro

Glifo	↗	A flecha voando no ar simboliza a busca que move esse signo; o centauro sugere a natureza dual que reúne instinto e intelecto.
Datas		22 de novembro – 21 de dezembro
Regente		Júpiter
Casa natural		Nona
Qualidade		Mutável
Elemento		Fogo
Polaridade		Positiva
Exaltação		Nodo Sul
Queda		Nodo Norte
Detrimento		Mercúrio
Palavras-chave		Buscador, busca, investigação, aventura, espontaneidade, otimismo, indelicadeza, filosofia, liberdade, descuidado, idealista, extravagante, jovial, amante da liberdade, exagero, inquietação.

Topázio é uma das pedras de Sagitário.

Aparência

Sagitário irradia entusiasmo. O cabelo é tipicamente castanho, o rosto longo e eqüino, a pele saudável e às vezes corada. O corpo é alongado e atlético, pelo menos até a meia-idade. A aparência não é nada estudada. Muitos sagitarianos simplesmente vestem o que está à mão.

Personalidade

Jovial e barulhento, é uma personalidade sociável que precisa do estímulo de amigos, de rostos e lugares diferentes. Amante da liberdade, Sagitário acumula mapas e folhetos de viagens "para o caso de precisar". Esse signo está sempre pronto para viajar, mas não é de fazer reservas com antecedência. Sagitário prefere resolver no último minuto. Espera encontrar respostas e satisfação em terras distantes, revelando uma tendência a viver no que pode ser e não no que é.

Brusco e muitas vezes indelicado, Sagitário tem o hábito infeliz de dizer aos outros como viver, embora

Os sagitarianos são professores naturais e adoram aprender.

raramente viva segundo os mesmos princípios. É uma personalidade causticamente honesta, que não liga para nuances. Sagitário pode agir impulsivamente, soltando a flecha sem ter um alvo definido. Para o arqueiro, qualquer ação é melhor do que nenhuma. Assim, age primeiro e pensa depois.

Mente

A mente sagitariana é filosófica e pouco prática, preferindo as idéias à sua aplicação. Mas Sagitário gosta de resolver problemas e chegar a conclusões nada convencionais, mas que funcionam. É um eterno estudante, que faz todas as perguntas e busca o sentido da vida. Não há nada de que essa mente inventiva goste mais do que um debate aprofundado.

Sagitário é basicamente um signo honesto, mas pode exagerar ou enfeitar criativamente a verdade caso a realidade não seja muito emocionante. Quando entediado, maltratado ou negligenciado, Sagitário usa a linguagem como arma. E consegue magoar mais ainda quando ataca sem dó com a verdade nua e crua.

A borragem é associada a Sagitário.

Emoções

Se fosse possível, Sagitário nunca pensaria em emoções e certamente não as teria. As emoções de Sagitário tendem a ser pouco profundas. O otimismo e o entusiasmo estão constantemente presentes. Sagitário nunca tem vontade de explorar qualquer sensação subjacente de inadequação ou dúvida.

Forças

Sagitário traz um enorme entusiasmo a qualquer projeto e é altamente criativo. Esse signo é excelente para desencadear e agarrar oportunidades, contando com senso de aventura e uma imaginação altamente desenvolvida. Quando percebe que alguém está em dificuldades, Sagitário sempre luta pelo menos favorecido.

Aventureiro, Sagitário está sempre com a mala pronta para qualquer eventualidade.

Fraquezas

A busca de liberdade que move essa personalidade pode fazer de Sagitário um signo pouco digno de confiança. Sempre com pressa, Sagitário pode negligenciar deveres e responsabilidades, deixando os "detalhes" de lado. É um signo sem tato, que muitas vezes ofende.

Sombra

A sombra de Sagitário compartilha com Gêmeos a capacidade de dissimulação. Mentiroso consumado, o sagitariano promete muitas coisas e depois simplesmente esquece, na busca por outras experiências. A falta de sinceridade permeia cada aspecto da vida. Presunçosa e rebelde, a sombra sagitariana quer ser notada – e amada. Sob pressão, a natural falta de tato do signo assume uma feição maldosa e mordaz.

Karma

Sagitário explora muitos sistemas de crença durante a sua eterna busca de significado. O desafio kármico é distinguir o que é verdade e viver de acordo com isso.

Gostos

Viagem, liberdade, espaços abertos, companhia de bons amigos.

Aversões

Rotina, sentir-se amarrado.

Dinheiro

Extravagante, Sagitário gosta de dinheiro quando tem, e contrai dívidas enormes quando não tem. Mas sempre aparece uma solução. Os problemas são freqüentes porque Sagitário nunca olha os extratos do banco e pode ser ingenuamente crédulo quando lhe pedem dinheiro emprestado. Jogador por natureza, tende a deixar o planejamento financeiro ao acaso e, crédulo que é, pode entrar em esquemas para ficar rico depressa.

Como pai ou mãe

Aventureiro, Sagitário gosta que os filhos viajem como parte da sua educação, que explorem o mundo e que não evitem os riscos. Como é mais um amigo e um cúmplice do que um pai ou uma mãe, a disciplina tende a ser deixada ao acaso e a rotina é vista como algo a ser evitado.

Como criança

A criança sagitariana nasce fazendo perguntas. Alegre e entusiasmada, essa criança precisa estar sempre em atividade e raramente fica quieta. Em geral

A liberdade dos espaços abertos é uma necessidade para o aventureiro Sagitário.

é honesta mas, se for pega numa travessura, inventa uma versão diferente da verdade. Essa criança aventureira fica feliz num ambiente educacional que favoreça a autoexpressão. Bichos de estimação podem despertar um senso de responsabilidade que de outra maneira não se desenvolveria.

Profissão

Sagitário se dá melhor em profissões que ofereçam algum grau de liberdade e estímulo intelectual. Guia de viagens, piloto, filósofo, tutor, palestrante, professor, advogado, psicoterapeuta, intérprete, relações públicas, vendedor de livros, escritor ou editor são boas opções para esse signo, assim como guru, sacerdote ou consultor de feng shui. Esportivo, o sagitariano pode dirigir uma academia ou trabalhar como treinador pessoal. Os mais aventureiros podem se dar bem como *croupier*.

Atividades de lazer

Um sagitariano típico gosta de esportes como caminhada, acampamento, *snow boarding*, *surfing*, arqueirismo, voleibol, basquete, *mounting biking* e hipismo. Fora do esporte, Sagitário pode encontrar satisfação no estudo de línguas, religiões, filosofia, sociologia ou antropologia. Ler, escrever e ir a festas e baladas satisfazem todos os aspectos do signo.

Boas idéias para presentes

Qualquer coisa ligada a viagens faz Sagitário feliz. Um convite para uma corrida de cavalos pode satisfazer o jogador que mora no coração desse signo.

O arqueirismo é o esporte tradicionalmente associado a Sagitário, embora as flechas possam voar em direção ao céu.

O tomate é associado ao signo de Sagitário, mas isso não significa que todos os sagitarianos gostem de tomate.

CORRESPONDÊNCIAS TRADICIONAIS

Estação	Inverno
Dia	Quinta-feira
Número	3
Fisiologia	Nervo ciático, quadris e coxas, glândula pituitária
Pedras de nascimento	Topázio, turquesa
Cristais	Azurita, ágata rendada azul, calcedônia, caroíta, espinélio azul-escuro, dioptásio, granada, obsidiana de brilho dourado, labradorita, lápis-lazúli, malaquita, obsidiana-floco-de-neve, turmalina rosa, rubi, quartzo enfumaçado, espinélio, sodalita, sugilita, wulfenita, okenita
Associações	Cavalos, arqueirismo, viagem, livros
Metal	Estanho
Cores	Púrpura, azul-real-escuro, amarelo, verde
Animais	Cavalo, veado, animais com cascos, animais de caça
Alimentos	Aspargo, tomate, comidas étnicas, groselha, uva sultanina, amora, uva-do-monte, grapefruit, chicória, vegetais com bulbos
Ervas	Dente-de-leão, mandrágora, inhame silvestre, agrimônia, trevo vermelho, bardana, matricária, borragem
Árvores	Limoeiro, amoreira, freixo, carvalho, vidoeiro, castanheira
Plantas	Craveiro, betônica, malva, narciso, vara dourada, cavalinha
Lugares	China; Índia; Espanha; Austrália; África do Sul; Arábia; Madagáscar; Austrália, especialmente Sidney; Alemanha, especialmente Stuttgart; Itália, especialmente Toscana; Toronto; qualquer lugar estrangeiro; estábulos; casas grandes; campos, colinas e lugares altos; quartos com lareira

SAGITÁRIO

CAPRICÓRNIO
A cabra

Glifo	♑	Estabilidade e conformidade são as qualidades de Capricórnio, simbolizadas pela mítica cabra do mar, que saiu das águas do inconsciente para trazer a civilização para a humanidade.
Datas		22 de dezembro – 20 de janeiro
Regente		Saturno
Casa Natural		Décima
Qualidade		Cardeal
Elemento		Terra
Polaridade		Negativa
Exaltação		Marte
Queda		Júpiter
Detrimento		Lua
Palavras-chave		Consolidação, autoridade, autoritarismo, disciplina, conservação, cautela, responsabilidade, dever, consistência, bode expiatório, sociedade, pessimismo, prudente, paciente, convencional, tacanho, empedernido.

Aparência

O capricorniano típico tem o corpo magro, alongado e ossudo, assim como o rosto, as mãos e os pés. A postura, cheia de dignidade, é autoritária. A cor dos cabelos tende para o cinza ou para o preto, a pele é muitas vezes pálida e a expressão facial pode ser severa. Preferindo cores escuras e conservadoras, Capricórnio gosta de estar sempre elegante, mesmo quando veste roupas casuais.

Sendo no coração uma cabra montesa, Capricórnio encontra força nas colinas.

Personalidade

Capricórnio é um tradicionalista que usa muita energia para resistir à mudança. Esse tipo de personalidade reflete o conflito desse signo: apesar de ser ativo e regido por Saturno, tem polaridade negativa, essencialmente passiva. As qualidades saturnianas – disciplina, força, resistência e ambição – colidem com a receptividade própria de um signo negativo. Assim, Capricórnio perde a espontaneidade e a alegria de viver, vestindo o manto pesado do dever e da responsabilidade.

Em geral, a maturidade é um período muito mais feliz para Capricórnio do que a juventude. Depois que essa personalidade prova a sua eficácia no mundo material, conquistando sucesso e *status*, as qualidades

As papoulas são tradicionalmente associadas a Capricórnio – e à morte.

mais suaves e intuitivas de Capricórnio podem emergir. É possível então que Capricórnio manifeste o desejo de explorar o domínio espiritual ou de ajudar a sociedade.

Mente

Capricórnio tem a mente astuta, conseguindo traçar estratégias a longo prazo. Controladora e orientada às metas, essa mente mapeia um rígido caminho para o futuro. Embora seja inteligente e prático, raramente Capricórnio pensa fora dos padrões. Uma certa tacanhice é inevitável quando a convenção é seguida com tanta determinação. O *status quo* predomina definitivamente nessa esfera do zodíaco.

Emoções

Essa personalidade não é destituída de emoções, mas a capacidade de expressá-las é bloqueada pelas energias de Saturno. Sob a fachada confiante, Capricórnio muitas vezes se vê sozinho e preterido, incapaz de expressar calor e afeição. Juiz severo, esse signo se permite sentir apenas o que deve sentir.

Capricórnio avalia o sucesso pelas conquistas no mundo material e não em termos de desenvolvimento pessoal. Assim, o capricorniano pode ter profundos sentimentos de inadequação, ocultos sob a vontade de vencer e provar o seu valor.

Forças

Abençoado com uma paciência infinita, Capricórnio se sobressai diante de tarefas difíceis. Esse signo tem também talento para organizar, assimilar conhecimento, enxergar detalhes e ver as coisas como elas são. A tendência a levar a vida muito a sério é mitigada por um senso de humor sarcástico.

Fraquezas

Capricórnio é fanático por controle e muitas vezes julga as pessoas de acordo com a posição que têm ou com o que podem fazer para ajudá-lo a galgar a escada social ou profissional. Essa personalidade controladora vê o mundo em termos muito rígidos, impondo infindáveis regras do tipo "deve e não deve" a si mesma e aos outros.

Sombra

Tendência a criticar demais, tacanhice, pessimismo e rigidez definem a sombra de Capricórnio. A insatisfação interior gera necessidade de validação e sucesso no mundo exterior.

Karma

Capricórnio se atém cegamente às tradições da religião e da sociedade. Para essa pessoa, o desafio kármico é

A granada é uma das pedras tradicionais de Capricórnio.

descobrir a própria voz interior e permitir que ela dirija a sua vida, além de integrar o espiritual à realidade material cotidiana.

Gostos
Certeza, ordem, regras e regulamentos.

Aversões
Confusão, ineficácia, rebeldes.

Capricórnio sempre tem dinheiro no banco e leva as finanças muito a sério.

Dinheiro
Capricórnio tem um respeito inato por dinheiro e nunca gasta em besteiras. As compras são de excelente qualidade, feitas para durar. Esse signo cauteloso planeja com cuidado o futuro financeiro: cedo na vida já começa a poupar e a pensar num plano de aposentadoria. Só investe depois de cuidadosas considerações e de consultar um especialista. Capricórnio nunca corre um risco.

Como pai ou mãe
Capricórnio leva muito a sério a responsabilidade de educar os filhos, estabelecendo regras severas. E espera que os filhos aceitem e sigam o seu código de comportamento: agir com responsabilidade e sensatez o tempo todo. Esse pai – ou mãe – autoritário, que tem dificuldade de mostrar afeto, pode parecer frio para a criança, especialmente porque esta será valorizada em termos do que consegue realizar.

Como criança

Essa criança é mais velha do que a sua idade. Muitas crianças de Capricórnio sentem como se carregassem um fardo ou como se, cedo na vida, já tivessem algum tipo de dever. Um ambiente educacional ordeiro e convencional é o mais indicado para esse signo, desde que tenha lugar também para a competição e o desafio.

Profissão

Capricórnio é ambicioso e fortemente associado à burocracia e ao governo. Assim, o trabalho como CEO, alto funcionário público, administrador de benefícios, político ou oficial da lei, é indicado para essa personalidade, que pode ser também um bom empreendedor, gerente de banco, professor ou planejador. A ligação desse signo com o sistema ósseo pode fazer dele um bom quiroprático, ortopedista, osteopata ou dentista. Como gosta de estrutura, Capricórnio pode ser também arquiteto, agrimensor, construtor, matemático, engenheiro, biógrafo ou geólogo. Depois de se aposentar, Capricórnio muitas vezes passa a trabalhar como magistrado ou consultor – às vezes como voluntário.

Capricórnio muitas vezes é atraído pela profissão de dentista, já que tem uma ligação especial com dentes e ossos.

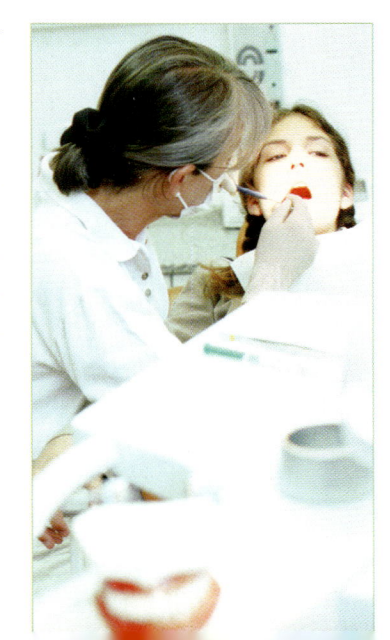

Atividades de lazer

Escaladas ou caminhadas por regiões montanhosas são ótimas atividades para Capricórnio, que se sente em casa nesse ambiente. A natureza resistente do signo pode fazer dele um bom maratonista, enquanto o gosto pela estrutura pode encontrar expressão na dança, no yoga ou no golfe. Os *hobbies* incluem genealogia, história local, jardinagem, cerâmica, escultura e bricolagem. Em geral, Capricórnio gosta de ler, especialmente biografias e não-ficção histórica. Visitar museus ou fazer serviços comunitários também são bons passatempos, assim como sair para comer fora. Muitos capricornianos são entusiastas dos bons vinhos.

Capricórnio é associado a plantas perenes como os pinheiros, que mantêm a cor no inverno.

Boas idéias para presentes

Capricórnio valoriza presentes que combinem utilidade e qualidade. Brinquedos de executivo, uma bela pasta de couro ou uma garrafa de vinho do porto agradariam aos homens, enquanto a mulher capricorniana tende a apreciar jóias antigas ou perfumes clássicos.

CORRESPONDÊNCIAS TRADICIONAIS

Estação	Inverno
Dia	Sábado
Número	8
Fisiologia	Joelho, pele e ossos
Pedras de nascimento	Azeviche, granada
Cristais	Turquesa, ônix, âmbar, azurita, cornalina, fluorita, turmalina verde e preta, labradorita, magnetita, malaquita, peridoto, quartzo, rubi, quartzo enfumaçado, anabergita, aragonita, galena
Associações	Lei, administração
Metal	Chumbo, platina
Cores	Verde muito escuro, marrom-escuro, cinza, preto, ferrugem, índigo
Animais	Bode, cabra e todos os animais com casco fendido, urso, morcego
Alimentos	Cebola, carne, castanhas salgadas, batata, beterraba, cevada, malte, alimentos com amido, marmelo, espinafre
Ervas	Confrei, salsaparrilha, gualtéria, arruda, olmo, tuia, bolsa-de-pastor, fumária, tomilho, meimendro
Árvores	Pinheiro, salgueiro, olmo, cicuta, álamo, camélia, marmeleiro-do-japão, teixo, faia preta, azevinho, carvalho branco
Plantas	Amor-perfeito, hera, papoula vermelha e negra, heléboro, cravo, cavalinha
Lugares	Afeganistão; México; Macedônia; ilhas Orkney e Shetland; Grécia; a antiga Iugoslávia; Bélgica, especialmente Bruxelas; Inglaterra, especialmente Oxford; montanhas, colinas e lugares altos, áridos e rochosos; lugares baixos e escuros; pedreiras; armazéns; apriscos; umbrais; abrigo para ferramentas e antigas pilhas de lenha; terras não cultivadas e com espinheiros

AQUÁRIO
O aguadeiro

Glifo	〰〰〰	As ondas do glifo de Aquário simbolizam a união da intuição e da razão no humanitarismo.
Datas		21 de janeiro – 18 de fevereiro
Regentes		Saturno e Urano
Casa natural		Décima primeira
Qualidade		Fixa
Elemento		Ar
Polaridade		Positiva
Exaltação		Nenhum
Queda		Netuno
Detrimento		Sol
Palavras-chave		Humanidade, desapego, imparcialidade, evolução, rebeldia, reforma, razão, excentricidade, idealismo, fraternidade, objetivo, errático, gregário, científico, progressista, excêntrico.

Aparência

Aquário é um tipo inquieto, com o corpo rijo e resistente e o cabelo grosso e forte. A má formação dos dentes é uma característica. Quanto ao estilo pessoal, a intenção é surpreender, mas não necessariamente chocar. As roupas são arrojadas: peças de alta moda se misturam a peças baratas mas chiques, e a acessórios do exército.

Personalidade

Essa é uma personalidade peculiar, que se manifesta de maneiras diferentes, dependendo de que regente, Saturno ou Urano, é mais forte. Ao mesmo tempo idealista e não convencional, diferente e petulante, imprevisível e caótico, rebelde e teimoso, genial e desajustado, Aquário pode ser intenso, original e inventivo.

O modelo aquariano guarda um traço de perfeccionismo que exige ordem. O fanatismo e a intolerância se escondem bem abaixo do desejo sincero de ajudar o mundo. Desejando ardentemente a mudança e a revolução quando jovem, Aquário pode descobrir uma maneira de se rebelar ou de seguir determinados ideais e depois se ater a ela pelo resto da vida. É o "velho *hippie*" que ainda vive

A ciência atrai a mente racional e inovadora de Aquário.

do mesmo jeito ou o anarquista que não se dá conta de que a revolução acabou. Mas Aquário pode ser um dos grandes agentes da mudança social.

Mente

A intuição e a inteligência se misturam nesse signo. Embora siga processos lógicos de pensamento, a mente aquariana é aberta a acontecimentos inesperados, a lampejos de percepção que podem levá-la muito além do pensamento estabelecido. A combinação resulta numa mente brilhante, que beira a genialidade. Mas, como muitas vezes acontece com os gênios, a originalidade e a visão da mente aquariana costumam ser mal compreendidas. Aquário quer apenas justiça e igualdade. Só que isso implica em mudança, em se libertar da convenção e explodir o *status quo*.

Idealista e perfeccionista, Aquário pode se fixar num determinado ideal e numa visão de como as coisas deveriam ser. É como se essa visão fosse uma moldura que Aquário põe em volta de tudo e de todos. Quem não se encaixar é descartado, mas nunca a visão idealizada.

Emoções

Tradicionalmente visto como um signo imparcial e distante, Aquário tem na verdade emoções caóticas e necessidades emocionais conflitantes. Dese-

A meditação abre espaço para lampejos de intuição inesperados e aquieta essa mente ativa.

ja rotina e estabilidade mas pode se sentir sufocado numa relação estável.

Quando o aspecto perfeccionista do signo entra em cena, o aquariano acha deplorável essa confusão de emoções. Assim, tem um enorme problema com a intimidade, preferindo permanecer distante.

A ametista, que favorece a intuição, é uma das pedras de Aquário.

Forças

Fortemente motivado pela consciência social, Aquário compreende o que o mundo precisará daqui a 20 anos e inicia agora a mudança. Sem Aquário, não haveria evolução.

Fraquezas

Aquário tende a seguir modismos e pode ficar preso a uma rotina de excentricidades. No outro extremo do signo, o desejo de mudança pode prejudicar o resto, de modo a jogar fora o bebê com a água do banho.

Sombra

Como tem dois regentes poderosos, a sombra de Aquário pode ser dominada por um ou por outro. A sombra saturniana é fria, rígida e reprovadora. Perfeccionista, precisa ter controle sobre tudo, mesmo que seja por meio da anarquia. A outra sombra, dominada por Urano, é pouco convencional e faz as coisas só para ser diferente. Às vezes psicótica, essa sombra aspira à anarquia e à aniquilação.

Os pássaros que voam grandes distâncias simbolizam o espaço que Aquário procura.

Karma

No caso de Aquário, o karma se refere a revoltas passadas e a conflitos com a autoridade. O desafio kármico é guardar o melhor do passado, abrir mão do resto e evoluir com flexibilidade.

Gostos

Caos, mudança, tecnologia inovadora, a moda do próximo ano.

Aversões

Conformismo estúpido, regras e regulamentos, rotina, a moda da semana passada.

Dinheiro

Com Saturno forte, Aquário nunca joga fora um extrato bancário sem primeiro examiná-lo. Essa pessoa sabe exatamente quanto tem. A personalidade regida por Urano reina sobre o caos financeiro, alimentado por dívidas crescentes e excêntricos esquemas de negócios. Uma invenção brilhante, nascida do desejo de ajudar a humanidade, pode fazer a fortuna de Aquário. Neste caso, os lucros seriam divididos com os outros. Qualquer investimento ou qualquer esquema para ficar rico depressa tem que ser rigorosamente ético.

Como pai ou mãe

Na melhor das hipóteses, é um pai – ou mãe – imprevisível e, na pior das hipóteses, instável. É um pai – ou mãe – que experimenta todos os novos métodos de educação dos filhos e insiste em fazê-los seguir um programa nutricional da moda, que promete favorecer a genialidade. A intenção é boa, mas a argumentação pode ser falha. No lado positivo, Aquário sempre aceita a individualidade e a humanidade dos filhos.

Como criança

Aquário já nasce diferente. Qualquer tentativa de descrever essa personalidade em formação vai parecer falsa. Em geral, a criança aquariana age como catalisador do seu ambiente, mas se beneficia de uma rotina estável. O cenário educacional mais apropriado é o não convencional, no qual a experimentação e a invenção são incentivadas e a ciência é deus.

Profissão

A intenção é ajudar a humanidade a avançar. Assim, o aquariano pode ser cientista, físico quântico, analista de sistemas, engenheiro eletrônico, sociólogo, antropólogo, trabalhador social ou voluntário. Aquário dá também um bom astrônomo, ecologista, astronauta, terapeuta cognitivo ou inventor. Como

Saturno, como co-regente, pode levar Aquário a explorar o passado.

esse signo vive no futuro, ele pode ser corretor no mercado de futuros e, surpreendentemente, arqueólogo, com Saturno como co-regente.

Atividades de lazer

Aquário gosta de esportes de raquete, gosta de correr, de esquiar, de dançar, de socializar e, é claro, de protestar. Muitos aquarianos têm *hobbies* incomuns, como astronomia ou observação de OVNIs, confecção de velas ou restauração de carros antigos. Esse signo gosta também de estudar a ligação mente-corpo-espírito e medicina complementar. A maioria dos aquarianos tem afinidade com o computador. Todos eles encontram satisfação na política ou em obras humanitárias. Quanto à leitura, a ficção científica é o gênero preferido, fora os quadrinhos, que são devorados.

Boas idéias para presentes

Aquário gosta de qualquer coisa diferente. Novidades tecnológicas agradam, assim como uma assinatura para um website incomum. Além de cristais ou qualquer coisa ligada à Nova Era, Aquário gosta também de comida orgânica, vinho ou produtos naturais.

As orquídeas são tradicionalmente associadas a Aquário.

CORRESPONDÊNCIAS TRADICIONAIS

Estação	Inverno
Dia	Sábado
Número	4
Fisiologia	Canelas e tornozelos, sistema circulatório, glândula pineal
Pedras de nascimento	Água-marinha, ametista
Cristais	Âmbar, angelita, celestita azul, obsidiana azul, pedra boji, crisoprásio, fluorita, labradorita, magnetita, pedra-da-lua, atacamita
Associações	Eletricidade, computadores, caos, teoria
Metal	Chumbo, urânio, alumínio, platina
Cores	Azul-céu, azul-elétrico, turquesa
Animais	Pavão e pássaros grandes, que voam longe
Alimentos	Pimentão, pimenta, alimentos com sabor pronunciado, alimentos naturais
Ervas	Raiz-de-cobra, abrótano, freixo espinhoso, camomila, erva-de-gato
Árvores	A maioria das árvores frutíferas, sabugueiro, olíbano, mirra, sorveira, freixo-da-montanha
Plantas	Orquídeas, chuva-de-ouro, mandrágora, galanto, flor de maracujá, solidéu-de-baical, cipripédio, valeriana, lúpulo
Lugares	Polônia; Croácia; Escandinávia; Rússia, especialmente Sibéria; América do Norte, especialmente Los Angeles; Etiópia; a rota *hippie*; locais montanhosos e acidentados; lugares para maquinaria; pedreiras; vinhedos; poços; solo recentemente cultivado; nascentes e canais; salas de cirurgia e de leitura

PEIXES

Glifo	♓	Dois peixes nadam em direções opostas mas ligados no centro, representando a natureza fluida e hesitante de Peixes.
Datas		19 de fevereiro – 19 de março
Regente		Júpiter e Netuno
Casa natural		Décima Segunda
Qualidade		Mutável
Elemento		Água
Polaridade		Negativa
Exaltação		Vênus
Queda		Mercúrio
Detrimento		Mercúrio
Palavras-chave		Compassivo, impressionável, receptivo, hesitação, imaginação, maleável, misticismo, união transcendente, sonhador, confusão, evasivo, retraído.

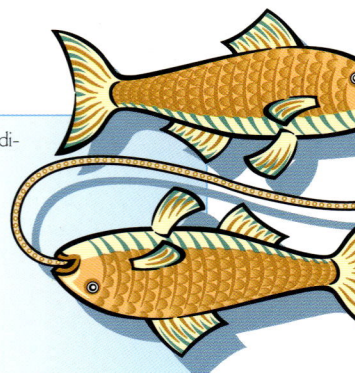

Aparência

Peixes é mais feliz quando vive perto do mar.

Os piscianos são caracterizados pelos seus belos olhos: lagos hipnóticos onde se afogar. O olhar é em geral distraído, como se estivesse voltado para outros mundos. O rosto costuma ser pálido, mas expressivo e sedutor. O corpo pode ser carnudo, mas transpira atração sexual. A postura é lânguida, como se a qualquer momento o corpo fosse sair flutuando. As roupas são fluidas e românticas.

Personalidade

A personalidade de Peixes é tipicamente vaga e sem foco. Com limites permeáveis, Peixes não tem certeza onde ele termina e onde começa o outro. Essa personalidade age como uma esponja psíquica, captando os sentimentos e as impressões à sua volta.

Gentil, Peixes jamais magoaria alguém de propósito, mas essa personalidade pouco assertiva pode achar difícil dizer não. Peixes muitas vezes se põe no papel de vítima e prima pelo comportamento passivo-agressivo. Em vez de desagradar alguém abertamente, essa personalidade pode assumir tarefas sem a intenção de realizá-las ou fazer promessas que vai quebrar logo depois. Como os peixes do glifo, Peixes é puxado em duas direções diferentes. Um lado dessa personalidade é a bondade personificada, o outro é passivamente manipulador. Oscilando entre os dois, não é à toa que Peixes tem dificuldade para lidar com a realidade cotidiana.

Mente

A mente pisciana é irracional e intuitiva – ou ilusória e enganadora. Quando nada a impede de fluir à vontade, penetra nos domínios do místico e do transcendente. Peixes busca união com o divino e, plugado nas energias universais, tem acesso a fontes de informação incomuns. Peixes pode se fundir mentalmente a outra pessoa e saber exatamente como é estar na sua pele.

Emoções

Para Peixes, a emoção sustenta praticamente tudo na vida. É uma personalidade fluida que reage a qualquer estímulo emocional, sem discriminação. Correntes interiores de sentimento arrastam Peixes para lá e para cá. Em geral, Peixes não tem idéia do que realmente sente porque absorve com facilidade os sentimentos e as impressões psíquicas dos outros.

Peixes é um ingênuo, caindo facilmente em histórias de infortúnios alheios. Nenhum outro signo tem tanta tendência à culpa quanto este. Como se culpa e se flagela, Peixes chafurda na ansiedade, pensando em todos os que sofrem e em todos os que deixa na mão.

A equinácia é tradicionalmente associada a Peixes.

Romântico, Peixes é bobo quando se trata de amor – ou de uma história triste.

Forças
Na sua melhor forma, Peixes é o mais intuitivo e empático signo do zodíaco, com enormes recursos de imaginação e compaixão.

Fraquezas
Peixes acha muito difícil lidar com a dura realidade do mundo. Quando a confusão se instala, este tipo manipulador tem dificuldade para distinguir entre verdade e realidade e quebra as suas promessas.

Sombra
A sombra pisciana é um mártir, sentindo-se sobrecarregado e usado. Essa persona é criada pela dificuldade de perceber quando é o momento de parar de fazer de tudo pelos outros. Um traço importante da sombra de Peixes é a culpa e o conseqüente impulso à expiação e à auto-imolação.

Karma

Na esfera pisciana, o karma gira em torno da tendência do signo a fazer papel de salvador ou de vítima, aceitando uma indenização em vez de uma sintonização. O desafio kármico é aprender a exercer a empatia sem assumir as dores do outro.

Curar: uma prática muitas vezes associada a Peixes.

Gostos

Qualquer coisa romântica, artística e mística; música, teatro e artes em geral; o mar.

Aversões

Detalhes, limitações de tempo, realidade; dizer a verdade quando isso vai ferir alguém.

Dinheiro

O dinheiro vem e vai. Esse signo pouco prático não tem tempo para orçamentos ou provisões para o futuro. Os detalhes são negligenciados, os extratos bancários não são examinados e o desastre financeiro espreita a cada esquina. Signo muito generoso, Peixes sempre se deixa levar por histórias tristes. Assim, há quem o engane para lhe tirar dinheiro.

Como pai ou mãe

O pai – ou a mãe – de Peixes vê os filhos como uma extensão de si mesmo, sem se dar conta de que a experiência de vida da criança é diferente. Sensível e carinhoso no trato com os filhos, incentiva a prática artística e dá oportunidades para a criança brincar, embora não favoreça a individualidade.

A disciplina é difícil para Peixes e os limites têm o hábito de estar sempre mudando, tornando a vida difícil para qualquer criança que não seja também de um signo da água, com alta dose de empatia. O estilo emotivo no trato com os filhos pode oprimi-los.

Como criança

A criança de Peixes sonha acordada. Essa mente ativa floresce em ambientes educacionais que priorizam a arte e a imaginação, com métodos suaves de disciplina. Como é uma criança de coração mole, que chora com facilidade e não suporta a dor, nem em si mesma e nem nos outros, uma atmosfera pouco harmoniosa pode causar muitos problemas.

Profissão

Esse signo fica feliz em funções artísticas, como ator, dançarino, poeta, escritor de ficção, fotógrafo ou animador. Uma certa propensão a dependências pode ser resolvida de maneira positiva num trabalho com dependentes de álcool ou drogas, em que o pisciano pode atuar como terapeuta, hipnoterapeuta, psiquiatra, enfermeiro ou médico. Peixes gosta do lado místico da vida e, assim, pode ser um bom leitor de tarô, sacer-

A fotografia é uma atividade que pode se tornar facilmente uma profissão para Peixes.

dote, curador intuitivo, astrólogo ou ilusionista. A ligação do signo com os pés faz de Peixes um excelente quiropodista ou podologista. A ligação com o mar sugere um organizador de cruzeiros, marinheiro ou peixeiro.

Atividades de lazer

Peixes gosta de qualquer coisa ligada à água, como nadar, velejar, pescar ou fazer cruzeiros. Como personalidade artística, Peixes gosta também de literatura, poesia, bale, teatro, fotografia e pintura. Outras atividades incluem o yoga, a dança e caminhadas solitárias. Esse signo é muitas vezes fã de cinema. A maioria dos piscianos gosta de metafísica, jantares românticos e magia de todos os tipos.

Boas idéias para presentes

Peixes adora qualquer coisa romântica: velas, cristais e perfumes são bem-vindos. Como o pisciano também gosta de um toque de luxo, uma garrafa de champanhe é um bom presente. Sapatos feitos à mão sempre agradam esse signo ligado aos pés.

Graciosos, os salgueiros são tradicionalmente atribuídos a Peixes e a métodos naturais de cura.

CORRESPONDÊNCIAS TRADICIONAIS

Estação	Começo da primavera
Dia	Quinta-feira
Número	7
Fisiologia	Pés, sistema linfático, glândula pituitária
Pedras de nascimento	Ametista, pedra-da-lua
Cristais	Pedra-do-sangue, água-marinha, berilo, ágata rendada azul, calcita, crisoprásio, fluorita, labradorita, turquesa, smithsonita, pedra-do-sol
Associações	Drama, dependência
Metal	Estanho
Cores	Verde-mar, branco puro, malva, púrpura, violeta, prata
Animais	Peixe, golfinho e mamíferos marinhos
Alimentos	Figo, frutas em geral, legumes que contêm muita água
Ervas	Açafrão-da-terra, mirra, equinácia, eufrásia, artemísia vulgar, kava kava, musgo-da-irlanda, angélica
Árvores	Salgueiro, figueira, aveleira, chaparral
Plantas	Lírio d'água, algas marinhas, samambaias, musgos, prímula da noite, íris, orquídea, violeta
Lugares	Portugal, especialmente Lisboa; o Saara; Escandinávia; França, especialmente a Normandia; Espanha, especialmente Sevilha; América do Norte, especialmente Vermont e Hollywood; Alexandria; Varsóvia; Jerusalém; lugares com muita água, especialmente pântanos, o mar, nascentes, lagoas com peixes e lugares onde vivem aves aquáticas; rodas d'água; casas perto da água; poços ou lugar onde ficam as bombas d'água; represas; fossos; antigos eremitérios

Os elementos

A energia dos planetas é filtrada pelos quatro elementos. Cada elemento está relacionado a uma determinada função do eu: a terra ao corpo e à matéria; a água às emoções; o ar à mente e ao intelecto; o fogo ao espírito e à intuição.

A disposição dos planetas dentro do mapa revela a afinidade da pessoa com cada um desses domínios da experiência. Alguns mapas são equilibrados, com um número igual de planetas em cada elemento. Outros têm apenas um planeta, ou nenhum, num determinado elemento e um grande número em outro.

Os elementos representam diferentes maneiras de perceber a vida. Na prática terra, o mundo é experimentado através dos sentidos físicos; na água, é experimentado através do sentimento e da emoção. O ar chega à compreensão através do pensamento e do raciocínio lógico, enquanto o fogo é intuitivo e informado.

Os signos que compartilham o mesmo elemento se aceitam bem entre si, mas os independentes signos do fogo acham a água introspectiva e dependente demais, tornando difícil a convivência. Os sentimentos da água não são expressos verbalmente, enquanto os signos do ar se comunicam principalmente com palavras. Os signos da terra são essencialmente práticos e têm pouco tempo para vôos da fantasia ou para explosões emocionais.

EQUILÍBRIO DOS ELEMENTOS

Num mapa individual, o número de planetas situados em cada elemento molda o comportamento e indica como essa pessoa percebe a realidade. Embora a distribuição equilibrada dos planetas pelos quatro elementos favoreça a expressão do elemento em que está o Sol, a preponderância de elementos sem harmonia com o signo solar pode ter um forte efeito sobre a expressão do Sol, especialmente se a Lua ou Marte estiverem situados num elemento dominante. O Sol em Câncer – um signo da água – e a Lua, Marte e Plutão em Virgem – um signo da terra – sugerem uma pessoa prática e terra-a-terra, que consegue controlar as fortes reações emocionais características de Câncer, por exemplo.

Três signos, igualmente espaçados pelo zodíaco, compartilham o mesmo elemento.

Num mapa, a forte ênfase em um ou dois elementos pode levar a uma deficiência em outros (veja nas pp. 368-81 os efeitos sobre a saúde), enquanto cada combinação de elementos leva a uma determinada maneira de abordar o mundo.

COMBINAÇÕES DOS ELEMENTOS

Fogo-Terra Quando está funcionando bem, essa combinação sugere uma enorme resistência, já que a energia do fogo é domada e usada em tarefas práticas, materiais. Quando a combinação não funciona bem e a terra restringe o fogo, há risco de uma súbita explosão.

Fogo-Ar Essa é uma combinação volátil, caracterizada por manifestações explosivas de energia, seguidas de exaustão mental. É uma relação que funciona bem no domínio das idéias e da imaginação, mas não muito no mundo cotidiano.

Fogo-Água Quando o fogo e a água não estão funcionando bem juntos, as emoções tendem a ficar quentes demais e a energia criativa do fogo pode ser sufocada por excesso de emoção. Quando funciona bem, a combinação é intuitiva e imaginativa.

Terra-Ar Em geral, terra e ar não são uma boa mistura, já que os lentos e regulares processos da terra são anátema para o ar. No entanto, essa combinação pode levar a um pensamento produtivo e sustentado.

Ar-Água Essa combinação aponta para uma personalidade que vive na imaginação. As idéias fluem, mas não são nada práticas. É uma combinação poética que põe sentimentos em palavras.

Terra-Água Essa combinação pode ser embotada e sólida ou produtiva e trabalhadora. A terra tende a turvar a água, restringindo a expressão emocional e criando mal-entendidos.

FOGO

Signos	Áries, Leão, Sagitário
Planetas	Sol, Marte, Júpiter, Quíron
Tipo	Intuitivo
Polaridade	Positiva
Palavras-chave	Energia, visão, criatividade, intuição, conquista, entusiasmo, motivação, aspirações, esgotamento, volátil, impaciente
Fisiologia	Digestão, pele, temperatura corporal, febre, inflamação, cortes, contusões, cicatrizes
Aparência	Estatura média, verrugas, sardas, espinhas, tendência à vermelhidão
Temperamento	Corajoso, esquentado, dominador e espontâneo
Associações	Criatividade, força vital, intuição, otimismo, transmutação, conhecimento, inteligência, calor, fruta e sementes

Vivendo do espírito

Os signos do fogo – Áries, Leão e Sagitário – são ávidos por experiências e têm uma atitude alegre diante da vida. O fogo é o elemento da criação, da força vital que se manifesta. É a energia mais ativa e intensa do zodíaco. Como é o elemento do espírito, vai longe em busca de inspiração e significado. Sem a intensidade da sua visão, não haveria novos horizontes. O fogo é o elemento das novas possibilidades e da regeneração. Sem fogo, não pode haver transmutação.

As pessoas nascidas sob o elemento fogo têm processos rápidos de pensamento e agem guiadas pela intuição. A mente do fogo é intuitiva, capaz de tirar inspiração do nada. Dando grandes saltos de compreensão ou saltando para conclusões imediatas, as pessoas deste elemento aprenderam já ao nascer a confiar na intuição.

Fogo em equilíbrio

Quando os planetas estão situados no mapa de modo que o efeito do fogo fique equilibrado, a personalidade é otimista, intuitiva, espontânea, afetiva e inspiradora.

Fogo em desequilíbrio

Em excesso, o fogo é furioso, violento, esquentado demais e propenso a acidentes. Fogo demais pode levar ao excesso de entusiasmo, a uma série de projetos que nunca são concluídos e ao esgotamento.

A deficiência de fogo resulta em baixa resistência à infecção, má digestão, frieza, olhos sem brilho e falta de ímpeto, coragem ou perseverança. Sem energia e nem criatividade, não há regeneração.

OS SIGNOS DO FOGO

Áries — Ardente, apaixonado e voltado para o ego. Esse signo cardeal (ver Qualidades, pp. 140-41) é a mais imediata expressão do fogo.

Leão — Com o coração no seu centro, Leão expressa o calor do fogo. Esse signo fixo (ver Qualidades, pp. 142-43) pode mostrar também o lado despótico do elemento.

Sagitário — Dos signos do fogo, esse é o mais diversificado. Para o mutável Sagitário (ver Qualidades, pp. 144-45), o que importa é a viagem.

TERRA

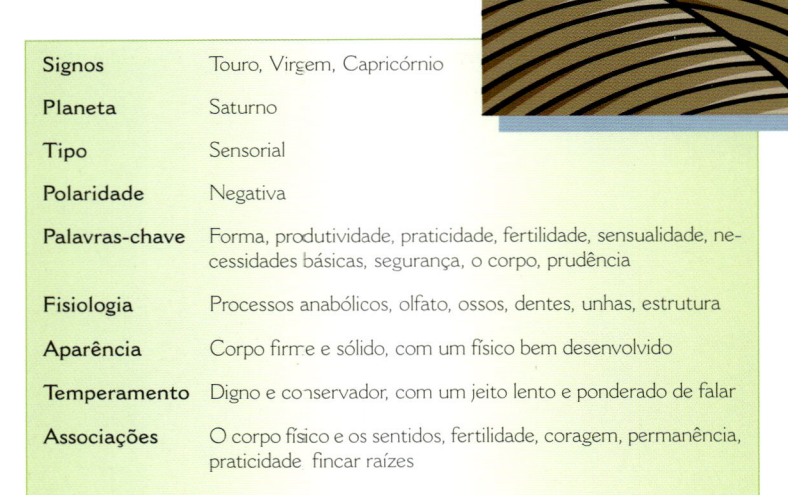

Signos	Touro, Virgem, Capricórnio
Planeta	Saturno
Tipo	Sensorial
Polaridade	Negativa
Palavras-chave	Forma, produtividade, praticidade, fertilidade, sensualidade, necessidades básicas, segurança, o corpo, prudência
Fisiologia	Processos anabólicos, olfato, ossos, dentes, unhas, estrutura
Aparência	Corpo firme e sólido, com um físico bem desenvolvido
Temperamento	Digno e conservador, com um jeito lento e ponderado de falar
Associações	O corpo físico e os sentidos, fertilidade, coragem, permanência, praticidade fincar raízes

Vivendo na matéria

A terra é o elemento que prioriza a segurança e de longe o mais prático dos quatro. É também o elemento que extrai a forma do caos, moldando a matéria. As criações nascidas da terra são sólidas e duradouras. Fértil e tangível, esse elemento é relacionado ao corpo físico, aos sentidos físicos e à sensualidade.

As personalidades com ênfase no elemento terra usam os cinco sentidos para interagir com o mundo à sua volta e compreendê-lo, concentrando-se nas necessidades básicas, como sobrevivência, segurança, alimentação e calor. Pode-se confiar nesse elemento quando se trata de levar as coisas até o fim. Embora os signos da terra gostem de interagir com os outros e reconheçam o valor do contato físico, esse elemento é auto-suficiente. As personalidades da terra não precisam de outras pessoas para funcionar.

Terra em equilíbrio

Em equilíbrio, a terra é tolerante, paciente, constante e realista, com um sólido sistema de valores. Com a terra funcionando em níveis ótimos, as tarefas são realizadas com eficiência e concluídas.

Terra em desequilíbrio

O excesso de terra é inflexível e letárgico, lento para pensar e compreender. Indica uma tendência a dormir demais e uma forte resistência à mudança. O corpo e as emoções se tornam tóxicos, exigindo uma limpeza constante.

A deficiência de terra resulta em toxicidade em todos os níveis, especialmente no corpo. Essa personalidade tende a ser instável, com energia dispersa e a visão tolhida. A falta de terra favorece o comportamento irracional, indicando alguém que vive totalmente dentro da própria cabeça, ou imerso em emoções.

OS SIGNOS DA TERRA

Touro Este é o mais fixo e resistente dos signos da terra, simbolizando interação tangível e imediata com tudo o que é físico.

Virgem Mutável, Virgem organiza e refina, distinguindo os padrões por trás da matéria. É a terra no seu aspecto mais adaptável.

Capricórnio Leva a matéria ao mundo. Como signo cardeal, tem o impulso de conquistar, além de consolidar e moldar as coisas.

AR

Signos	Gêmeos, Libra, Aquário
Planetas	Mercúrio, Urano
Tipo	Pensador
Polaridade	Positiva
Palavras-chave	Intelecto, comunicação, idéias, concordância mental, tecnologia, conceitos, conhecimento, inovação, planejamento
Fisiologia	Sistema nervoso; condutores, canais e cavidades; processos cognitivos; respiração; coordenação; movimento; eliminação
Aparência	Magro, delgado, delicado, cabelo fino
Temperamento	Vivo e mercurial, com um jeito rápido de falar
Associações	Mente, movimento, comunicação, livros, graça, companheirismo, aversão ao frio, computadores, televisão, clima do deserto, flores

Vivendo na mente

O ar é o mais intelectual e inovador dos elementos. Despreocupado com o lado material da vida, é um elemento de conexão, movido pelo desejo de se comunicar e de compartilhar o pensamento. O ar é estimulado pela discussão e põe a concordância mental acima da paixão.

Um mapa com ênfase no ar indica uma pessoa inovadora e idealista, que vê infinitas possibilidades. Embora não seja o mais prático dos elementos – em geral precisa dos outros para concluir as coisas – o ar é instigante. A sua esfera é racional mas intuitiva: é uma personalidade que reúne uma grande quantidade de dados e então os processa para dar grandes saltos de compreensão, sem perceber todos os passos e conexões envolvidos.

Ar em equilíbrio

Em equilíbrio, o ar é gracioso, objetivo, sociável e justo. Quando a influência do ar é ótima, a comunicação é aberta e geralmente honesta. A mente é vivaz e intuitiva e mesmo assim funciona racionalmente.

Ar em desequilíbrio

O ar em excesso é inquieto, nervoso, ansioso, instável e distante. Ar demais resulta numa mente borboleteante que esvoaça entre tópicos, incapaz de se concentrar. O discurso é rápido e nem sempre lúcido, havendo probabilidade de problemas como gagueira e dislexia.

A deficiência de ar resulta em lassidão, introversão, estagnação e falta de percepção. Sem ar, a mente tende a ser irracional ou muito lenta. Esse estado é também associado à dificuldade de se fazer entender.

OS SIGNOS DO AR

Gêmeos — Insiste na comunicação e não consegue deixar de falar. A qualidade mutável desse signo se revela na capacidade de se adaptar.

Libra — Um signo que põe ênfase na parceria, usa a mente para se ligar aos outros. A compatibilidade intelectual é chave para o ar cardeal.

Aquário — Tem conhecimento profético, interessando-se pelo que será e não pelo que é. Essa mente pode ser surpreendentemente fixa e difícil de mudar.

ÁGUA

Signos	Câncer, Escorpião, Peixes
Planetas	Lua, Neturo
Tipo	Sensível
Polaridade	Negativa
Palavras-chave	Sentimentos, fluidez, ciclos, passividade, sensitividade, empatia, reflexão, compaixão, imaginação, intuição, ilusão
Fisiologia	Sistemas de lubrificação e resfriamento; linfa, sangue, plasma, secreções
Aparência	Roliça, carnuda, com olhos grandes e suaves e pele brilhante
Temperamento	Tranqüilo, suave, com fala monótona
Associações	Emoções, limpeza, empatia, suavidade, umidade, nutrição, tronco das árvores ou caule das flores

Vivendo nas emoções

A água é o mais sutil e sensitivo dos elementos. Os três introspectivos signos da água fluem com o próprio ritmo interior, atentos ao chamado de fortes emoções. A água é associada a sentimentos, ciclos e flutuações. A motivação vem de dentro, sendo muitas vezes uma reação inconsciente a um estímulo emocional. É o elemento mais irracional e o que menos consciência tem do que lhe é exterior. São os artistas e poetas do zodíaco. As pessoas com signos da água precisam se sentir necessárias, experimentando a si mesmas através da troca de emoções. Sintonizadas com nuances delicadas, podem ser dependentes e vulneráveis, às vezes interpretando mal os sinais, que enxergam através das lentes das próprias emoções. Quando a intuição da água funciona bem, ela tem acesso a um nível interior de conhecimento que vai além dos cinco sentidos. É o elemento do "instinto visceral", da percepção e da precognição.

Água em equilíbrio

Em equilíbrio, a água é calma, suave, gentil, sensível e empática, com temperamento sereno. Nesse elemento, a harmonia se traduz em alguém que é emocional mas não é governado pelas emoções.

Água em desequilíbrio

Em excesso, a água é por demais emocional, apreensiva, atenta demais à segurança, auto-indulgente, encharcada, sonhadora e sensual, podendo tender ao sobrepeso.

A deficiência de água leva à rigidez e à falta de ritmo, de empatia e de ligações emocionais. Sem água suficiente, as emoções caem na indiferença, uma tendência que se disfarça de objetividade imparcial.

OS SIGNOS DA ÁGUA

Câncer — Apesar de ser um signo ativo, cardeal, Câncer é o mais protetor dos signos da água. Sensível à vulnerabilidade emocional, esse signo é defensivo e possessivo.

Escorpião — Reflete as profundezas fixas e insondáveis da emoção instintiva, mas revela pouco, como uma lagoa profunda e parada.

Peixes — Signo mutável, encontra livre expressão no domínio da água, movendo-se com as marés das emoções, mas tendo dificuldade para estabelecer limites.

As qualidades

As qualidades e as polaridades regulam sutilmente a energia astrológica. Os signos cardeais são caracterizados por uma energia que flui em linha reta; os signos fixos por parâmetros rígidos, enquanto os signos mutáveis "seguem a correnteza". As qualidades influenciam a maneira da pessoa interagir com o ambiente e, assim, os signos que compartilham a mesma qualidade tendem a abordar a vida da mesma maneira.

Os signos da água e da terra têm polaridade negativa, ou *yin*, enquanto os signos do fogo e do ar têm polaridade posi-

e as polaridades

tiva, ou *yang*. A polaridade de um signo é espelhada no signo que lhe é oposto no zodíaco.

Em astrologia, o conceito de "negativo" não encerra nenhum julgamento. Os signos negativos são introspectivos e receptivos. Os signos positivos são expansivos e extrovertidos. Essas energias são complementares entre si. Uma não é melhor e nem pior do que a outra. Cada uma delas é necessária para um fluxo equilibrado de energia.

FLUXOS DE ENERGIA

No mapa, as qualidades e as polaridades são como matizes, respondendo pelas diferenças individuais dentro de cada elemento. Cada elemento compreende um signo cardeal, um fixo e um mutável. Entre os signos positivos, há dois cardeais, dois fixos e dois mutáveis, assim como entre os signos negativos. Esse arranjo indica como fluirá a energia do elemento e dos planetas localizados num determinado signo: se fluirá livremente ou se encontrará bloqueios, se vai se adaptar à mudança ou

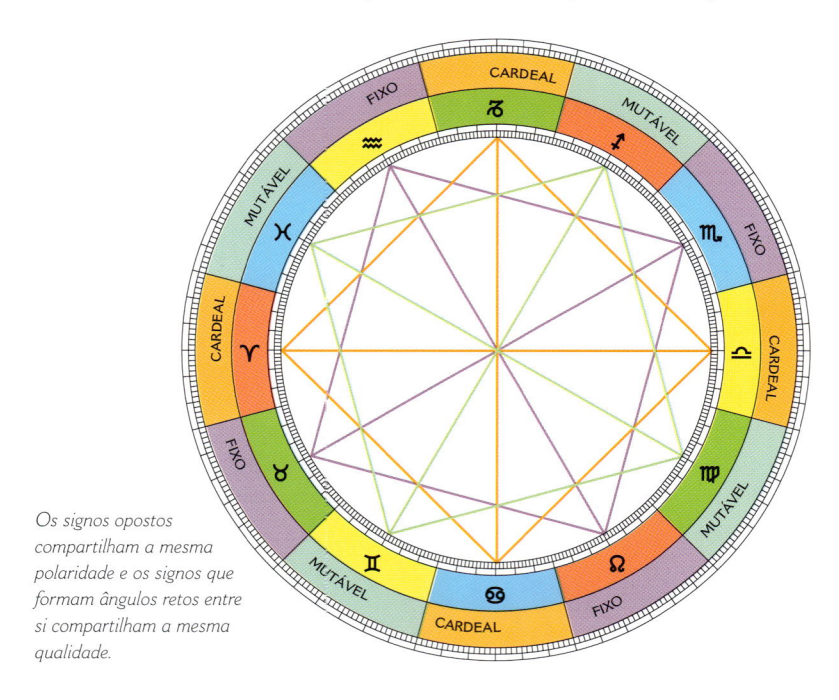

Os signos opostos compartilham a mesma polaridade e os signos que formam ângulos retos entre si compartilham a mesma qualidade.

se resistirá a ela. Indica também se a energia de um determinado signo ou planeta é dirigida para dentro ou para fora.

Efeitos sobre os luminares

As qualidades e as polaridades têm mais influência sobre os luminares – o Sol e a Lua – do que sobre os outros planetas. Numa localização cardeal e positiva, o Sol é mais ativo do que qualquer outro planeta nesse elemento – sendo Áries o mais espontâneo dos sóis do fogo – enquanto um Sol negativo cardeal ajuda a superar a timidez dos signos negativos – de modo que o Sol em Câncer é o mais ambicioso dos Sóis passivos da água. Um Sol fixo é o mais rígido entre todos e um Sol mutável é o mais adaptável.

Situada num signo positivo e cardeal, a Lua pode sobrepujar um Sol menos assertivo, favorecendo as tentativas de mudança. Uma Lua fixa se inclina para o passado, continuando presa a padrões emocionais, enquanto uma Lua mutável tem grande capacidade de adaptação.

Efeitos sobre os outros planetas

As qualidades e as polaridades afetam todos os planetas até certo ponto. Os planetas mostram mais abertamente a sua natureza nos signos cardeais e positivos. Nos signos fixos, o lado mais intratável dos planetas se revela. Nos signos adaptáveis e mutáveis, o planeta encontra o seu próprio modo natural de expressão.

Vários planetas numa só qualidade ou polaridade podem muito bem sobrepujar o Sol numa outra qualidade ou polaridade. Mesmo que o Sol estivesse em Áries no momento do seu nascimento, fazendo de Áries o seu signo solar, Vênus, Marte e Júpiter em Peixes, um signo da água, indicariam um tipo mais sensível emocionalmente do que Áries é na média, por causa da preponderância da água.

CARDEAL

Signos cardeais Áries, Câncer, Libra, Capricórnio

Casas cardeais Primeira, Quarta, Sétima, Décima

Palavras-chave Ação, iniciativa, desafio, asserção, iniciação, mudança, liderança, impetuosidade

A personalidade cardeal

Os signos cardeais iniciam mudanças e põem as coisas em movimento, sendo os mais ativos e empreendedores do zodíaco. Dos três signos de cada elemento, o cardeal é o mais vigoroso e pró-ativo. Valente, assertivo e às vezes agressivo, as personalidades cardeais levam os outros à ação. Líderes naturais, não aceitam ordens com facilidade.

Preponderância da qualidade cardeal

Um mapa com quatro ou mais planetas em signos cardeais indica vontade forte e desejo de comandar. Uma tal preponderância da qualidade cardeal pode sobrepujar o Sol posicionado num signo solar mais brando e receptivo, e ser a motivação oculta para o sucesso.

Efeito sobre os planetas

Quando está localizado num signo cardeal, o planeta fica mais energizado e com uma expressão mais forte. Assim, um planeta dinâmico localizado num signo cardeal tem o seu efeito ressaltado. Marte, por exemplo, pode ficar incontrolável em Áries, um signo cardeal, positivo e ardente. Um planeta brando também fica energizado num signo cardeal mas, em vez de expressar livremente as suas qualidades, pode ficar inquieto e irritado. Um planeta neutro tende a se expressar com mais vigor quando se reveste da qualidade cardeal.

SIGNOS CARDEAIS

Áries A mais dinâmica expressão do fogo. Esse signo reúne um enorme ímpeto pessoal. Empreendedor, Áries detém o controle estando um passo à frente de todo mundo.

Câncer Câncer, amortecido pelo elemento água, se vale da energia cardeal de maneira menos óbvia, mas não menos ambiciosa. Esse signo tenaz quer ter controle emocional, especialmente da família.

Libra Esse parece ser o menos agressivo dos signos cardeais, faltando-lhe ímpeto pessoal. No entanto, Libra mostra a qualidade cardeal no desejo de controlar os relacionamentos e o ambiente social.

Capricórnio Representa mais marcantemente o elemento cardeal. A qualidade cardeal, que traz o ímpeto pessoal que normalmente falta ao elemento terra, torna esse signo negativo um dos mais ambiciosos do zodíaco.

FIXOS

Signos fixos	Touro, Leão, Escorpião, Aquário
Casas fixas	Segunda, Quinta, Oitava, Décima primeira
Palavras-chave	Consistência, obstinado, rígido, resistente, estável, firme, leal, arraigado, previsível, fixação

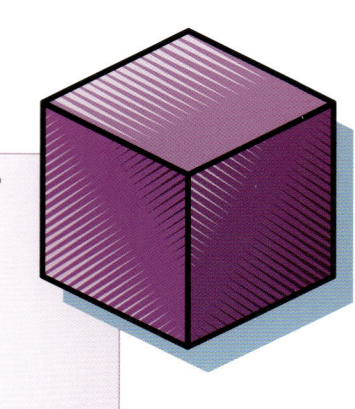

A personalidade fixa

Os signos fixos são resistentes à mudança, preferindo uma rotina rígida e um estilo de vida estável. É uma personalidade que prefere que tudo continue igual – para sempre. Reflete também a força e a consistência dessa qualidade, que é a mais confiável de todas. É uma personalidade leal que leva tudo até o fim, mesmo quando seria sensato desistir.

Preponderância da qualidade fixa

Quatro ou mais planetas num signo fixo indicam uma pessoa muito teimosa, que quase nunca muda de idéia e que odeia mudanças. Essa preponderância de energia fixa pode sobrepujar até mesmo o mais fluido e flexível dos signos solares.

Efeito sobre os planetas

Um planeta mostra o seu aspecto mais intratável quando está situado num signo fixo, que tende a trazer para fora o que ele tem de pior. No entanto, essa localização pode trazer força e estabilidade para planetas dinâmicos e, quando usada corretamente, para planetas neutros. Mercúrio, quando localizado num signo fixo, pode viver recitando dogmas, mas sugere também capacidade para o pensamento profundo.

SIGNOS FIXOS

Touro Talvez esse seja o mais arraigado dos signos fixos, já que a qualidade reforça o desejo de estabilidade a qualquer custo, típico do elemento terra. Embora confiável, a cautela com que essa personalidade lida com a vida pode acabar por negá-la.

Leão Sendo o menos flexível de todos os signos do fogo, Leão tem pouco da sua impetuosidade e acha difícil se adaptar à mudança.

Escorpião Esse signo tem uma intensidade que mascara uma profunda intratabilidade. A qualidade fixa empresta obstinação ao elemento água, em geral aquiescente. Com isso, esse signo pode cair numa rotina emocional.

Aquário Esse signo fixo do ar – um elemento conhecido por sua flexibilidade – pode ser muito inflexível, como condiz com Saturno, o seu co-regente planetário. Como Escorpião, esse signo pode se prender a padrões fixos de comportamento, refletindo assim o seu outro regente, Urano.

MUTÁVEL

Signos mutáveis Gêmeos, Virgem, Sagitário, Peixes

Casas mutáveis Terceira, Sexta, Nona, Décima segunda

Palavras-chave Flexível, adaptável, versátil, mutável, imprevisível, instável, superficial

A personalidade mutável

Três dos signos mutáveis são duais. Isso significa que eles têm por natureza dois lados distintos, movendo-se facilmente entre os dois ou assumindo duas perspectivas diferentes. Virgem é a exceção, preferindo um só ponto de vista. Essa qualidade se adapta e reage às necessidades do ambiente, criando personalidades versáteis e às vezes difíceis de definir. Os signos mutáveis se divertem com exploração e mudança. Essas personalidades têm dificuldade de se ater a uma rotina porque logo se entediam. Não gostam de seguir ordens ou protocolos – especialmente quando lhes parecem sem sentido. São excelentes numa equipe porque trabalham para o bem de todos.

Preponderância da qualidade mutável

Quatro ou mais planetas em signos mutáveis são indicação de uma personalidade imprevisível, instável e inconfiável ou – se a qualidade for bem canalizada – uma habilidade excepcional para multitarefas. Por outro lado, a preponderância da qualidade mutável pode levar um signo solar estável e confiável a ser econômico com a verdade e menos confiável do que poderia ser, dependendo das outras localizações planetárias.

Efeitos sobre os planetas

A mutabilidade permite aos planetas fluir à vontade, o que é ideal para planetas dinâmicos que não precisam ser dirigidos, mas pode ser difícil no caso dos mais brandos. A ênfase de atividade planetária em signos mutáveis pode levar as energias planetárias a explodir ao acaso. Isso gera conflito interior mas, quando está subordinada à intuição, a mutabilidade pode trazer soluções inesperadas a problemas aparentemente insolúveis.

SIGNOS MUTÁVEIS

Gêmeos — Gosta da mutabilidade. A natureza mercuriana desse signo significa que ele adapta facilmente suas idéias e reações.

Virgem — A mutabilidade torna mais leve o peso da terra em Virgem, que se adapta então às necessidades do ambiente servindo aos outros.

Sagitário — Esse signo canaliza a qualidade mutável para explorar as possibilidades infinitas da vida, apaziguando assim a sua natureza inquieta.

Peixes — Vale-se da mutabilidade para se adaptar à inconstância das emoções nos mundos interior e exterior. Peixes usa muitos disfarces na tentativa de se misturar ao ambiente.

POSITIVO

Signos positivos	Áries, Gêmeos, Leão, Libra, Sagitário, Aquário
Elementos positivos	Fogo e Ar
Palavras-chave	Masculino, yang, ativo, extrovertido, expressivo, dominante

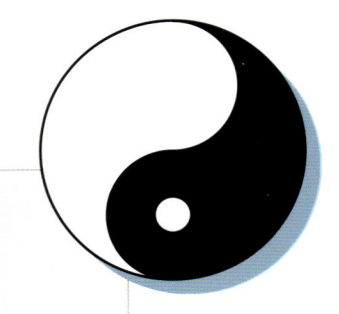

A personalidade positiva

Os signos positivos são extrovertidos, tendo uma personalidade vigorosa que se expressa de maneira espontânea e enérgica. Voltadas para o mundo exterior, as personalidades positivas iniciam e modificam.

Ênfase em signos positivos

Quando seis ou mais planetas estão em signos positivos, a pessoa é mais dominante e vigorosa ao se expressar, independentemente do signo solar.

Efeito sobre os planetas

Para os planetas dinâmicos, como Marte e Urano, a energia positiva favorece a expressão. Os planetas neutros se tornam mais ativos e mais diretos na comunicação. Os planetas mais fracos podem ficar energizados num signo positivo, dependendo da natureza do signo.

A preponderância de planetas positivos dinâmicos pode atrair agressividade e caos ou criar uma situação em que a pessoa se acha invencível, tornando-se despótica.

NEGATIVO

Signos negativos Touro, Câncer, Virgem, Escorpião, Capricórnio, Peixes

Elementos negativos Terra e Água

Palavras-chave Feminino, yin, receptivo, reflexivo, reprimido, submisso, introvertido

A personalidade negativa

Os signos negativos são essencialmente introvertidos, dóceis e complacentes. Tendendo à conservação, os signos negativos recebem e refletem os sentimentos e o ímpeto dos outros.

Ênfase em signos negativos

Se seis ou mais planetas estão em signos negativos, a pessoa é mais introvertida e reprimida, tornando um Sol positivo muito mais reflexivo e introspectivo do que de outro modo seria o caso.

Efeito sobre os planetas

Os signos negativos tornam os planetas mais lentos. Os planetas dinâmicos têm mais dificuldade para se expressar, podendo se revelar ao se projetar sobre os outros. Quando a Lua ou Vênus estão em signos negativos, os sentimentos e as emoções são enfatizados. Usada construtivamente, essa ênfase favorece o autoconhecimento. Mas quando ficam no inconsciente, as emoções se expressam irrefletidamente. A preponderância de planetas negativos pode indicar uma pessoa que se sente impotente.

Os planetas

Os planetas são os ingredientes ativos da astrologia: são os fatores que tornam um mapa único, já que as posições planetárias são diferentes a cada dia. Essas posições são mapeadas da perspectiva da Terra. Sete planetas são visíveis a olho nu: Mercúrio, Vênus, Marte, Júpiter e Saturno, mais o Sol e a Lua. Esses planetas "pessoais" estão mais perto da consciência, representando questões como "amor" ou "vontade". Os planetas invisíveis, "externos" ou "transpessoais" – Urano, Netuno, Quíron e Plutão – indicam energias como transformação, evolução e regeneração. Tradicionalmente, as energias planetárias eram vistas como atributos da personalidade ou como forças causadoras de acontecimentos. Mais recentemente, os planetas passaram a ser considerados como arquétipos ou impulsos subjacentes ao comportamento humano, e os planetas em trânsito – deslocando-se dia a dia no espaço – como ativadores. Embora os planetas não causem os acontecimentos, representando mais uma tendência do que uma compulsão, no entanto, o trânsito de Marte parece nos impelir à desarmonia e ao conflito, enquanto Netuno estende um véu de ilusão que pode ocultar a verdadeira natureza das coisas.

Tradicionalmente, aos planetas são atribuídas partes do corpo, doenças, cristais e outras coisas.

MOVIMENTO PLANETÁRIO

O tempo que um planeta leva para girar, ou orbitar, em torno da Terra pode ser de apenas 28 dias, como é o caso da Lua, ou de 248 anos, no caso de Plutão. Nem todos os planetas passam uniformemente pelos signos. Urano, Plutão e Quíron têm órbitas excêntricas, que se sobrepõem e passam mais devagar por alguns signos do que por outros.

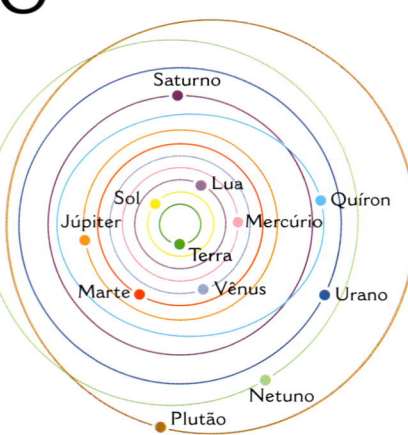

ÓRBITAS

Sol	1 ano	**Saturno**	29 anos
Lua	28-30 dias	**Quíron**	51 anos
Mercúrio	1 ano	**Urano**	84 anos
Vênus	1 ano	**Netuno**	164 anos
Marte	2 anos	**Plutão**	248 anos
Júpiter	12 anos	**Os Nodos**	18 anos

Movimento retrógrado

Vistos da Terra, os planetas (com exceção dos luminares) parecem às vezes se mover para trás, como se invertessem a órbita. Esse movimento é conhecido como retrogradação. Num mapa astrológico, um planeta retrógrado é marcado com um "R". O seu efeito é voltar as energias para dentro, tornando-as menos conscientes, ou refletir obstáculos kármicos.

O efeito do movimento retrógrado é mais marcado nos trânsitos. Um planeta em movimento retrógrado pode transitar, ou parecer que o faz, três vezes por um determinado grau do zodíaco. A cada vez, a sua influência se torna mais acentuada, como se a lição ou a oportunidade se apresentasse com mais força, até ser percebida. É mais fácil dominar a energia de um planeta retrógrado no ponto em que ele "se torna direto", ou começa a se deslocar para a frente.

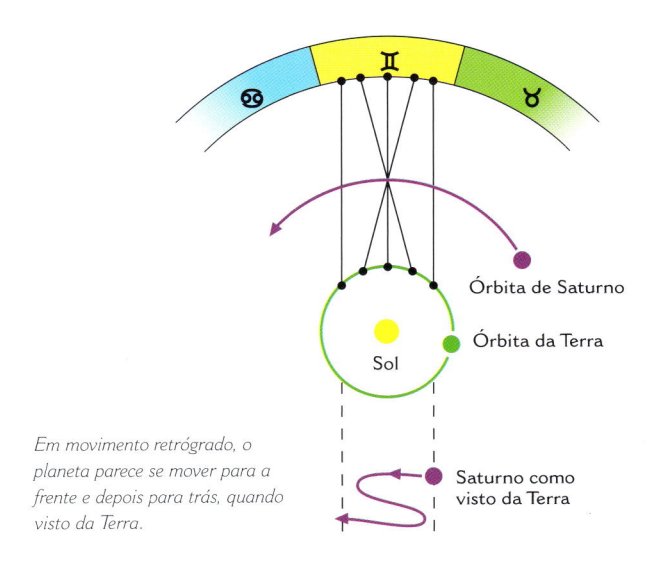

Em movimento retrógrado, o planeta parece se mover para a frente e depois para trás, quando visto da Terra.

REGENTES PLANETÁRIOS

Na astrologia tradicional, os sete planetas visíveis a olho nu eram relacionados com determinados signos. O Sol e a Lua regiam um signo cada um, enquanto os outros regiam dois. Cada novo planeta descoberto era apontado como co-regente de um signo compatível com a sua energia. Muitas vezes, esses novos regentes parecem ser mais adequados do que os antigos, mas o efeito subjacente do regente tradicional ainda se faz sentir. Por exemplo, a tendência de Peixes a "passar dos limites" com o álcool ou outras drogas está relacionada à influência de Júpiter e também às tendências escapistas de Netuno.

OS PLANETAS REGENTES

O **Sol** rege **Leão**

A **Lua** rege **Câncer**

Mercúrio rege **Gêmeos** e **Virgem**

Vênus rege **Touro** e **Libra**

Marte rege **Áries** e **Escorpião**

Júpiter rege **Sagitário** e **Peixes**

Saturno rege **Capricórnio** e **Aquário**

Urano rege **Aquário**

Netuno rege **Peixes**

Plutão rege **Escorpião**

O flamejante Marte era tradicionalmente associado a Áries e Escorpião.

GLIFOS PLANETÁRIOS

Os glifos planetários representam princípios abstratos e metafísicos subjacentes ao universo. Foram formulados a partir de símbolos, combinados para comunicar profundas verdades ocultas.

○ O círculo representa o espírito. É a totalidade da energia no cosmos e, como tal, eterno e infinito.

) O semicírculo ou crescente representa a alma. É a dualidade da existência e aquilo que é criado.
Tem potencial para crescimento e forma.

✝ A cruz representa a matéria e o plano físico da existência.

| Uma linha reta vertical representa a autoridade e o absoluto.

— Uma linha reta horizontal liga a força vital entre dois pontos.

● O ponto é o divino que tudo permeia.

OS PLANETAS

- ☉ Sol
- ☽ Lua
- ☿ Mercúrio
- ♀ Vênus
- ♂ Marte
- ♃ Júpiter
- ⚷ Quíron
- ♄ Saturno
- ♅ Urano
- ♆ Netuno
- ♇ Plutão
- ☊ Nodo

SOL
O Eu

Glifo	☉	O espírito eterno circunda a centelha divina que reside em cada um, dando vida e simbolizando o eu e o ego
Regente/ Dignidade		Leão
Detrimento		Aquário
Exaltação		Áries
Queda		Libra
Palavras-chave		Força vital, consciência, poder, princípio criativo, vitalidade, potencial, individualidade, eu, identidade, auto-expressão, auto-integração, reconhecimento, o pai

O Sol dourado representa a centelha vital da energia criativa da alma.

O impulso para a expressão do Eu

O Sol é a força vital, a vitalidade e o Eu indestrutível. É a energia que junta partes díspares da personalidade até que sejam integradas, à medida que a pessoa amadurece. O Sol representa a busca por uma identidade única, expressa através do signo em que ele está situado. Seja qual for a localização do Sol no mapa, a necessidade de auto-expressão é canalizada para o mundo através do signo e da casa.

A qualidade, a polaridade e o elemento em que o Sol está situado têm um forte impacto sobre como será essa auto-expressão. Nos signos negativos, a auto-expressão pode ser reticente ou inibida, embora não necessariamente bloqueada. Nos signos positivos, a auto-expressão é efervescente e natural. Os signos da água têm dificuldade para expressar agressividade e para comandar, que são qualidades inatas dos Sóis ardentes. No elemento terra, o Sol tem pouca dificuldade para manter a sua posição, mas não é naturalmente agressivo. No ar, o Sol pode ser assertivo, mas tem dificuldade para manter uma posição. Um Sol cardeal é o mais expansivo em qualquer elemento, embora essa característica seja amenizada pela reticência natural dos signos negativos.

Sem o calor do Sol, não haveria vida na Terra.

Os girassóis são regidos pelo Sol.

O princípio criativo

O Sol é o princípio criativo tornado manifesto, moldado pelo elemento em que está situado. O Sol na Terra expressa o princípio criativo de maneira prática e produtiva, dando forma à matéria. Num signo do Ar, o princípio criativo é expresso de maneira intelectual e inspiradora, dando forma ao pensamento e às palavras. Os signos da água expressam o princípio criativo de maneira emocional e sensitiva, dando forma aos sentimentos. Os signos do Fogo expressam esse princípio de maneira ativa e espontânea, dando forma à vida.

Vitalidade

Num signo receptivo e negativo, a vitalidade flui de maneira suave e constante, mas grande quantidade de energia emocional é despendida nos signos da água. No ar, a energia é intelectual, no fogo é física. Num signo ativo e positivo, a vitalidade flui com força e abundância, mas as reservas de energia se esvaziam e têm que ser renovadas. O Sol indica também como a personalidade processa a decepção. Nos signos do fogo e da terra, a resiliência é grande. Sempre otimistas, os signos do fogo se recuperam rapidamente, enquanto os signos da terra suportam com paciência. Os signos da água podem ficar liquidados, já que raramente têm confiança suficiente para processar uma decepção. Os signos do ar podem precisar de tempo para se reorganizar, até serem estimulados por alguma outra coisa.

O princípio masculino

O Sol indica como flui a parte masculina e ativa da personalidade. Essa energia faz parte da psique de homens e mulheres, complementando o fluxo de energia feminina. Quando o Sol está localizado num signo positivo, a energia masculina causa impacto no mundo. Quando ele está num signo negativo, essa energia flui internamente. Assim, nos signos positivos, o Sol consegue se afirmar melhor. Nos signos passivos, é uma alternativa do mundo exterior que expressa a energia.

O ouro é muitas vezes usado para simbolizar realeza e autoridade.

O pai

O Sol simboliza o pai, uma figura de autoridade ou influências masculinas significativas. A expectativa da pessoa em torno da função paterna é definida pelo signo do zodíaco, matizado pelo elemento. Com o Sol num signo de fogo, a expectativa é de um pai caloroso e espontâneo; na terra, disciplinado e confiável; no ar, a expectativa é que as figuras de autoridade sejam comunicativas e flexíveis; na água, sensíveis e protetoras. Os aspectos dos planetas exteriores com o Sol (ver Aspectos, pp. 264-285) indicam que tipo de pai ou figura de autoridade a pessoa espera. Um aspecto difícil de Saturno, por exemplo, indica um pai frio e controlador, enquanto Plutão sugere um pai poderoso e dominante.

Temperamento

Tradicionalmente, quando o Sol está bem situado, o temperamento é nobre, magnânimo, altivo e humano. Trata-se de um amigo fiel e de um inimigo generoso. Quando a localização é adversa, o temperamento é presunçoso, ostentativo, arrogante e pomposo.

O SOL ATRAVÉS DOS SIGNOS

Áries	Auto-expressão espontânea. Voltado para si mesmo, egoísta, enérgico, impetuoso e extrovertido, o Sol em Áries indica uma personalidade que supera rapidamente os reveses, mas não leva as tarefas até o fim.
Touro	Auto-expressão prática. Pragmático, conservador, confiável, perseverante e estóico, o Sol em Touro vai em frente a despeito dos reveses e nunca abandona uma tarefa.
Gêmeos	Auto-expressão comunicativa. Inquieto, sociável, mentalmente orientado, versátil, nervoso, o Sol em Gêmeos supera rapidamente os reveses e realiza múltiplas tarefas.
Câncer	Auto-expressão cautelosa. Altamente emocional, protetor, possessivo e introvertido, o Sol em Câncer pode se retrair depois de um revés, mas mostra tenacidade na realização das tarefas.
Leão	Auto-expressão exuberante. Extrovertido, entusiasmado, benevolente, brincalhão, orgulhoso e autocrático, o Sol em Leão se recupera rapidamente dos reveses e é um chefe dedicado.
Virgem	Auto-competente. Prático, perfeccionista, analítico, produtivo, funcional e organizado, o Sol em Virgem é dedicado e imperturbável nos reveses.
Libra	Auto-expressão afetuosa. Sociável, dependente, artístico, agradável e justo, o Sol em Libra recua diante dos reveses e não gosta de críticas, mas leva as tarefas até o fim.
Escorpião	Auto-expressão reservada. Intenso, perceptivo, misterioso, apaixonado e poderoso, o Sol em Escorpião vai em frente apesar dos reveses e se concentra nas tarefas.
Sagitário	Auto-expressão aventureira. Espontâneo, indagador, filosófico e enérgico, o Sol em Sagitário se recupera rapidamente depois dos reveses, mas pode ficar exausto.
Capricórnio	Auto-expressão controlada. Prático, autoritário, conservador, dogmático, confiável e fiel às regras, o Sol em Capricórnio é resiliente diante dos reveses e tenaz diante das tarefas.
Aquário	Auto-expressão não-convencional. Inovador, progressista, inquiridor, radical, imprevisível e humanitário, o Sol em Aquário não gosta de reveses mas mostra tenacidade na realização das tarefas.
Peixes	Auto-expressão primorosa. Impressionável, sensível, vacilante, difuso e ilusoriamente passivo, o Sol em Peixes se retrai depois dos reveses e vacila nas tarefas.

CORRESPONDÊNCIAS TRADICIONAIS

Dia da semana	Domingo
Números	1, 8
Metais	Ouro, latão
Mineral	Cálcio
Vitamina	D
Nota musical	Dó
Cristais	Diamante, citrina, topázio, jaspe, âmbar, rodocrosita
Cor	Amarelo
Fisiologia	Sistema cardiovascular, incluindo o coração e o pericárdio, costas, coluna, timo, força vital, estados febris
Entraves de vidas passadas	Mau uso do poder pessoal e da autoridade
Associações	Chefe de estado, o pai, criatividade, jogos, roupas amarelas, artigos de valor, jóias
Profissões	Diretor administrativo, chefe executivo, embaixador, relações públicas, rei, magistrado, joalheiro, juiz de paz, superintendente, administrador, ourives, caldeireiro, cunhador de moedas, fiscal de alfândega
Árvores	Azevinho, amendoeira
Plantas	Suculentas, talos robustos; caules avermelhados; folhas com veios profundos; raiz principal; flores amarelas, laranja ou púrpura; plantas aromáticas de gosto agradável; angélica, centaúrea, camomila, eufrásia, olíbano, helianto, heliotropo, junípero, tagete, alecrim, arruda, açafrão
Alimentos	Arroz, sementes de girassol, uvas, castanhas
Virtude	Esperança
Vício	Indolência
Lugares	Palácios, prédios magníficos, salas de jantar, torres, apartamentos luxuosos

⊙ SOL

LUA
O eterno feminino

Glifo	O crescente da alma toma forma, ligando o espírito à matéria e criando o útero, receptáculo da vida
Regente/ Dignidade	Câncer
Detrimento	Capricórnio
Exaltação	Touro
Queda	Escorpião
Palavras-chave	Reações emocionais, sentimentos, instintos, flutuação, receptividade, reflexão, hábitos, infância, resposta, ciclos, a mãe, instinto materno, o passado, herança ancestral, o subconsciente, humores

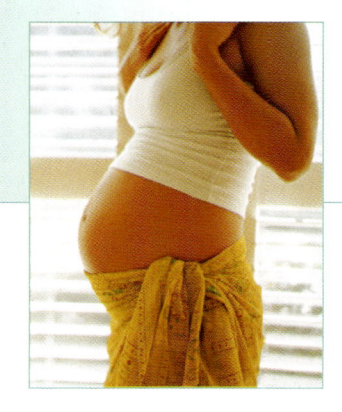

A Lua é tradicionalmente associada à maternidade e à gravidez.

O impulso à satisfação das necessidades básicas

A Lua é essencialmente passiva e receptiva. Negativa onde o Sol é positivo, ela reflete a experiência da vida, em vez de iniciá-la. Flutuante e cíclica, a Lua tem a ver com as necessidades básicas e com o instinto de sobrevivência que vem do inconsciente. É o planeta dos hábitos arraigados e das reações instintivas, do condicionamento e dos padrões que absorvemos inconscientemente. É o planeta dos sentimentos e das emoções.

A Lua exerce enorme influência sobre as marés da água e da experiência humana.

Como visa a sobrevivência, muitas vezes a força da Lua é maior do que a do Sol. Quando está situada num signo que flui livremente, por exemplo, a Lua pode sobrepujar um signo solar inibido e reprimido. Num signo controlador, a expressão dos sentimentos pode ficar bloqueada, mesmo que o signo solar seja extrovertido. Num signo lunar sensível de água, sentimentos irracionais e emoções não-reconhecidas podem causar uma explosão emocional, mesmo no mais frio dos signos solares.

Segurança lunar

Uma das mais fortes necessidades básicas dos seres humanos é a segurança. A posição que a Lua ocupa no mapa indica a área da vida, a "casa" (ver pp. 228-63), em que a necessidade de segurança aparece com mais força, e o elemento em que é procurada. Num signo da terra, a segurança é uma questão física mas, num signo da água, é uma questão emocional. Neste caso, a segurança está em se sentir necessário, em casa ou no amor, nas posses ou nos sentimentos. Para um signo do fogo e do ar, a segurança é inerente à liberdade com relação à responsabilidade e ao dever, o que permite ao indivíduo ser ele mesmo.

Alimento lunar

O alimento é outra necessidade básica. A Lua tem grande influência sobre padrões e hábitos alimentares – e não apenas físicos, já que a sua localização define o tipo de "alimento" emocional, mental e espiritual que a pessoa precisa para alimentar a alma. Além disso, revela a capacidade – ou incapacidade – de cuidar de si mesma.

As ondas mais altas ocorrem na Lua Cheia próxima aos solstícios.

Para além da concepção

A Lua representa os hábitos e as predisposições emocionais, as qualidades e as atitudes, as forças e as fraquezas que se transmitem por meio da família. Os planetas exteriores em aspecto (ver pp. 264-85) com a Lua revelam se a experiência dentro do útero foi positiva ou não. Plutão em aspecto com a Lua sugere um útero hostil e tóxico, enquanto Netuno indica um útero muito acolhedor.

A infância tem um enorme impacto sobre a maturidade emocional futura. A localização da Lua e os aspectos mostram se as necessidades emocionais da infância serão levadas à vida adulta e repetidas num relacionamento. Para muitas pessoas, as relações da vida adulta são uma tentativa de satisfazer antigas necessidades, ou de não se deixar tragar pelas necessidades dos pais ou do parceiro.

A mãe

A Lua representa o instinto maternal e o princípio do eterno feminino, indicando a força com que se manifestam na pessoa, seja homem ou mulher. A sua localização define o tipo de mãe que é esperado e as qualidades desejadas numa mãe. Seja qual for o signo da mãe, o filho tem dela uma experiência matizada pelo estilo característico do próprio signo lunar. Essa experiência pode estar ligada às qualidades positivas do signo ou aos seus aspectos menos construtivos.

Com a Lua no elemento Fogo, a pessoa precisa de uma mãe calorosa e extrovertida, que a ajude a explorar o mundo exterior. Com a Lua no elemento Terra, precisa de uma mãe confiável, que lhe proporcione uma rotina segura. Com a Lua no elemento Ar, de uma mãe que lhe apresente o mundo por meio de histórias e jogos de palavras, e que incentive a livre expressão. Com a Lua no elemento Água, de uma mãe afinada com a sua intensa experiência emocional e capaz de estimular a imaginação.

Temperamento

Tradicionalmente, quando a Lua está bem localizada, o temperamento é gentil, afeito ao lar e um pouco tímido. Quando a Lua está mal localizada, o temperamento é indolente, preguiçoso e insatisfeito.

A Lua tem a ver com a herança genética e psíquica que nos vem pela linha materna.

A LUA ATRAVÉS DOS SIGNOS

Áries	Emocionalmente obstinada e absorta em si mesma. Corajosa, afetiva e sensível, a Lua em Áries exige gratificação imediata, precisa de admiração e não gosta de autoridade.
Touro	Emocionalmente inabalável. Fiel, possessiva e pouco imaginativa, com hábitos entranhados e um forte instinto maternal, a Lua em Touro precisa de segurança e tem horror à mudança.
Gêmeos	Emocionalmente fluente e inconstante. Flexível, geniosa e intuitiva, a Lua em Gêmeos racionaliza os sentimentos, reprime as necessidades emocionais, não gosta de rotina e faz várias coisas ao mesmo tempo.
Câncer	Emocionalmente suscetível. Atenciosa, protetora, geniosa, possessiva, vulnerável e fortemente maternal ou paternal, a Lua em Câncer tem uma profunda necessidade de segurança e se recusa a deixar rolar.
Leão	Emocionalmente orgulhosa. Generosa, confiante, dominante, brincalhona e auto-indulgente, a Lua em Leão precisa se sentir especial e não gosta de ser diminuída ou ignorada.
Virgem	Emocionalmente exigente. Inibida, exigente consigo mesma, altruísta e sem confiança, a Lua em Virgem analisa os sentimentos, tem integridade e precisa ser valorizada pelos serviços que presta.
Libra	Emocionalmente dependente. Pacífica, gentil, diplomática, emocionalmente desonesta e crítica, a Lua em Libra não gosta de confrontação, quer agradar a todos e precisa de um parceiro.
Escorpião	Emocionalmente intensa. Perspicaz, compulsiva, reservada, ressentida e ciumenta, a Lua em Escorpião tem capacidade para se transformar, mas teme a rejeição e o abandono.
Sagitário	Emocionalmente inquieta. Independente, franca, descompromissada, calorosa, aventureira e impulsiva, a Lua em Sagitário precisa de liberdade e não gosta de carência emocional.
Capricórnio	Emocionalmente controlada. Autoconfiante, diligente e fidedigna, ou autoritária e insegura, a Lua em Capricórnio precisa controlar o ambiente e a família.
Aquário	Emocionalmente imprevisível. Independente, não-convencional, distante e neutra, a Lua em Aquário prefere a amizade à intimidade.
Peixes	Emocionalmente sensível. Falsa, compassiva, receptiva, empática, imaginativa, inconfiável, crédula e auto-indulgente, a Lua em Peixes tem tendências escapistas.

CORRESPONDÊNCIAS TRADICIONAIS

Dia da semana	Segunda-feira
Número	2
Metais	Prata, alumínio
Mineral	Não determinado
Vitamina	Não determinada
Nota musical	Fá
Cristais	Pérola, pedra-da-lua, opala, selenita
Cores	Branco, creme, prata
Fisiologia	Seios, mamilos, canal alimentar, sucos digestivos e sistema linfático; glândulas; sistema nervoso; transtorno emocional
Entraves de vidas passadas	Excesso emocional e questões ligadas à maternidade
Associações	Mãe, ancestrais, emoção, renascimento, ciclos, marés, banhos, obstetrícia
Profissões	Marinheiro, navegador, viajante, pescador, peixeiro, cervejeiro, taverneiro, leiteiro, moleiro, barqueiro, oficial da marinha, parteira, enfermeira
Árvores	Salgueiro; árvores ricas em seiva
Plantas	Folhas claras; raízes grossas, firmes, suculentas e pouco profundas; flores verde-garrafa, amarelas ou brancas-esverdeadas; plantas com odor desagradável, gosto adocicado ou aguado; morrião-dos-passarinhos, amor-de-hortelão, salgueiro branco
Alimentos	Repolho, agrião, pepino, alface, melão, abóbora, frutos do mar
Virtude	Castidade
Vício	Inveja
Lugares	Oceanos, lagos, fontes, portos, rios, lagoas, docas, nascentes, canos, cais, leiterias

MERCÚRIO
O mensageiro

Glifo	☿	A cruz da matéria fica sob o círculo do espírito, encimado pelo crescente da alma. É o triunfo da mente sobre a matéria: a inteligência ativa que canaliza os impulsos vindos de cima ou de baixo
Regente/ Dignidade		Gêmeos, Virgem
Detrimento		Sagitário
Exaltação		Virgem
Queda		Peixes
Palavras-chave		Comunicação, viagem, aprendizado, conhecimento, mente, pensamento, razão, lógica, eloqüência, percepção, astúcia, coordenação, intelecto, escrita, discurso, fofoca, juízo, fraude, enganador, hábil, expressivo, memória

A ágata-de-fogo, uma pedra regida por Mercúrio, favorece a introspecção.

O impulso de comunicar

O curioso Mercúrio é o planeta da comunicação e da mente. É associado à inteligência no sentido de entendimento rápido, mas tem a ver também com memória e raciocínio. Bem situado, Mercúrio absorve uma grande quantidade de informações, sintetiza-as e depois, formando uma rede de conexões, dá um grande salto intuitivo. É o planeta da escrita, da publicação, da mídia e das telecomunicações. Como mensageiro alado dos deuses, é associado também a estradas, transporte, comércio, Internet e viagens às profundezas da psique.

As pessoas mercuriais sempre têm acesso a um meio de comunicação.

A dança do Sol e Mercúrio

Como está sempre perto do Sol, a menos de 28°, Mercúrio atua como intérprete no processo de auto-expressão. Quando Mercúrio cai no mesmo signo que o Sol, o efeito desse signo é fortalecido. Quando cai de um dos lados do signo solar, há um choque de polaridades: um Sol situado negativamente é acelerado por um Mercúrio positivo e um Sol situado positivamente fica mais lento sob a influência de um Mercúrio negativo.

Os elementos também afetam a dança Mercúrio-Sol. Situado num signo da Água, Mercúrio acentua a intuição e a empatia emocional, tornando um Sol ardente mais atento aos sentimentos dos outros, enquanto a terra torna a auto-expressão mais prática e refreia os vôos da fantasia. Mercúrio em fogo agiliza a auto-expressão um tanto cautelosa da terra, indicando uma personalidade mais espontânea e extrovertida; o ar exige da cautelosa terra um discurso mais rápido e comunicativo. A terra aprofunda a expressão do ar, que passa a dar mais consideração a questões de peso; a água pode mergulhar o Sol em ar numa reação superemocional, mas pode também aprofundar a intuição e favorecer a empatia. O ar ajuda a auto-expressão da água a se tornar mais racional e o fogo ajuda o Sol em água a se tornar mais expressivo e confiante.

Maneiras de pensar

A localização de Mercúrio num elemento afeta o funcionamento da mente, indicando se o pensamento é linear e segue um caminho bem definido, ou se é mais intuitivo e criativo, explorando novos caminhos. Em ar, que é mais cerebral, ou em fogo, que é mais intuitivo, Mercúrio é rápido como o raio. Essa localização versátil sugere uma pessoa que consegue lidar com muitas coisas ao mesmo tempo mas que deixa de lado detalhes importantes. Num signo da água, com processos irracionais de pensamento, Mercúrio se torna sonhador ou visionário. Com Mercúrio no elemento terra, os processos mentais tendem a ser mais lineares e lentos demais para ultrapassar os limites do pensamento convencional.

Características mercuriais

As pessoas sintonizadas com Mercúrio se caracterizam pela vivacidade, jovialidade e charme pueril. Mercúrio tem reações muito rápidas e natureza mutável. Sob a influência desse planeta, é boa a coordenação entre mente e corpo, e as mãos estão sempre falando. A mente é tipicamente distraída e flexível.

Mercúrio é também o malandro arquetípico. Nada é bem o que parece quando esse tipo inconfiável está à solta. Há uma necessidade de perceber as coisas de todos os ângulos, de manter a mente aberta e de ter consciên-

Mercúrio é ao mesmo tempo o mensageiro alado e o patrono das travessias seguras.

cia dos processos intuitivos e ilógicos do hemisfério direito do cérebro, assim como dos processos racionais e lógicos do hemisfério esquerdo. Os aspectos difíceis (ver pp. 264-85), especialmente de Saturno e Urano com Mercúrio, costumam estar na raiz das dificuldades de discurso e percepção.

Adaptação ao ambiente

Mercúrio governa não apenas os processos autônomos do corpo, mas faz também a ligação entre o cérebro, o sistema nervoso central, a rede de nervos e os processos nervosos com os músculos e tecidos, possibilitando a adaptação imediata ao que é percebido pelo cérebro.

Temperamento

Tradicionalmente, a boa localização de Mercúrio indica um temperamento inteligente, sutil e lógico, e uma personalidade arguta e perspicaz. A má localização sugere um temperamento inconfiável e sem princípios.

MERCÚRIO ATRAVÉS DOS SIGNOS

Áries — Comunicação pessoal. Franco, arguto, impulsivo, confiante e argumentador, Mercúrio em Áries acredita nas próprias idéias.

Touro — Comunicação prática. A concentração é boa, mas a mente é metódica e literal, demorando para formar opiniões e assimilar os fatos. Com isso, Mercúrio em Touro tem um ponto de vista fixo e se recusa a mudar de opinião.

Gêmeos — Comunicação arguta. Indagador, articulado, versátil, intuitivo e mutável. Mercúrio em Gêmeos simplesmente precisa se comunicar em todas as ocasiões. Probabilidade de tensão nervosa.

Câncer — Comunicação emocional. Intuitivo, imaginativo, atento, subjetivo, com grande capacidade de memória. Mercúrio em Câncer vive no passado influenciado por lembranças emocionais.

Leão — Comunicação criativa. Confiante, decidido, preconceituoso e convencido, Mercúrio em Leão é rápido para formar opiniões, mas depois se aferra a elas. É um realizador natural – ou um exibido.

Virgem — Comunicação lógica. Perspicaz, analítico, ordeiro, racional e judicioso, discriminador e excessivamente crítico, Mercúrio em Virgem é crítico demais e pode se atolar em detalhes.

Libra — Comunicação compartilhada. Justo, lógico, estratégico, crítico e indeciso, Mercúrio em Libra vê todos os lados de uma discussão, mas depende da opinião dos outros.

Escorpião — Comunicação perceptiva. Pertinaz, perceptivo, incisivo, astuto, manipulador e desconfiado, Mercúrio em Escorpião é governado por convicções instintivas e atraído por mistérios.

Sagitário — Comunicação filosófica. Liberal, sem tato, com potencial para o fanatismo e a hipocrisia. Mercúrio em Sagitário gosta de desafios intelectuais e busca respostas para as grandes questões da vida.

Capricórnio — Comunicação convencional. Decidido, construtivo, prático, controlado, calculista e cético, Mercúrio em Capricórnio dá grande importância a como as coisas deveriam ser.

Aquário — Comunicação não convencional. Livre-pensador, inovador, perspicaz, independente, original e errático, Mercúrio em Aquário separa os pensamentos dos sentimentos.

Peixes — Comunicação intuitiva. Imaginativo, impressionável, crédulo, falaz e desconcentrado, Mercúrio em Peixes não sabe lidar com limites e confunde as emoções com os pensamentos.

CORRESPONDÊNCIAS TRADICIONAIS

Dia da semana	Terça-feira
Número	Não determinado
Metal	Mercúrio
Mineral	Fósforo
Vitamina	Complexo B
Nota musical	Mi
Cristais	Ágata, olho-de-tigre
Cores	Azul-claro, índigo, marrom-acinzentado, violeta
Fisiologia	Cérebro, sistema nervoso, olhos, tubos bronquiais, respiração, tireóide, timo, órgãos da fala e da audição
Entraves de vidas passadas	Difamação, escândalo, mal-entendido, mentira, dificuldades de audição ou de fala
Associações	Intelecto, veículos, dinheiro, contas, papel, livros, gravuras, roupa de festa, instrumentos científicos, canivete, tinteiro, ferramentas de escrita, borboletas
Profissões	Vendedor, corretor, astrólogo, escritor, jornalista, filósofo, matemático, secretário, funcionário público, poeta, advogado, impressor, professor, sacerdote, orador, embaixador, artífice, escriba, relações públicas, consultor, programador de computador, funcionário dos correios, motorista, mensageiro
Árvores	Aveleira, amoreira, murta
Plantas	Flores leves, etéreas, abundantes e agradáveis aos olhos; raízes grandes e profundas; plantas com cheiro sutil mas penetrante; sementes na casca ou na vagem; semente de anis, endro, énula-campana, erva-doce, marroio-branco, lavanda, alcaçuz, manjerona, salsa, artemísia, valeriana
Alimentos	Avelã, feijão, cogumelo, erva-doce, romã, cenoura, aipo
Virtude	Sabedoria
Vício	Gula
Lugares	Escolas, salas de assembléia pública, quadras de tênis, feiras, mercados, campos de críquete, estúdios, bibliotecas, bancos, escritórios de advocacia

MERCÚRIO

OS PLANETAS

VÊNUS

AMOR

Glifo	♀	O círculo do espírito encima a cruz da matéria, simbolizando união e amor afluindo para o mundo
Regentes/ Dignidade		Touro, Libra
Detrimento		Áries
Exaltação		Peixes
Queda		Virgem
Palavras-chave		Ligação, amor, luxúria, sociabilidade, desejo, estética, atração, erotismo, sexualidade feminina, harmonia, charme, vaidade, intimidade, rivalidade, beleza, cobiça, gratificação, lascívia, voluptuosidade

Vênus sempre aparece no céu da tarde como se esperasse pela noite, ou no céu da alvorada, saudando o dia.

O impulso ao relacionamento

Depois do Sol, Vênus é o objeto mais brilhante do céu, nunca se distanciando mais de 48° do seu companheiro solar. Com a exceção da Lua, é o planeta que mais se aproxima da Terra, representando um dos mais óbvios impulsores do comportamento humano: a necessidade de se relacionar. A posição de Vênus num mapa indica o grau de proximidade e intimidade na relação com os outros, e de facilidade para se relacionar consigo mesmo. Vênus representa o potencial de auto-estima, servindo como um lembrete de que é preciso amar e valorizar a si mesmo para conseguir dar ou receber amor, compartilhar afeição ou entrar na intimidade de outra pessoa.

Vênus é um planeta sociável, símbolo da necessidade que cada um tem de se encontrar por meio de relacionamentos externos. Com Vênus num signo compatível, especialmente com aspectos fáceis (ver pp. 264-85), a relação flui com facilidade. Vênus num signo incompatível sugere frieza superficial ou amores transitórios que mascaram um profundo medo da intimidade.

Desejo

Vênus personifica o desejo – de satisfação emocional, de tudo o que é belo e valioso, de dinheiro no banco. Vênus serve como um lembrete: o que valori-

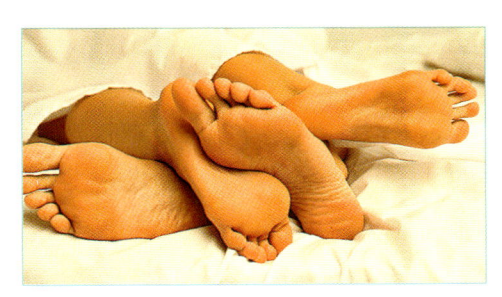

Vênus indica desejo erótico e relacionamentos confortáveis.

Na arte, Vênus aparece muitas vezes com o seu filho, Cupido, que dispara flechas de amor.

zamos no mundo exterior reflete o que amamos interiormente – e podemos atrair o que mais tememos.

A posição de Vênus no mapa revela o que a pessoa valoriza e se ela acredita que merece amor e felicidade. Revela também o tipo de pessoa com quem a atração é natural e harmoniosa. Muitas amizades em sintonia com Vênus têm no fundo alguma coisa sexual e erótica, mesmo que não seja externada.

Vênus masculino e feminino

No mapa de um homem, a posição de Vênus indica o que o atrai numa parceira, as qualidades que busca, o que o excita e o que deseja. Vênus é a sua anima e o seu ideal de mulher – uma imagem idealizada do feminino, que pode se tornar um problema.

No mapa de uma mulher, o sensual planeta Vênus é intimamente ligado ao seu senso de individualidade e feminilidade. Indica como essa mulher se apresenta ao mundo, a linguagem corporal que usa para expressar a sua feminilidade e se gosta de ser mulher. É a necessidade de ser bonita.

Em homens e mulheres, Vênus é sensualidade, a capacidade de ter prazer com a satisfação dos sentidos e de se abandonar às vontades do corpo. É o impulso ao glamour, à voluptuosidade, ao hedonismo, ao erotismo, ao aconchego, à sensualidade ou à frigidez, dependendo do signo.

Características de Vênus

Uma pessoa em sintonia com Vênus tem uma aparência agradável e maneiras charmosas. Abertamente ou não, o sedutor planeta Vênus transmite uma sexualidade magnética, a que é difícil resistir. Na superfície, esse planeta afinado com o prazer exibe a mensagem "venha me seduzir". Essa mensagem pode ser ostensiva ou sutil, dependendo do signo em que Vênus está localizado.

Sob essa superfície sedutora, Vênus é escuro e erótico, com um impulso compulsivo que pode manipular sem dó e até matar para obter o que deseja. O lado de Vênus que emerge depende em parte dos aspectos com os planetas exteriores, mas a natureza dual do planeta pode emergir a qualquer hora.

Temperamento

Tradicionalmente, a boa localização de Vênus indica um temperamento charmoso, constante e sereno, embora o ciúme aflore facilmente. Quando Vênus está mal localizado, o temperamento é imodesto, lascivo e devasso.

Vênus representa a necessidade de se sentir bem e de ter uma bela aparência.

VÊNUS ATRAVÉS DOS SIGNOS

Áries — Deseja atenção e lisonja. Apaixonado, erótico, idealista, hedonista, impulsivo e exigente, Vênus em Áries se apaixona rapidamente e é atraído por parceiros dominantes.

Touro — Deseja satisfação sensual. Vênus em Touro é afetuoso, passivo, fiel, possessivo, ciumento e encontra profunda satisfação no casamento. É rápido para sentir desejo, cauteloso para se apaixonar e atraído por parceiros voluptuosos.

Gêmeos — Deseja estímulo mental. Charmoso, galanteador, volúvel e emocionalmente distante, Vênus em Gêmeos ama e deixa de amar com facilidade, preferindo parceiros intelectuais e intensos.

Câncer — Deseja constância e satisfação emocional. Sensual, genioso e emocionalmente possessivo, Vênus em Câncer se apaixona com cautela e é atraído por tipos maternais, com dinheiro no banco.

Leão — Deseja adoração. Erótico, dramático, amoroso, caloroso, exigente, generoso e vaidoso, Vênus em Leão sente atração instantânea, mas demora para se apaixonar e é atraído por personalidades fortes.

Virgem — Deseja perfeição. Reservado, sensual, controlado e crítico, Vênus em Virgem analisa demais os sentimentos, apaixona-se com cautela e é atraído pelo parceiro "perfeito".

Libra — Deseja alguém importante na sua vida. Charmoso, conciliador, romântico, pouco realista e auto-indulgente, Vênus em Libra se apaixona com facilidade e é atraído por sedutores.

Escorpião — Deseja intensidade e drama. Apaixonado, ávido, ciumento, erótico, manipulador e fiel, Vênus em Escorpião está sempre se apaixonando e é atraído por tipos sedutores ou atraentes e sombrios.

Sagitário — Deseja companhia. Sociável, galanteador, sensual, generoso, independente e promíscuo, Vênus em Sagitário tem paixões instantâneas e efêmeras e busca parceiros para se divertir.

Capricórnio — Deseja respeitabilidade. Fiel, reservado e frio, até que desperte sexualmente, Vênus em Capricórnio é rápido para sentir atração, mas é cauteloso para se apaixonar e procura um símbolo de *status*.

Aquário — Deseja liberdade emocional. Amigável, sereno e magnético, Vênus em Aquário é relutante no amor, sendo atraído por tipos intelectuais e pouco convencionais.

Peixes — Deseja fusão emocional. Romântico, conciliador, sedutor e indefinível, Vênus em Peixes confunde desejo com amor, entrega-se rapidamente a ambos e é atraído por uma fantasia.

CORRESPONDÊNCIAS TRADICIONAIS

Dia da semana	Quarta-feira
Número	3
Metais	Cobre, bronze
Minerais	Iodo, sódio
Vitamina	Bioflavonóides
Nota musical	Lá
Cristais	Malaquita, turmalina, esmeralda, aventurina verde, quartzo rosa, kunzita, safira
Cores	Azul, rosa, branco, púrpura, verde, turquesa, tons pastéis
Fisiologia	Garganta, rins, região lombar, paratireóide, doenças venéreas, inchaço nas glândulas do pescoço
Entraves de vidas passadas	Mau uso da atração sexual, incapacidade de amar
Associações	Artes, música, cor, amor, vida social, roupas de mulher, jóias, roupa de cama, vinho branco, adultério
Profissões	Músico, artista, modelo, terapeuta sexual, dançarina erótica, cortesã, comerciante de roupas, decorador, pintor, joalheiro, tapeceiro, corista, acompanhante, *designer* de interiores
Árvores	Amieiro, árvores frutíferas, freixo, vidoeiro, romãzeira
Flores	Folhas grandes; plantas com ricos tons de verde; flores desabrochando; plantas abundantes e rosadas, com cheiro agradável e gosto adocicado; angélica, bardana, unha-de-cavalo, margarida, pé-de-leão, malvaísco, menta, artemísia, poejo, banana-da-terra, tanásia, rosa, tomilho, verbena, milefólio
Alimentos	Batata, morango, trigo, açúcar, nectarina
Virtude	Amor
Vício	Luxúria
Lugares	Quartos de dormir, salões de baile, salas de jantar, jardins, fontes, guarda-roupas, bufês, teatros

♀ VÊNUS

MARTE
Vontade

Glifo	♂ No símbolo antigo, a cruz da matéria ficava acima do círculo do espírito, simbolizando a força criativa que impõe a sua vontade. No símbolo moderno, a cruz é substituída pela flecha do desejo
Regentes/ Dignidade	Áries, Escorpião
Detrimento	Libra
Exaltação	Capricórnio
Queda	Câncer
Palavras-chave	Vontade, ação, asserção, agressividade, virilidade, autopreservação, luxúria, paixão, sexualidade masculina, energia, calor, raiva, angústia, fúria, machismo, vigoroso, impaciente, ardente

Marte é conhecido como o "planeta vermelho" – facilmente visível da Terra.

O impulso à ação

Símbolo de uma força primitiva, iniciadora, a posição do planeta Marte no mapa revela o grau de assertividade da pessoa. Esse planeta dinâmico personifica o desejo de conquista e o instinto de sobrevivência. Está relacionado a virilidade, paixão, masculinidade e potência.

O voluntarioso Marte é tão envolvido nas próprias necessidades que pode parecer anti-social. O ímpeto de fazer acontecer ou de defender o que já foi conquistado pode se manifestar como asserção ou agressividade, dependendo da localização de Marte. A sua força pode se fazer sentir como chama colérica, energizante e purificante, ou como ferida infeccionada de raiva e ressentimento. Quando se situa num signo que já é cronicamente autodefensivo, seu efeito é exacerbar essa característica.

Faces de Marte

Quando está bem situado, Marte vai ao âmago das coisas e faz o que deve ser feito, enfrentando com firmeza os obstáculos. Mas, caso haja aspectos difíceis, Marte pode mostrar crueldade e agressividade. Quem tem um Marte forte ou num signo do fogo, costuma perder rapidamente o controle. Moderada pela terra, a raiva arde mais devagar, mas é

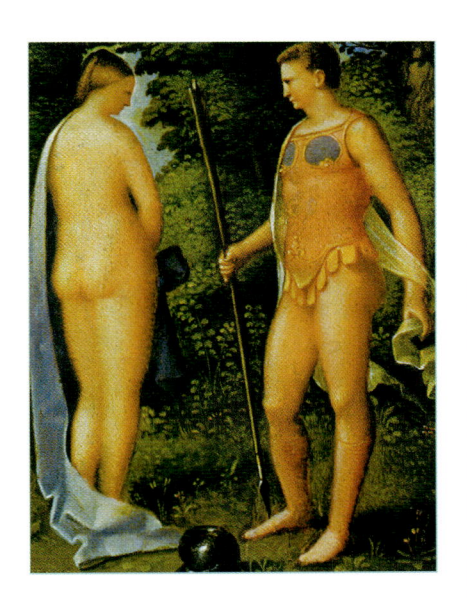

Marte simboliza desejo e conquista sensual.

espetacular quando explode. Nos signos fixos, a raiva de Marte se transforma em longos ressentimentos, mas nos signos de ar, mostra o quanto é irascível. Caso seja refreado ou abafado, Marte pode se expressar através de reclamações contínuas ou de acessos de raiva mal dirigida.

Quando é bloqueado, Marte se sente indefeso, impotente, frustrado ou apático. Nos signos do fogo, a asserção rapidamente se transforma em agressividade. Os signos do fogo não são arrastados ao conflito contra a sua vontade, mas lutam até a morte para defender o que consideram correto. Nos signos da água, a vontade pode parecer fluida – embora paradoxalmente, Escorpião e Câncer tenham a vontade forte. Nos signos do ar, a vontade pode ser meio sem foco, de modo a se gastar mais tempo planejando do que agindo. No entanto, pode se afirmar através da boa comunicação e tende a ficar aberto a razão mesmo quando os ânimos fervem. Num signo do ar, a autopreservação pode tomar a forma de astúcia e logro. Num signo da terra, de vontade forte, Marte pode ter dificuldade com a inércia. Mas a terra é voltada para a autopreservação e, se necessário, ficará à altura do desafio.

Marte masculino e feminino

No mapa de uma mulher, Marte revela o tipo de homem que ela atrai e por quem é atraída. Indica a força da libido dessa mulher e se ela é ou não expressa diretamente – e também se ela se sente à vontade com o lado masculino da sua natureza. No mapa de um homem, Marte indica o que ele sente com relação à própria masculinidade e o que projeta para as mulheres da sua vida. (Ver também Astrologia dos Relacionamentos, pp. 346-47.)

Marte pode ser uma espada flamejante, que atravessa qualquer resistência.

É Marte que move a vontade de ir à guerra e lutar pelo que se quer.

Paixão

A paixão de Marte é abraçar a vida na sua totalidade. Nos dinâmicos signos do fogo, Marte é vulcânico: a paixão irrompe espontaneamente, sem muito preparo. Nos românticos signos da água, a paixão pode ser forte mas não é aparente. Os signos da água gostam de chegar devagar, saboreando a paixão a cada momento. Na terra, pragmática e sensual, Marte é mais direto, indicando uma personalidade com poucas inibições quando se trata de expressar a sensualidade. No ar, Marte indica uma tendência à paixão mental mais do que à física.

Características de Marte

Numa localização forte, Marte indica uma natureza competitiva que se afirma corajosamente. Marte é imprudente tanto quanto é honesto. Impacientes, insensíveis e rudes, as pessoas sintonizadas com Marte tendem a pisar nos calos dos outros para fazer o que tem que ser feito. O impulso agressivo de autopreservação é mediado através do signo em que Marte está localizado e pode operar de maneira clandestina ou ostensiva.

Temperamento

Tradicionalmente, quando Marte está bem colocado, o temperamento é corajoso e destemido, embora irascível. Trata-se de um lutador natural. Quando está mal colocado, o temperamento é violento, encrenqueiro e traiçoeiro.

MARTE ATRAVÉS DOS SIGNOS

Áries — Asserção impetuosa. Valente, competitivo, agressivo, viril, impaciente e temerário, Marte em Áries vai atrás do que deseja e é atraído por homens machões e mulheres dominadoras.

Touro — Tenazmente assertivo. Determinado, impassível, obstinado e com um traço de indolência, Marte em Touro custa a se irritar, mas tem um temperamento feroz e é atraído por tipos terrenos.

Gêmeos — Verbalmente assertivo. Mutável, suscetível, apaixonado pelas palavras, inquieto e impaciente, Marte em Gêmeos rodeia as questões, desperdiça energia e é atraído por tipos de fala macia.

Câncer — Cauteloso, emocionalmente exigente. Indireto, desconfiado, ferozmente protetor e ranzinza, Marte em Câncer disfarça a vontade forte, nunca faz uma abordagem direta e é atraído por tipos protetores.

Leão — Dramaticamente assertivo. Autoconfiante, criativo, vigoroso, orgulhoso, irritável e arrogante, Marte em Leão exige prioridade e é atraído pelo poder.

Virgem — Quietamente assertivo. Contido, cauteloso, com pouca vitalidade, trabalhador e prático, Marte em Virgem presta atenção aos pequenos detalhes e é atraído por parceiros práticos.

Libra — Raramente assertivo. Adaptável e persuasivo, folgado e amante da paz, Marte em Libra faz de tudo para agradar e é atraído por tipos sedutores.

Escorpião — Poderosamente assertivo. Atraente, sexy, incontrolável, ciumento, enérgico e com forte libido, Marte em Escorpião esmaga a oposição e é atraído por parceiros misteriosos.

Sagitário — Impetuosamente assertivo. Entusiasmado, enérgico, valente e sem tato, com tendência a exagerar, Marte em Sagitário é um viajante inveterado, atraído por espíritos livres.

Capricórnio — Ambiciosamente assertivo. Determinado, prático e implacável, com um forte impulso sexual, Marte em Capricórnio não tolera incompetência e é atraído pelo sucesso.

Aquário — Excentricamente assertivo. Voluntarioso, idealista, radical e imprevisível, com uma inclinação científica, Marte em Aquário canaliza a paixão para ideais e é atraído por tipos independentes.

Peixes — Fluidamente assertivo. Pouco prático, dado ao auto-sacrifício e facilmente desviado do seu caminho, Marte em Peixes abraça o papel de mártir, tem um forte impulso sexual e é atraído por amantes imaginários.

CORRESPONDÊNCIAS TRADICIONAIS

Dia da semana	Quinta-feira
Número	5
Metais	Ferro, latão
Mineral	Ferro
Vitamina	E
Nota musical	Sol
Cristais	Pedra-do-sangue, cornalina, cinabre, pirita, magnetita, rubi, granada, hematita
Cor	Escarlate
Fisiologia	Sistemas muscular e urogenital, ovários e testículos, supra-renais, glóbulos vermelhos, rins; resistência à doença; eliminação de toxinas
Entraves de vidas passadas	Excesso de agressividade, mau uso da vontade, incapacidade de vencer a raiva
Associações	Calor, ação, braços, pimenta, qualquer coisa vermelha, instrumentos afiados, cutelaria, saqueador, tesouras, armas, sexualidade masculina, picadas de insetos, queimaduras, acidentes
Profissões	General, oficial, soldado, médico, farmacêutico, cirurgião, atirador, açougueiro, xerife, ferreiro, padeiro, relojoeiro, barbeiro, cozinheiro, carpinteiro
Árvores	Buxo, espinheiro, pinheiro
Plantas	Folhas longas e duras (em geral farpadas, serrilhadas ou pontudas) e espinhos; flores e frutas abundante, vermelhas ou amarelas; plantas com cheiro acre ou pungente e gosto picante; *agnus castus*, babosa, anêmona, arnica, beladona, giesta, briônia, pimenta-da-guiné, alho, gengibre, lúpulo, sementes de mostarda, urtiga, pimenta, absinto
Alimentos	Cebolinha, cebola, alho-poró, pimenta, rabanete, ruibarbo, tabaco
Virtude	Coragem
Vício	Ira
Lugares	Qualquer lugar ligado a fogo, guerra ou sangue, laboratórios, fornalhas, destilarias, padarias, fornos, ferrarias, açougue

JÚPITER
O Mago

Glifo	♃	O crescente da alma se eleva acima da cruz da matéria, simbolizando o triunfo da alma sobre as experiências terrenas e a consciência livre da ilusão
Regentes/ Dignidade		Sagitário, Peixes
Detrimento		Gêmeos
Exaltação		Câncer
Queda		Capricórnio
Palavras-chave		Expansão, otimismo, boa sorte, fé, filosofia, ritual, esperança, conhecimento, excesso, abundância, sorte, viagem, inflação, visualização criativa, liberalidade, desperdício, cornucópia, opulência, generosidade, consciência

Júpiter é um dos maiores planetas, como convém a essa energia expansiva.

O impulso de se expandir

Júpiter é o impulso em direção à expansão e ao sucesso no mundo exterior. Quando o poder desse planeta é usado com sabedoria, são boas as chances de prosperidade. Quando não é usado com sabedoria, Júpiter leva ao excesso e ao abuso. Sendo um dos planetas associados às viagens, Júpiter indica também a amplitude mental que novos horizontes costumam trazer. O mago busca eternamente a verdade e personifica o impulso em direção a novas oportunidades. A posição que esse planeta ocupa no mapa indica em que área da vida é maior a tendência ao crescimento.

Júpiter é o regente tradicional das religiões organizadas e dos locais religiosos.

Júpiter é ligado à religião e a sistemas de crença que favoreçam uma perspectiva mais ampla. É o planeta da moralidade, da lei, da fé e do otimismo, assim como do impulso filosófico. Todo mundo precisa de alguma coisa em que acreditar e Júpiter indica onde ela é procurada: nas forças do materialismo e do consumismo ou em alguma coisa maior. Com aspectos fluentes (ver pp. 264-85), o chamado de Júpiter à expansão não exige esforço mas, com aspectos difíceis, o conhecimento é duramente conquistado.

Júpiter e a dieta

O corpo físico também reage ao chamado de Júpiter para a expansão. Localizado num signo carente, o indulgente Júpiter pode levar ao hábito de comer como compensação emocional. A compulsão alimentar e os vícios fazem parte do domínio de Júpiter, já que esse planeta aponta para uma área fora de controle, que segue o desejo inconsciente por mais e mais. O peso oscila de acordo com o trânsito de Júpiter pelo mapa. Há partes do ciclo em que é fácil ter consciência e disciplina alimentar e outras em que é muito difícil, como no trânsito de Júpiter pelo Ascendente (ver Trânsitos, pp. 300-09).

Abundância

Para Júpiter, o otimista, o copo está sempre meio cheio e não meio vazio. Um dos símbolos desse planeta é a cornucópia, o chifre da fartura. É o símbolo da fertilidade e da abundância que Júpiter pode trazer, às vezes do nada. A confiança é uma qualidade de Júpiter, um planeta que ensina a aproveitar até mesmo as situações "ruins".

Júpiter não tem medo de se arriscar, sendo assim o planeta do jogo. No entanto, a sorte jupiteriana é caprichosa: aparece do nada, como um raio, e acaba tão de repente quanto chegou.

Visualização criativa

Júpiter simboliza o poder da criação e manifestação. Com a sua ajuda, o que é visto com o olho da mente pode virar realidade. O que Júpiter manifesta é em parte determinado pelos aspectos (ver pp. 264-85): aspectos difíceis indicam que há expectativa de acontecimentos negativos, o que faz com que eles ocorram; aspectos fáceis sugerem uma visão positiva. Se necessário, a tendência pode ser revertida com a ajuda de Júpiter. É isso que significa fazer a própria sorte. Visualizando alguma coisa com intensidade apaixonada, você consegue agarrar a oportunidade quando ela surge e fazer essa coisa acontecer (ver o ciclo de Júpiter, p. 308).

No mito, Júpiter é um sedutor atraente e sem moral de jovens inocentes.

Características de Júpiter

Bem situado no mapa, Júpiter indica uma personalidade jovial, animada, otimista e expansiva – se os aspectos forem favoráveis. É alguém que sempre quer ir mais adiante, que luta para conseguir mais, que arrisca tudo num lance de dados e que pode chegar ao topo. Júpiter com aspectos difíceis, por outro lado, sugere tendência ao exagero e à procrastinação, sendo associado à extravagância, à presunção e à possibilidade de fraude e de ilegalidade.

Temperamento

Tradicionalmente, uma boa localização de Júpiter indica um temperamento sábio, magnânimo, liberal e prudente. Quando Júpiter está mal localizado, o temperamento pode ser intolerante e hipocritamente religioso.

JÚPITER ATRAVÉS DOS SIGNOS

Áries	Expansão através do desafio. Obstinado, voluntarioso e muitas vezes exagerado, Júpiter em Áries vê a vida como uma eterna oportunidade de crescer.
Touro	Expansão através das posses e da boa vida. Ambicioso, ganancioso, hedonista e ostentoso, Júpiter em Touro tem tendência a ganhar peso.
Gêmeos	Expansão através de novos conceitos. Excessivamente falador, Júpiter em Gêmeos conta vantagens, exagera as próprias habilidades e distribui convicções recém-adquiridas.
Câncer	Expansão através do cuidado e da proteção. Compreensivo, protetor e dado a cuidar dos outros, Júpiter em Câncer usa o alimento para o sustento emocional.
Leão	Expansão através da atenção dos admiradores. Dramático, vistoso e autoconfiante, com enorme dignidade pessoal, Júpiter em Leão causa muito impacto.
Virgem	Expansão através da produtividade mental. Gentil, modesto e idealista, Júpiter em Virgem é silenciosamente ambicioso.
Libra	Expansão através do prazer. Em busca de prazer e companhia, o sociável Júpiter em Libra tem um traço hedonista e quer ser benquisto por todos.
Escorpião	Expansão através de conhecimento oculto. Com forte ênfase na atividade sexual, Júpiter em Escorpião amplia os limites do conhecimento esotérico.
Sagitário	Expansão através do conhecimento. Otimista, sortudo e com tendência ao exagero, Júpiter em Sagitário gosta de correr riscos e aproveita a vida em sua plenitude.
Capricórnio	Expansão através da transposição de limites. Ambicioso e voltado para o sucesso, Júpiter em Capricórnio pode ser sábio e perspicaz, ou se ver cerceado por regras rígidas.
Aquário	Expansão através da ajuda à humanidade. Tolerante e perspicaz, mas com tendência à excentricidade, Júpiter em Aquário é atraído por causas.
Peixes	Expansão através da imaginação. Artístico, sem disciplina nem direção e inclinado à religiosidade, Júpiter em Peixes pode se perder em fantasias.

CORRESPONDÊNCIAS TRADICIONAIS

Dia da semana	Sexta-feira
Número	6
Metal	Estanho
Minerais	Sílica, cromo
Vitamina	Não determinada
Nota musical	Si
Cristais	Turquesa, crisocola, topázio, citrino, jaspe
Cores	Púrpura, vermelho com verde, verde, amarelo, turquesa
Fisiologia	Fígado, pâncreas, glândula pituitária, nervo ciático, tumores, distribuição da gordura, obesidade e excesso
Entraves de vidas passadas	Incapacidade de respeitar ensinamentos religiosos ou de viver segundo as exigências do caminho espiritual, superindulgência e excesso
Associações	Abundância, profecia, religião, filosofia, conhecimento, expansão, universidade, viagem ao exterior, livros, mel, óleo, seda, frutas, roupas de homem, comércio, cavalos, aves domésticas, jogo, excesso e superindulgência
Profissões	Juiz, senador, professor, conselheiro, advogado, pregador, banqueiro, jogador profissional, doutor, bispo, ministro, chanceler, vendedor de artigos de lã, apresentador, mentor, orientador nutricional
Árvore	Carvalho
Plantas	Folhas lisas com veios não muito marcados; folhas de cor verde azulada ou acinzentada; flores róseas, azuis, púrpuras ou amarelas; raízes pequenas; plantas com cheiro sutil; agrimônia, borragem, dente-de-leão, sálvia
Alimentos	Cerefólio, endívia, aspargo, figo
Virtude	Fé
Vício	Orgulho
Lugares	Igrejas, oratórios, palácios, altares, tribunais de justiça, guarda-roupas, residências luxuosas, bosques e pomares

SATURNO
O que mostra o caminho

Glifo	♄	A autoridade e a cruz da matéria são impostas à alma, simbolizando as responsabilidades e desafios que a mortalidade impõe
Regentes/ Dignidade		Capricórnio, Aquário
Detrimento		Câncer
Exaltação		Libra
Queda		Áries
Palavras-chave		Limitação, controle, consolidação, estrutura, fronteiras, frugalidade, conservação, força, disciplina, direção, sabedoria, resiliência, karma, a sombra, autocondenação, tempo, medo, negação dificuldade, responsabilidade, mentor

Saturno é limitado por seus anéis

Saturno simboliza limites e fronteiras de todos os tipos.

O impulso à conservação

Frio, duro e severo, Saturno aponta o caminho do dever e do destino. Na astrologia medieval, representava o limite do conhecido e ainda hoje representa fronteiras e limitações. A sua localização no mapa mostra onde os recursos têm que ser acumulados para conservar energia, que tradições seguir, quando o *status quo* tem que ser mantido e que responsabilidades devem ser levadas a sério. Usado positivamente, esse planeta frio e duro dá estrutura e forma ao cotidiano.

Saturno representa também o ponto em que as limitações se tornam inaceitáveis e as restrições precisam ser rompidas. É o momento de assumir a responsabilidade por si mesmo e de transcender o karma. É também o ponto em que a disciplina interior se forma e a alma pode crescer. Quando essa resiliência não é desenvolvida, alguma coisa "lá fora" tende a impor disciplina e restrição. Figuras de autoridade de todos os tipos são associadas a Saturno. Quando Saturno é trabalhado construtivamente, a força e a disciplina se desenvolvem e a alma é temperada de forma a se curvar em vez de quebrar. Como aquele que aponta o caminho, Saturno mostra onde a alma tem que viver de acordo com o seu propósito interior e o seu destino.

Saturno representa a lei e a ordem em muitos níveis: pessoal, social, coletivo, kármico e cósmico. Diz respeito à convenção e à preservação da velha ordem, da burocracia e do governo. Nesse papel, ele dá a Urano (ver pp. 202-07) alguma coisa contra a qual se rebelar.

O Senhor do Karma

Saturno é a lei de causa e efeito em ação. A vida não é um processo ao acaso, mas se baseia no resultado de ações anteriores: os créditos e déficits da jornada da alma. Como tal, Saturno personifica um impulso que equilibra e dá forma, visando a reparação, a recompensa e a justiça. Segundo a justiça kármica, a alma que assume a responsabilidade por si mesma cria um futuro positivo. Caso contrário, parece que o castigo é aplicado por um deus vingador.

O Guardião do Tempo

Saturno vigia o tempo concedido à alma na Terra e a chama de volta quando esse tempo termina. Nesse papel, Saturno é controlador e conservador, equilibrando a expansão de Júpiter. Sem Saturno, as coisas sairiam do controle. Mas um Saturno temeroso pode recorrer a um controle rígido demais.

Saturno é o Pai Tempo, o Senhor da Morte.

Saturno é também o planeta da velhice. Ele é mais feliz na maturidade, quando os deveres e as responsabilidades pesam menos. A idade confere sabedoria, a sagacidade que se desenvolve por meio da experiência.

A sombra

Saturno representa também o lado inaceitável e sombrio da personalidade: tudo o que é reprimido, rejeitado e jogado no fundo do inconsciente. Saturno fica na fronteira entre o conhecido e o desconhecido e a percepção que oferece tem que ser arrancada a duras penas das profundezas. Quando acolhe as qualidades desprezadas da sombra, a alma se torna plena, livre do medo e da autocondenação.

Características saturninas

Quando é forte no mapa natal, Saturno indica alguém que nunca foi jovem, nem quando bebê. É uma pessoa que veste o manto de Saturno, de responsabilidade e seriedade, com um senso de dever altamente desenvolvido. Em casos extremos, uma criança dominada por Saturno aprende por meio da privação e da pobreza, desenvolvendo uma força interior que se manifesta mais tarde na vida.

Severas e disciplinadas, as personalidades saturninas têm pouco tempo para brincar, mas são sempre justas. Saturno não se deixa levar por argumentos espúrios. Usado de maneira positiva, esse planeta favorece a resiliência e a força de caráter. Usado de maneira negativa, Saturno gera medo e uma profunda relutância diante de qualquer coisa nova e desafiadora.

Temperamento

Tradicionalmente, uma boa localização de Saturno indica um temperamento reservado, digno e solícito. Quando a localização é ruim, o temperamento tende a ser rígido, sovina, desconfiado e professoral.

SATURNO ATRAVÉS DOS SIGNOS

Áries — Essa localização mantém sob controle a impetuosidade natural, o que muitas vezes resulta em frustração. Por outro lado, proporciona disciplina para seguir em frente, desde que haja motivação.

Touro — Essa localização indica determinação obstinada e uma enorme tenacidade. Os sentimentos são fortemente controlados e o avanço é muito cauteloso.

Gêmeos — Essa localização pode gerar padrões limitados de discurso e processos de pensamento muito lentos, embora sérios. A comunicação pode ser inibida ou invalidada.

Câncer — Essa localização preza a segurança e se agarra firmemente ao passado, criando fronteiras rígidas para proteger os entes queridos. A depressão e o mau humor são uma possibilidade.

Leão — Essa localização pode limitar ou protelar a criatividade – ou canalizá-la numa expressão rígida. A vida pode ser difícil porque o princípio do prazer está bloqueado.

Virgem — Essa localização é extremamente metódica, altamente conscienciosa e trabalhadora. Pedante e crítica, o fracasso é o seu maior medo.

Libra — Essa localização pode ter dificuldade para se relacionar com os outros. Friamente objetiva, tem uma paciência infinita e foge da intimidade, sendo por isso solitária.

Escorpião — Essa localização tem emoções fortemente controladas ou reprimidas. Altamente reservada, é ressentida e demora muito para perdoar.

Sagitário — Essa localização costuma se entregar a longos períodos de estudo disciplinado, mas pode ser mentalmente limitada por um rígido sistema de crenças. A falta de educação formal pode prejudicar a fé em si mesmo.

Capricórnio — Essa localização é muito cautelosa, com capacidade de planejar e de se ater a estratégias de longo prazo. A visão predominante é rígida e tradicional.

Aquário — Essa localização segue um caminho solitário: pode ser um idealista com idéias rígidas mas não convencionais – que não se adapta à sociedade.

Peixes — Como aqui o planeta e o signo são diametralmente opostos, as restrições causam muita frustração. O isolamento é temido, assim como a fluidez.

CORRESPONDÊNCIAS TRADICIONAIS

Dia da semana	Sábado
Número	4
Metais	Chumbo, ferro, aço
Minerais	Cálcio, fósforo, enxofre, amianto
Vitamina	Não determinada
Nota musical	Ré
Cristais	Diamante, ônix, calcita verde
Cores	Preto, verde, cinza, laranja
Fisiologia	Esqueleto, vesícula biliar, baço, pele, dentes, unhas, sistema vago, articulações, secreção biliar
Entraves de vidas passadas	Tarefas não concluídas, expectativas frustradas ou falta de respeito pela autoridade; recusa a correr riscos e crescer
Associações	Estrutura, cristalização, velhice, bloqueios, qualquer coisa escura, lã, materiais pesados, implementos agrícolas, carrinhos de mão, espadas, prédios de fazenda, frio
Profissões	Legislador, advogado, juiz, banqueiro, pessoa de negócios, comediante, roteirista, palhaço, pedreiro, minerador, ceramista, encanador, cervejeiro, sacristão, jardineiro, agricultor, sapateiro, tintureiro, escavador, arqueólogo, curtidor
Árvores	Álamo branco, abrunheiro, espinheiro cerval, cipreste, olmo
Plantas	Folhas duras, secas, peludas ou espinhentas; flores matizadas de preto; raízes que se alastram; plantas com odor fétido, especialmente venenosas; confrei, fumária, bolsa-de-pastor, cicuta, meimendro, acônito, beladona, heléboro
Alimento	Cevada, beterraba, cártamo, pastinaca, espinafre
Virtude	Prudência
Vício	Sovinice
Lugares	Desertos, bosques, vales, cavernas, sepulcros, cemitérios, ruínas, minas de carvão, escoadouros, poços, lugares lamacentos ou sujos, instituições

SATURNO

QUÍRON
O curador dos feridos

Glifo	⚷	O glifo mais aceito para Quíron – um K sobre o círculo do espírito – ilustra a ação desse planeta como canal para a autoridade espiritual se manifestar na Terra, curando a dualidade da existência
Regentes/ Dignidade		Ainda não determinado, possivelmente Virgem
Detrimento		Ainda não ceterminado
Exaltação		Ainda não ceterminada
Queda		Ainda não ceterminada
Palavras-chave		Ferimento, sofrimento, fragmentação, cura, paradoxo, dilemas, renúncia, iniciação, fusão, o xamã, a chave, o dissidente, integração

Um quebra-cabeça astronômico, Quíron já foi considerado um cometa, um "planetóide" ou até mesmo um grande meteorito.

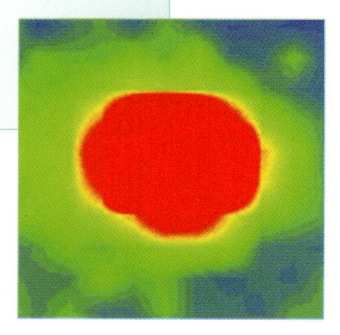

O impulso à integração e à cura

O mais recentemente aceito planeta astrológico, Quíron é um paradoxo. O Quíron mitológico era ao mesmo tempo um curador e um guerreiro. Era imortal mas foi mortalmente ferido e sofreu dores incessantes. No fim, renunciou à imortalidade, assumiu a dor alheia e foi elevado a um lugar no céu.

Com cabeça de homem e torso de cavalo, o centauro representa uma fusão entre o eu instintivo e a consciência de si mesmo. Esse planeta é a necessidade de resolver os dilemas e paradoxos das partes díspares do eu. Unindo os opostos e acolhendo os extremos, Quíron oferece o dom da cura. A sua localização no mapa indica o que deve ser integrado ou eliminado para que a pessoa atinja a plenitude. Com a espada pronta para cortar tudo o que está doente ou gasto, Quíron penetra nos padrões do passado e oferece soluções criativas para problemas aparentemente insolúveis. É um planeta que acompanha as transições e as curas interiores, e que ajuda a renascer na era de igualdade de Aquário.

O mensageiro cósmico

Do ponto de vista astronômico, Quíron nem é um planeta. Visitante dissidente do zodíaco, segue uma órbita elíptica errática, que passa entre Saturno e Urano e depois entre Saturno e Júpiter, tornando conscientes energias impessoais que estão fora do alcance da consciência. Quando situado entre Saturno e Urano, Quíron eleva as vibrações no corpo físico e estimula os chakras, os centros de energia do corpo. Quando a sua órbita passa entre Saturno e Júpiter, semeia o potencial vindo dos planetas exteriores e pode ser um condutor dessas energias para a Terra. No papel de mensageiro cósmico, Quíron é como uma ponte entre os mundos e favorece a integração do conhecido com o desconhecido.

O cometa perdido

Acredita-se que Quíron seja um cometa que ficou preso dentro do sistema solar. Segundo a literatura esotérica, os cometas entram no sistema solar varrendo os resíduos psíquicos coletivos gerados ao longo dos éons. Incinerados, esses resíduos se transformam na cauda do cometa. O fato de Quíron ter ficado preso sugere que a humanidade não pode mais contar com esse processo de limpeza cósmica. É preciso que cada pessoa seja responsável, sabendo que o sofrimento é criado em grande parte pela ignorância e pela ganância. Muitos males vêm da nossa recusa a fazer parte do todo, ou do Eu total, o que leva à fragmentação. Quíron favorece a superação dessa separação e a fusão da natureza instintiva com o eu espiritual.

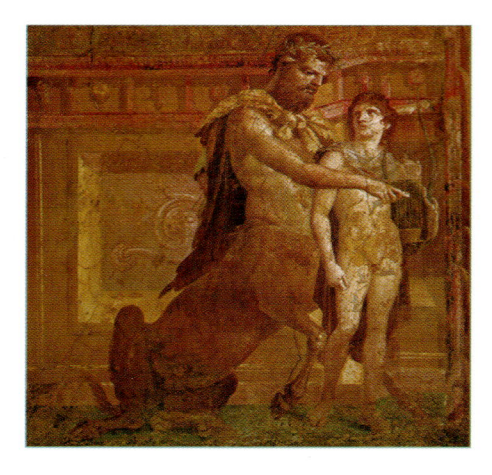

Quíron ensinou as artes da cura e da guerra. Muitos dos seus discípulos se tornaram grandes heróis.

O ferimento da alma

A localização de Quíron no mapa simboliza o ferimento da alma. Na astrologia de vidas passadas, Quíron representa a dor que é levada de uma vida para a outra. Mostra onde a cura é necessária e onde o sofrimento tem que ser posto de lado. Essa cura não é apenas uma questão de "melhorar". A verdadeira cura vai ao âmago, exigindo que a pessoa desça à escuridão e aceite uma parte de si mesma que estará sempre ferida – é ao acolher essa dor em vez de rejeitá-la, que a cura acontece.

Características de Quíron

Quem tem Quíron numa posição forte conhece o sofrimento cedo na vida. Mas seja ele físico ou mental, existe potencial para superá-lo. Quíron é forte no mapa de um curador ou de um xamã. Os xamãs ligam as forças invisíveis do reino espiritual com o mundo físico, atuando como intermediário. Tendo já atravessado muitos níveis de iniciação e morrido para o antigo eu, o poder do espírito é ativado. (Ver também os trânsitos de Quíron, pp. 308-09).

Temperamento

Quando Quíron está bem localizado, o temperamento é gentil e atencioso, favorecendo as funções de professor ou mentor. Quando mal situado, o temperamento é sofrido, sugerindo um intruso malquisto ou um bode expiatório.

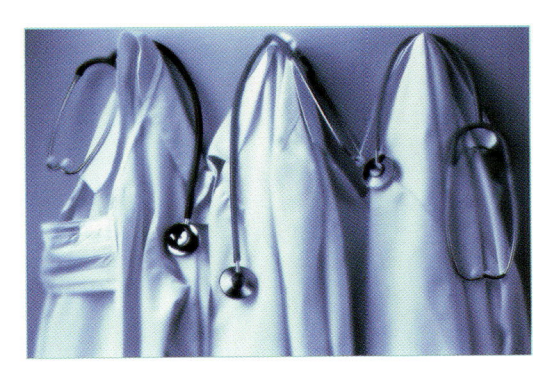

Quíron tem fortes ligações com todos os tipos de cura, mas especialmente com a medicina complementar.

QUÍRON ATRAVÉS DOS SIGNOS

Áries — O ferimento está no ego ou no Eu. Pode ser necessário renunciar ao ego. A cura está em conseguir se centrar no Eu.

Touro — O ferimento está no corpo ou na perda da noção de segurança ou de mérito próprio. Corpo e alma têm que estar integrados. A cura vem quando se encontra segurança interior.

Gêmeos — O ferimento está na capacidade de se fazer ouvir e pode afetar a respiração. A cura está em falar a própria verdade e evitar palavras que ferem.

Câncer — O ferimento é emocional e pode se manifestar como doença psicossomática. A cura vem do desapego emocional, para que o Eu seja favorecido.

Leão — O ferimento está no coração ou na auto-expressão. A cura está em assumir o próprio poder e resolver o paradoxo coração-mente.

Virgem — O ferimento pode se manifestar no nível mental ou nervoso, tendo como causa provável o perfeccionismo e a autocrítica. A cura vem por meio do serviço aos outros.

Libra — O ferimento está na relação com os outros ou consigo mesmo. A cura vem quando se reconcilia as próprias necessidades com as necessidades dos outros.

Escorpião — O ferimento pode estar em pendências de experiências de vidas passadas, associadas à morte ou a outros traumas. A cura está em reconhecer e integrar as partes escuras da alma.

Sagitário — O ferimento pode ter sido causado por um sistema de crenças adotado no passado ou em atitudes da vida presente, como a estreiteza de visão. A cura vem com a reprogramação mental.

Capricórnio — O ferimento pode estar no sistema ósseo, relacionado ao autoritarismo em vidas passadas. Uma pessoa com essa localização pode ter muitos êxitos na juventude, mas continuar fechada ao sofrimento dos outros até se ver frente a frente com ele. A cura está em descobrir a autoridade interior em vez de aceitar o autoritarismo da sociedade.

Aquário — O ferimento está na não-aceitação por parte da sociedade. Essa localização sugere que vive à margem ou um bode expiatório para os problemas do mundo. A cura está em reconciliar as próprias necessidades com as da sociedade.

Peixes — O ferimento está na perda de união com o divino. A cura está em aceitar o que há de divino em si mesmo e integrá-lo à vida cotidiana.

CORRESPONDÊNCIAS TRADICIONAIS

Dia da semana	Não determinado
Metal	Não determinado
Nota musical	Não determinada
Cristal	Caroíta
Cor	Não determinada
Fisiologia	Sistema imunológico, coxas, genitais
Entraves de vidas passadas	Medos e ferimentos não resolvidos, personalidade dividida, papel de vítima ou de bode expiatório
Associações	Saúde holística, quiropodia, quiroprática, ervas, instrumentos de cura, xamãs, renúncia, chaves, cavalos, guerreiro espiritual, guerra
Profissões	Médico, enfermeiro, advogado, guerreiro, paramédico, curador holístico, terapeuta, quiroprático
Árvores; Plantas; Alimento; Virtude; Vício	Não determinados
Lugares	Grécia, hospitais, escolas, zonas em guerra

QUÍRON

URANO
O que desperta

Glifo	⛢	A alma dual da humanidade é separada pela cruz da matéria, que liga o humano ao divino, apoiada e energizada pelo círculo do espírito
Regente/ Dignidade		Aquário
Detrimento		Leão
Exaltação		Escorpião
Queda		Touro
Palavras-chave		Caos, mudança, vibração, originalidade, imprevisibilidade, não-conformismo, desvio, revolução, rebelião, mente superior, intuição, mudança e transformação, liberação, pesquisa, avaria, gênio, invenção, tecnologia

A rotação e a órbita desse planeta independente são altamente excêntricas.

O impulso à transformação

Urano é o grande instigador e agitador, que simboliza mudança ou caos. Procura transcender limites, ir além das fronteiras do pensamento estabelecido, romper a resistência e abrir caminho. É a energia rebelde que joga fora o passado para que haja espaço para o novo. Assim, a posição de Urano no mapa revela onde a alma precisa se libertar da restrição. Mas quando a energia uraniana foge ao controle, a revolução se alastra. O maior desafio de Urano é presidir a evolução pacífica, que leva o melhor do passado para o novo e faz da crise uma oportunidade.

Processos uranianos de pensamento

Como vibração mais alta de Mercúrio – a mente universal não a pessoal – Urano compartilha algumas das qualidades desse planeta. Enquanto Mercúrio segue processos de pensamento lógicos e racionais, Urano é intuitivo e ilógico, chegando a soluções inesperadas. Simboliza o pensamento criativo independente, que se manifesta por meio dos sonhos e em

Urano é o impulso à revolução e à mudança total.

momentos de distração. Urano surge do nada, como um lampejo de inspiração. É impossível conter essa energia, mas ela pode ser canalizada construtivamente.

O estranho

Esse planeta indócil é diferente de todos os outros. Tem um campo magnético que oscila rapidamente e a sua órbita é altamente excêntrica. Ele gira em ângulo reto com os outros planetas, de modo que os seus pólos parecem estar onde fica o equador dos outros. Assim, representa a parte da psique que

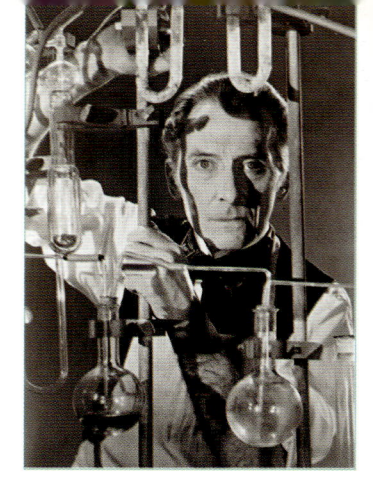

A ciência uraniana nem sempre é benéfica para a humanidade.

é o estranho, o desajustado e o gênio. Apesar de ter padrões de vibração harmoniosos e constantes, Urano traz o inesperado e não pode ser obrigado a nada.

Vibração e inovação

Nos antigos mitos da criação, a Terra se formou do vazio, correndo sempre o risco de retornar ao caos. É Urano que mantém o equilíbrio. Urano é o planeta da vibração e do magnetismo, da atração e da repulsa. É uma força dinâmica e unificadora que mantém o universo em movimento. Quando a vibração perde o sincronismo ou o equilíbrio, Urano a traz de volta ao ritmo certo. Quando fica rígida demais, Urano a deixa mais solta. Graças à sua ligação com a vibração e também com a inventividade, Urano é o planeta da tecnologia. Simboliza tudo o que é novo e desafiador, tudo o que ameaça romper a estrutura da sociedade ou o planeta.

Características uranianas

Os uranianos parecem estar ligados na eletricidade, como se estalassem com a estática. É o inovador, o rebelde, o não-conformista – qualquer um que desafie as convenções e as normas aceitas. Desapegado e às vezes distante, quem tem Urano forte no mapa precisa ser aceito. Essa personalidade tem uma profunda consciência social. Vive um passo à frente do resto da humanidade, sendo muitas vezes mal compreendida. Embora um signo solar passivo possa suavizar a força de Urano, quem tem sintonia com esse planeta sempre descobre um jeito de combater a injustiça, de lutar pelos desfavorecidos e por causas que mudarão o mundo.

Associado à excentricidade, Urano simboliza também tudo o que é esquisito e bizarro. Os seus aspectos fortes ou difíceis se traduzem na necessidade de ser diferente e pouco ortodoxo. Quando se desvia por esse caminho, o poder uraniano indica uma pessoa anti-social e anárquica.

Temperamento

Tradicionalmente, bem ou mal localizado, Urano indica um temperamento caótico e excêntrico. Só que um Urano bem situado é inventivo e revolucionário, enquanto um Urano mal situado é rebelde e instável.

A criatividade uraniana é a tendência da próxima estação.

URANO ATRAVÉS DOS SIGNOS

Áries Essa localização é um canhão à solta. Original, imprevisível, disruptivo e independente, indica grande engenhosidade pessoal e tendência a buscar a mudança apesar de tudo.

Touro Nessa localização, uma força irresistível encontra um objeto imóvel, gerando muita tensão: alguma coisa tem que estourar. É inventiva de um jeito prático.

Gêmeos Essa localização é muito intuitiva, verbalmente imprevisível e inventiva, com processos de pensamento originais mas lógicos. Enxerga novas possibilidades mas nem sempre as põe em prática.

Câncer Essa localização precisa se libertar emocionalmente da família e deixar de cuidar dos outros. As emoções podem ser instáveis e erráticas.

Leão Essa localização pode indicar liderança carismática ou suprema arrogância. Indica também idéias criativas e originais.

Virgem Essa localização indica interesse por cura não-tradicional e modismos de saúde. Procura modernizar práticas ineficazes e ultrapassadas, podendo revolucionar a criatividade.

Libra Essa localização incentiva a expressão da individualidade no relacionamento, o que pode ser explosivo ou altamente não-convencional. Os valores sociais podem ser revolucionados.

Escorpião Essa localização busca uma nova compreensão da vida e da morte, com inclinação para a metafísica. Pode ser cruel e emocionalmente imprevisível.

Sagitário Essa localização amante da liberdade é associada a ideais revolucionários, que expõem a hipocrisia e a tapeação. Indica alguém que é governado por convicções não-convencionais.

Capricórnio Essa localização altamente sensível procura transformar a sociedade e o governo. Pode indicar brilhantes estratégias políticas e empresariais, ou idéias excêntricas.

Aquário Essa localização quer revolucionar a humanidade, garantindo direitos iguais para todos. Os processos de pensamento são engenhosos e podem recorrer ao terrorismo.

Peixes Essa localização indica uma forte intuição à mercê das emoções, gerando confusão e desorientação. A compreensão visionária da natureza da consciência subverte o conhecimento estabelecido e inaugura uma nova percepção da natureza da realidade.

CORRESPONDÊNCIAS TRADICIONAIS

Dia da semana	Não determinado
Número	22
Metal	Urânio
Minerais	Magnésio, manganês
Vitamina	Não determinada
Nota musical	Não determinada
Cristais	Lápis-lazúli, safira, água-marinha, azurita, calcedônia
Cores	Azul-elétrico, axadrezados, tons misturados
Fisiologia	Sistemas nervoso e circulatório, eletricidade nas células nervosas, gônadas, glândula pineal, problemas psiquiátricos agudos
Entraves de vidas passadas	Incapacidade para iniciar reformas ou rebeliões, mau uso da ciência e de poderes mágicos
Associações	Eletricidade, ciência e tecnologia, caos e levantes violentos, astrologia, motores a vapor, carvão, maquinário, moedas, banhos, viveiros de peixes, qualquer coisa perigosa, computadores, ímãs, invenções, perversões, cãibra
Profissões	Físico quântico, pesquisador, assistente social, antiquário, astrólogo, professor, cientista, químico, palestrante, escultor, metafísico, hipnoterapeuta, programador
Árvores; plantas; alimentos; virtude; vício	Não determinados
Lugares	Vias férreas, bancos, reservatórios de gás, hospitais psiquiátricos, escritórios, dispensários, lugares fortificados

NETUNO
O visionário

Glifo	♆	O semicírculo da alma é perfurado pela cruz da matéria, representando a interface entre o espírito e o mundo material. Os três dentes simbolizam facetas da consciência: a mente inconsciente, a consciência cotidiana e a consciência cósmica
Regente/ Dignidade	Peixes	
Detrimento	Virgem	
Exaltação	Leão	
Queda	Aquário	
Palavras-chave	Irrestrição, dissolução, inspiração, ilusão, êxtase, amor romântico, escapismo, iluminação, vício, nebulosidade, ilusão, misticismo, desintegração, impressionabilidade, confusão, culpa, intangível, sacrifício, glamour	

Difusa e enganosa, a superfície de Netuno é envolta num véu de ilusão impossível de penetrar.

O impulso de transcender

Netuno personaliza a tendência a transcender as fronteiras que mantêm a alma separada do todo. Esse planeta se move entre extremos: vai da mais alta consciência espiritual às profundezas do logro e da ilusão, atravessando a imaginação, a fantasia e a ilusão. Sendo o planeta do misticismo, do glamour e do encantamento, Netuno exerce um fascínio hipnótico. É a tendência a transcender o mundo cotidiano, a penetrar em estados superiores de consciência, a se fundir com o divino ou a escapar da realidade. Quando age de maneira positiva, Netuno reveste a pessoa da capacidade de dar forma à inspiração, criando assim o poeta e o visionário. Esse planeta busca a iluminação, mas pode levar ao êxtase ou à loucura. Pessoas com Netuno forte buscam a dissolução do ego, do pequeno eu. Só que muitas vezes essa intenção se dissolve na incapacidade de identificar quem ou o que o eu realmente é. Uma pessoa assim pode acabar em algum tipo de instituição, vivendo na ilusão de que encontrou a inspiração divina.

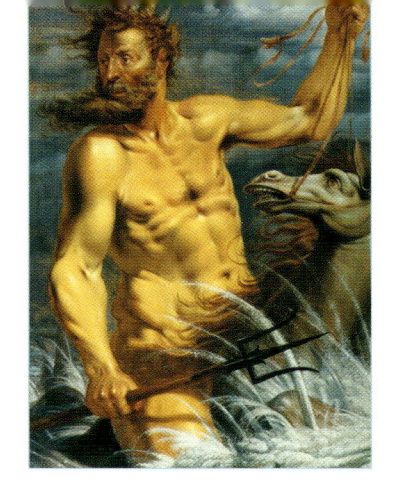

Netuno era o regente dos oceanos.

Amor incondicional

Como vibração mais alta de Vênus, Netuno compartilha algumas das suas qualidades. É o romântico arquetípico, que busca um ideal e idealiza o amor. Embora essa característica possa levar à co-dependência, Netuno tem potencial para amar incondicionalmente, aceitando o outro como ele é.

Vítima-mártir-salvador

Um dos impulsos mais fortes de Netuno é o de vítima-mártir-salvador. Netuno quer salvar o mundo ou salvar alguém. Nada lhe agrada mais do que o auto-sacrifício. Mas Netuno escorrega com facilidade para o papel de vítima ou de mártir. Esse planeta com pouco senso prático é facilmente enganado, ainda mais quando se trata de fazer alguma coisa em nome do amor.

Vício

É difícil compreender esse planeta tão difuso, que parece estar envolto num véu de ilusão. A sua energia é insondável, fugindo para profundezas inexploradas. Netuno lembra que a alma já fez parte da unidade infinita e tende a se reunir novamente a ela. Por isso, é muitas vezes associado a todos os tipos de escapismo. É o planeta do vício e da desintegração, assim como da imaginação, buscando o espírito numa garrafa.

Netuno está associado ao misticismo e à busca da iluminação.

Características de Netuno

As pessoas afinadas com Netuno são "glamourosas" no velho sentido da palavra: sabem enfeitiçar. É impossível categorizá-las ou defini-las, o que mostra a qualidade evasiva do planeta. Sem fronteiras definidas, as pessoas que têm sintonia com Netuno são suscetíveis às influências externas. Podem sentir solidão em meio à indiferença do mundo, podem ser santos ou gurus, ou pessoas comuns com visão artística. Netuno é altamente compassivo, regendo os médiuns, os sonhadores e também os protegidos sob o seu manto.

Temperamento

Tradicionalmente, quando Netuno está bem situado, o temperamento é bondoso e visionário, dado às artes ou à música. Quando está mal situado, o temperamento é escapista, propenso ao vício e ao logro.

A música e as atividades artísticas estão sob a influência de Netuno.

POSIÇÕES NO ZODÍACO

Posições aproximadas de Netuno nos signos

1916-1928	Leão
1928-1943	Virgem
1943-1956	Libra
1956-1970	Escorpião
1970-1984	Sagitário
1984-1998	Capricórnio
1998-2011	Aquário
2011-2025	Peixes

NETUNO ATRAVÉS DOS SIGNOS

Nota: devido à sua longa órbita, o que significa que Netuno só alcançará alguns signos num futuro distante, as posições de Netuno em Áries, Touro, Gêmeos e Câncer não estão incluídas.

Leão — Essa localização aspira a uma criatividade grandiosa, mas as idéias podem ser nebulosas ou pouco práticas. A auto-expressão é pungente, mas a imagem de si mesmo pode ser uma ilusão.

Virgem — Essa localização aspira ao serviço e ao sacrifício pelo bem do todo. Netuno pode distorcer a percepção, mas Virgem é um canal construtivo para a inspiração.

Libra — Essa localização aspira ao amor romântico mas é vítima de desilusões e decepções. Os relacionamentos são idealizados, na falsa crença de que só é preciso ter charme. Mas, bem usada, essa combinação pode levar a um novo nível de relação interdependente.

Escorpião — Essa localização traz a tendência a sublimar o poder pessoal em experiências religiosas ou espirituais, mas é sujeita a convicções infundadas. As tendências escapistas são acentuadas e segredos ocultos são revelados. A crueldade extrema não está fora de questão.

Sagitário — Essa localização favorece a expansão da consciência e prefere as práticas espirituais às religiosas. A ilusão está em falsos gurus e deuses inadequados, mas existe potencial para visão espiritual.

Capricórnio — Essa localização quer dar forma à inspiração. A ilusão está em adorar os falsos deuses do materialismo e uma cultura que busca o sucesso a qualquer custo, onde os fins justificam os meios.

Aquário — Essa localização aspira ao humanitarismo e tem a visão de um mundo melhor. O perigo está na confusão entre ideologia e pensamento racional.

Peixes — Essa localização aspira à fusão total, à volta à fonte. O perigo está na confusão entre escapismo e inspiração espiritual.

CORRESPONDÊNCIAS TRADICIONAIS

Dia da semana	Não determinado
Números	7, 11
Metal	Netúnio
Minerais	Zinco, potássio
Vitaminas	C e A
Nota musical	Não determinada
Cristais	Ametista, fluorita, jade, sugilita, coral, água-marinha
Cores	Verde-mar, índigo, violeta
Fisiologia	Fluido cérebro-espinhal, glândula pineal, sistemas linfático e nervoso, tálamo, canal espinhal, processos mentais, vícios, esquizofrenia, psicose, doenças infecciosas
Entraves de vidas passadas	Incapacidade de desenvolver a espiritualidade, fraqueza ou práticas enganosas, fuga para a fantasia, mau uso de dons psíquicos
Associações	Fotografia, música, bebida e drogas, gás, religião, poesia, mímica, vícios, câmeras, anestesia, telepatia, dança
Profissões	Músico, ator, *designer*, artista, pintor, joalheiro, taberneiro, cervejeiro, corista, cantor pop, fotógrafo, entalhador, médium, metafísico, poeta, hipnoterapeuta, vigarista
Árvores; plantas; alimento; virtude; vício	Não determinados
Lugares	Qualquer lugar perto da água ou sob ela

NETUNO

PLUTÃO
O renovador

Glifo	♇	O crescente da alma paira acima da cruz da matéria, encimado pelo espírito, simbolizando a descida do espírito através da alma até a matéria, e a mente inconsciente passando pelo fogo da transformação
Regente/ Dignidade		Escorpião
Detrimento		Touro
Exaltação		Ainda não determinada
Queda		Ainda não determinada
Palavras-chave		Poder, abuso, nascimento-morte-renascimento, regeneração, eliminação, tabu, poluição, transmutação, subversão, obsessão, compulsão, a mente inconsciente, decadência, ditador, orgasmo, relação religiosa, psicanálise

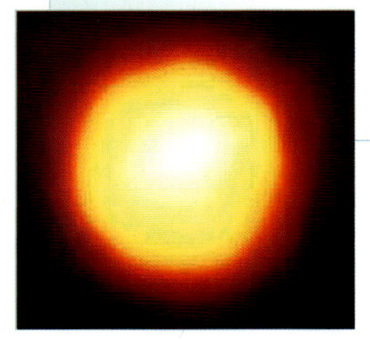

Embora pequeno e distante, Plutão exerce uma forte influência.

O impulso à regeneração

Plutão personifica o impulso a enfrentar o que há de mais profundo e escuro na psique. Planeta da poluição, interna e externa, é a toxidade do abuso emocional e físico, e o repositório de tudo o que é considerado inaceitável e "mau" na própria pessoa ou no mundo. Plutão é tudo o que precisa ser eliminado, incluindo o ressentimento, a inveja e o ciúme que espreitam nas profundezas da psique. O planeta faz com que essas coisas venham à tona, de modo que os processos psicológicos que estão na raiz do comportamento possam ser compreendidos – e transformados. Ele tempera o ouro no interior da alma e tem muito a oferecer a quem estiver preparado para explorar lugares em que os outros temem entrar. Usado com sabedoria, Plutão pode transmutar a mais negra das experiências e liberar uma potente força criativa. Tudo o que decaiu se transforma em adubo fértil para um novo crescimento. Sementes são semeadas e germinam na escuridão. Se necessário, Plutão traz à força uma nova vida. Usada sem sabedoria, a escuridão plutoniana se corrompe, levando a uma orgia de destruição. Quando não resolvida, a explosiva raiva plutoniana leva à guerra.

Plutão é a semente que germina na escuridão e então irrompe numa nova vida.

O ciclo da vida

Plutão tem fortes ligações com o ciclo concepção-nascimento-morte-renascimento, em que a energia renasce, morre e é renovada constantemente. O planeta é ligado a todos os tipos de morte, principalmente aos fins e aos começos. Plutão é também intimamente associado a todos os tipos de ato sexual, quando o ego se dissolve numa intensa experiência

Plutão rege os vulcões e tudo o que explode vindo das profundezas.

orgástica que vai além da mera gratificação física.

Influência explosiva

Plutão é a vibração mais alta do guerreiro Marte: trata-se aqui do nível universal da agressividade e não da sua expressão individual. Embora o seu aspecto tortuoso esteja quase sempre oculto, Plutão tem a mesma carga dinâmica de Marte e às vezes faz com que as coisas irrompam vulcanicamente. Esse efeito pode incidir sobre a geração que nasce com Plutão no signo ou sobre qualquer um que atravesse um período plutoniano.

Poder

O poder plutoniano é mais refinado e intencional do que a rude energia de Marte. É irrefreável mas sutil. Plutão está ligado ao uso, abuso e mau uso do poder. Sempre que uma pessoa tem poder sobre outra, Plutão está em ação. Sempre que alguém obtém poder pessoal, Plutão está agindo positivamente. Num mapa, a sua expressão negativa indica abuso ou ignorância. A intolerância, a coerção, a manipulação e o fanatismo surgem do uso inconsciente do poder plutoniano.

POSIÇÕES NO ZODÍACO

Posições aproximadas de Plutão nos signos

1914-1939	Câncer
1939-1957	Leão
1957-1972	Virgem
1972-1984	Libra
1984-1995	Escorpião
1995-2008	Sagitário
2008-2022	Capricórnio

O rapto de Perséfone

Um dos mais citados atos mitológicos de Plutão é a abdução da jovem e inocente Perséfone. Perséfone representa a ingenuidade e a consciência indiferenciada. Na sua função de separador, Plutão a traz para a consciência de si mesma. Impregnando-a de força criativa, ele desperta o seu poder. Emergindo das profundezas, Perséfone é iniciada na consciência superior e se torna Rainha do Mundo Subterrâneo. Esse é o maior dom de Plutão. Ele revela o tesouro escondido no fundo da escuridão pessoal.

Características plutonianas

Plutão é intenso, obsessivo e compulsivo. O planeta transmite também um certo destemor, dando aos plutonianos coragem para enfrentar as próprias profundezas e a própria mortalidade. Para quem está em sintonia com Plutão, a vida não é para ser levada com leviandade.

Temperamento

Tradicionalmente, quando Plutão está bem localizado, o temperamento é carismático, intenso e perceptivo. Quando está mal localizado, o temperamento é malicioso, desconfiado e faminto de poder.

Plutão abduziu a inocente Perséfone, mas ela se tornou a Rainha do Mundo Subterrâneo.

PLUTÃO ATRAVÉS DOS SIGNOS

Não foram incluídas as localizações de Plutão em Áries, Touro, Gêmeos, Aquário e Peixes, já que a longa órbita de Plutão as torna irrelevantes.

Câncer — A passagem de Plutão por Câncer foi um período de transformação emocional entre as duas Guerras Mundiais, que tiraram milhares de vidas. Prenunciou o fim da família estendida, obrigando o relutante Câncer a se desapegar emocionalmente.

Leão — Com Plutão em Leão, nasceu a "Geração Eu". Tomou força o desejo de cada um ser uma parte exclusiva da sociedade, separada do coletivo. A família nuclear se fragmentou.

Virgem — Esse é o período da batalha entre o "amor livre" e o casamento convencional. Muitas crianças foram adotadas até que os métodos anticoncepcionais trouxeram o controle sobre a fertilidade e mudaram drasticamente as atitudes. Questões de vida e saúde ganharam prioridade, a poluição do planeta passou a ser discutida e nasceu a medicina moderna.

Libra — Plutão em Libra desafiou os alicerces da estrutura social e das relações humanas. A noção de responsabilidade global criou raízes, assim como o fundamentalismo. O desafio era transformar as relações humanas no mundo inteiro.

Escorpião — Nesse período, antigos tabus foram confrontados e a mudança social se acelerou. A AIDs se mostrou como a praga moderna. A psicoterapia levou os seus adeptos às profundezas plutonianas para fazer brilhar a luz da consciência interior.

Sagitário — Com Plutão em Sagitário, o idealismo da humanidade está se intensificando. No entanto, ideologias inviáveis e velhos modos de ser precisam ser enfrentados e transformados.

Capricórnio — A oportunidade de transformar a sociedade se oferece, ressaltando o conflito entre o conservadorismo e as novas correntes políticas e econômicas, que podem igualar o mundo em desenvolvimento ao mundo moderno.

CORRESPONDÊNCIAS TRADICIONAIS

Dia da semana	Não determinado
Metal	Plutônio
Mineral	Selênio
Vitamina	E
Nota musical	Não determinada
Cristais	Quartzo enfumaçado, obsidiana negra, azeviche, pérola
Cores	Vermelho-profundo, magenta, violeta
Fisiologia	Órgãos reprodutores e excretores, processos destrutivos, o inconsciente
Entraves de vidas passadas	Mau uso e abuso do poder, falta de coragem nas próprias convicções, mau uso do poder oculto/ magia negra, sacrifício dos outros para fins pessoais
Associações	Transformação, morte, nascimento e renascimento; submundo, riquezas, terremotos, grandes negócios, rapto, assassinato, descoberta, invisibilidade, erupção, vulcão, mudança forçada
Profissões	Médico, cirurgião, detetive, empresário, parteira, físico nuclear, metafísico, psicólogo, psiquiatra, consultor administrativo
Árvores; plantas; alimento; virtude; vício	Não determinados
Lugares	Qualquer lugar escuro, escondido e subterrâneo; drenos, fossas, canos, qualquer lugar radioativo ou próximo de uma instalação nuclear

OS NODOS LUNARES

Os Nodos da Lua não são corpos tangíveis, mas pontos opostos no espaço, formando uma complexa interação astronômica entre a Terra, o Sol e a Lua. Eles se deslocam lentamente para trás através do zodíaco, à medida que a Lua faz a sua viagem mensal em torno da Terra, cruzando o caminho anual do Sol (a eclíptica). Os pontos de intercessão são os Nodos. Eles completam um círculo retrógrado completo a cada 18 ou 19 anos. Em termos astrológicos, personificam o impulso para a evolução. Para chegar a uma compreensão mais profunda, é preciso considerar o signo e a casa em que eles estão.

O dragão da Lua

Na astrologia chinesa, os Nodos são denominados Cabeça do Dragão e Cauda do Dragão. É na Cabeça do Dragão (Nodo Norte) que a alimentação é ingerida e é na Cauda do Dragão (Nodo Sul) que os resíduos são excretados. Sempre que o Sol ou a Lua se aproximam dos Nodos, o poderoso Dragão engole o luminar, criando um eclipse.

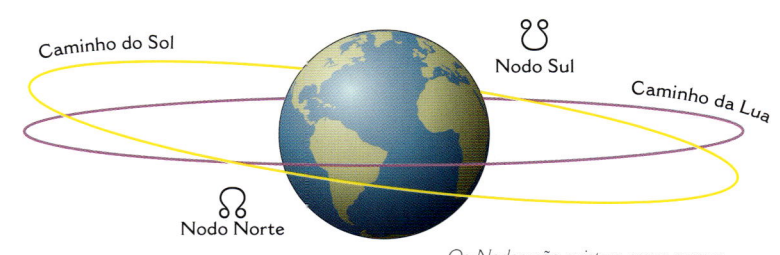

Os Nodos não existem como corpos tangíveis: são pontos no espaço onde o caminho da Lua cruza a eclíptica.

Astrologia kármica

Os Nodos são especialmente importantes na astrologia kármica, ou de vidas passadas. O Nodo Sul representa um jeito arraigado de ser, que veio do passado (da vida presente ou de uma vida anterior). A casa (ver pp. 224-27) e o signo em que ele se situa indicam onde a alma se sente à vontade: aí, tudo é familiar. O Nodo Norte representa o potencial e o caminho evolutivo que a alma escolheu para a vida presente. O desafio kármico é reunir o que foi aprendido no Nodo Sul – o passado – ao Nodo Norte: caso contrário, a alma será rasgada por essas polaridades.

Quando a passagem para o Nodo Norte é feita, ocorre uma profunda mudança de orientação. Cumprindo a sua função, o Nodo Sul elimina tudo o que a alma já superou e o Nodo Norte recebe, como alimentação, a oportunidade de se mover em harmonia com o propósito da alma. O equilíbrio é restaurado e um novo ponto de equilíbrio é atingido.

Conexão nodal com os luminares

Quando o Nodo Norte e o Sol estão localizados no mesmo signo, as qualidades positivas desse signo são enfatizadas. A evolução da alma é iminente, o propósito é forte. Por outro lado, quando o Nodo Norte e a Lua – ou então o Nodo Sul e o Sol – estão no mesmo signo, as qualidades positivas desse signo têm que ser capitalizadas para viabilizar a evolução da alma. A alma sabe fazer isso, mas energias menos construtivas podem detê-la. Situado no mesmo signo da Lua, o Nodo Norte indica dificuldade para romper com padrões do passado. Neste caso, um esforço a mais é necessário.

NODO NORTE
O caminho da vida

Glifo — O glifo representa a cabeça do dragão

Palavras-chave — Propósito de vida, destino, esforço, evolução, potencial latente, escolhas, crescimento

O caminho da evolução

O Nodo Norte é aquilo que precisa ser feito para realizar o propósito da alma. É o caminho da vida, do destino ou do dharma. Como representa aquilo em que a alma tem que se tornar, é território desconhecido e nem sempre confortável. O caminho é inexplorado e, no início da jornada, a alma quase que inevitavelmente recua para o Nodo Sul. Nesses momentos, a alma precisa pôr a serviço do Nodo Norte os talentos inatos que desenvolveu no passado, ainda alojados no Nodo Sul.

NODO NORTE ATRAVÉS DOS SIGNOS

Áries	O caminho do autodesenvolvimento. A alma está aprendendo a ser um indivíduo separado, auto-suficiente, centrado em si mesmo, com coragem para iniciar a mudança e evoluir de maneira independente.
Touro	O caminho da segurança interior. A alma está aprendendo a força que vem da consciência do Eu como alma imortal numa jornada humana. Na morte, essa é a única segurança que se pode levar da vida.
Gêmeos	O caminho da comunicação efetiva. A alma está aprendendo a se expressar sem ambigüidade ou ambivalência. Esse é o caminho da verdade.
Câncer	O caminho da nutrição. A alma está aprendendo a se alimentar e a cuidar de si mesma e daqueles à sua volta.
Leão	O caminho do coração. A alma está aprendendo a manter o coração aberto, a tê-lo no centro das suas ações e a receber o poder que lhe vem dele.
Virgem	O caminho do serviço. A alma está aprendendo a servir aos outros sem visar recompensa, reconhecimento ou validação.
Libra	O caminho do relacionamento. A alma está aprendendo a buscar relações de igual para igual, em que as necessidades de cada parte são atendidas num enlace equilibrado de almas.
Escorpião	O caminho para controlar o poder. A alma está aprendendo a usar o seu poder para o bem de todos. Esse é também o caminho do autodomínio e da aplicação do poder.
Sagitário	O caminho do buscador. A alma busca conhecer o verdadeiro significado por trás do universo e da encarnação física.
Capricórnio	O caminho da autodisciplina. A alma está aprendendo a controlar o mundo tendo controle sobre si mesma. A alma tem que aprender a respeitar a própria autoridade em vez das figuras de autoridade de quem antes dependia.
Aquário	O caminho da evolução. A alma está participando da passagem da humanidade a uma nova vibração, que traz igualdade para todas as almas.
Peixes	O caminho da iluminação. A alma está em busca da unidade com o todo e tem que aprender a diferença entre isso e a expiação e a redenção. Esse é o caminho que leva de volta ao divino.

NODO SUL
Porta para o passado

Glifo	☋	O glifo representa a cauda do Dragão
Palavras-chave		Reação arraigada, sobrevivência, habilidades inatas, compulsão, estagnação, karma

O caminho para o passado

O Nodo Sul simboliza tudo o que já aconteceu. Como a Lua, representa comportamentos instintivos, arraigados, que vêm de reações inatas. Como tal, é uma parte antiga da psique. É um lugar de questões pendentes, onde estratégias de sobrevivência foram formuladas, onde residem estímulos emocionais e reações automáticas, onde surgem compulsões inconscientes e padrões rígidos de comportamento. Os recursos com que a alma tem mais familiaridade estão no Nodo Sul. É também aí que a alma fica estagnada: diante do desafio da evolução, ela diz "sim, mas..." e volta ao passado. O desafio é aproveitar o que há de bom no Nodo Sul e deixar para trás o que é negativo.

NODO SUL ATRAVÉS DOS SIGNOS

Áries — A alma aprendeu a ter coragem e a ser um Eu separado, mas tem que deixar de ser egoísta e centrada em si mesma.

Touro — A alma adquiriu segurança interior mas tem que abandonar a possessividade e o apego a bens materiais.

Gêmeos — A alma aprendeu a se comunicar e a questionar. Agora, tem que aprender a viver com integridade, de acordo com as próprias convicções.

Câncer — A alma aprendeu a cuidar dos outros, mas tem que abandonar a possessividade e o apego ao passado.

Leão — A alma aprendeu a lidar com o poder pessoal e a manter o coração aberto. Agora, tem que deixar para trás o orgulho e os jogos emocionais.

Virgem — A alma aprendeu a servir aos outros e tem que desenvolver o discernimento, deixando para trás o hábito de criticar e a fútil busca por perfeição.

Libra — A alma aprendeu a se relacionar mas tem que abandonar a tendência a se negligenciar, aprendendo a fazer concessões criativas.

Escorpião — A alma passou por traumas e situações dramáticas. A dor emocional tem que ser deixada para trás e a capacidade de sobreviver levada adiante.

Sagitário — A alma explorou muitas filosofias e viveu de acordo com diferentes convicções. Agora tem que aprender a simplesmente ser.

Capricórnio — A alma adquiriu autoridade mas tem que deixar para trás o autoritarismo e a tendência a exercer um controle rígido sobre tudo.

Aquário — A alma trabalhou pela evolução da humanidade, mas tem que deixar para trás a tendência a se rebelar ou a ser diferente só por ser diferente.

Peixes — A alma se fundiu à unidade ou dissolução. Tem que deixar para trás o padrão de vítima-mártir-salvador e aprender a discriminar, sabendo agora que é parte do divino.

OS NODOS ATRAVÉS DAS CASAS

Nodo Norte na primeira casa Essa localização indica uma propensão a expressar a individualidade e a se centrar no eu. A alma adquiriu harmonia por meio da relação com o outro.

Nodo Sul na primeira casa O desafio é abandonar o ego e passar a uma abordagem orientada ao eu, que inclua as necessidades dos outros.

Nodo Norte na segunda casa A tarefa é desenvolver segurança interior, recorrendo a recursos e valores kármicos, no nível eterno e não no nível material.

Nodo Sul na segunda casa O desafio é se desapegar das coisas que davam segurança no passado, recorrendo a recursos positivos e ao instinto de sobrevivência.

Nodo Norte na terceira casa Tudo o que já foi aprendido tem agora que transparecer. Promessas, lições e dívidas kármicas são enfrentadas através de um irmão ou irmã.

Nodo Sul na terceira casa Até agora, a confiança era depositada basicamente no intelecto e na astúcia, mas a comunicação foi desenvolvida mesmo assim.

Nodo Norte na quarta casa A tarefa é exercer a função de pai ou mãe além da família imediata, ampliando-a ao máximo. O karma é resgatado pela família, ou a interação familiar pode ser dirigida ao crescimento da alma.

Nodo Sul na quarta casa Livrando-se da tendência a viver através dos filhos ou da família, a alma tem agora que viver por si mesma.

Nodo Norte na quinta casa A alma precisa aprender a usar o poder criativamente, fortalecendo-se a partir do coração.

Nodo Sul na quinta casa O desafio é passar da procriação no nível biológico à criatividade mental e espiritual. Pode haver karma proveniente de antigos casos amorosos.

Nodo Norte na sexta casa A tarefa é prestar serviço altruísta à humanidade, não importa como. Esse Nodo pode estar aprendendo por meio de questões de saúde ou de uma vocação.

Nodo Sul na sexta casa A tarefa é deixar para trás o papel de servidão ou de servilismo, que pode ter sido confundido com o verdadeiro serviço.

Nodo Norte na sétima casa A tarefa é se relacionar com os outros sem reprimir as necessidades da alma. Relacionamentos e parceiros trazem à luz questões kármicas.

Nodo Sul na sétima casa A alma esqueceu que tem o direito de se desenvolver de acordo com as próprias necessidades. Aprendeu a se harmonizar com os outros, tornando mais fácil a convivência.

Nodo Norte na oitava casa A evolução kármica exige que a alma explore o sexo, o nascimento, a morte e o renascimento, compartilhando recursos com os outros.

Nodo Sul na oitava casa A alma tem certeza de que vai sobreviver a despeito de tudo. No futuro, a evolução da alma tem que ser um processo constante e não nascer do trauma, como no passado.

Nodo Norte na nona casa A alma está envolvida numa eterna busca de significado e tem que se alinhar com o propósito divino.

Nodo Sul na nona casa A alma esteve envolvida numa longa busca para descobrir quem e o que ela é. O desafio é parar e ouvir a voz que diz "simplesmente seja".

Nodo Norte na décima casa A tarefa da alma é desenvolver autoridade interior e exterior e encontrar o sucesso através de uma profissão.

Nodo Sul na décima casa A alma pode trazer consigo padrões autoritários, relacionados a pai e mãe, que precisam ser liberados. O karma pode ser resgatado através da paternidade ou da maternidade, ou através da família de origem.

Nodo Norte na décima primeira casa O desejo é mudar as coisas, criar uma comunidade mais justa e trabalhar por meio da interação com os outros.

Nodo Sul na décima primeira casa A alma vem tentando mudar as coisas ao longo de muitas vidas e pode ter sofrido por não entender o que lhe era oferecido.

Nodo Norte na décima segunda casa A urgência é sair da roda kármica e chegar a um estado de graça. Pode haver um acúmulo considerável de karma – coletivo ou pessoal.

Nodo Sul na décima segunda casa Na sua busca por unidade, a alma a confundiu com redenção. Agora, pode ir além do karma.

As casas

O mapa natal é dividido em 12 casas, que são o *onde* da astrologia. Cada casa atua como um localizador de foco, indicando a área da vida em que operam as energias planetárias. Os ângulos funcionam como pontos de orientação ao longo do caminho. O Ascendente assinala o horizonte oriental no momento do nascimento, enquanto o Descendente assinala o ocidental. O Meio do Céu, ou MC, assinala o ponto mais alto do trajeto do Sol pelo mapa, e o Imum Coeli, ou IC, o seu ponto oposto. A divisão entre casas é conhecida como cúspi-

e os ângulos

de. A jornada pelas casas começa no Ascendente, a cúspide da primeira casa, seguindo no sentido anti-horário através das outras. No Ascendente, a alma está a ponto de encarnar e de expressar a sua identidade. À medida que avança pelas casas, passa por uma progressão simbólica: parte de um senso inicial de si mesma como entidade separada, tem contato com os outros através da infância, do trabalho e da diversão, passa então à comunidade e finalmente retorna ao todo.

ESFERAS DA VIDA

As casas representam as esferas da vida. Cada uma é uma arena, na qual são experimentadas energias planetárias. As casas são matizadas pelo signo da cúspide e pelos planetas dentro delas. Os planetas agem de maneira dominante na primeira casa, concreta na segunda, comunicativa na terceira, protetora na quarta, criativa na quinta, altruísta na sexta, participativa na sétima, intensa na oitava, filosófica na nona, impactante na décima, social na décima primeira e tortuosa na décima segunda.

Cálculo das casas

Os astrólogos usam vários métodos para calcular as casas. No sistema das Casas Iguais, cada casa ocupa um segmento de 30° no mapa. O MC pode cair na nona, na décima ou na décima primeira casa, dependendo da latitude em que a pessoa nasceu e da época do ano. Nos Sistemas de Quadran-

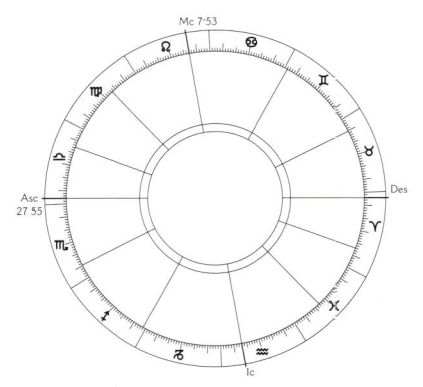

Exemplo da divisão de casas segundo Placidus, um sistema de quadrantes.

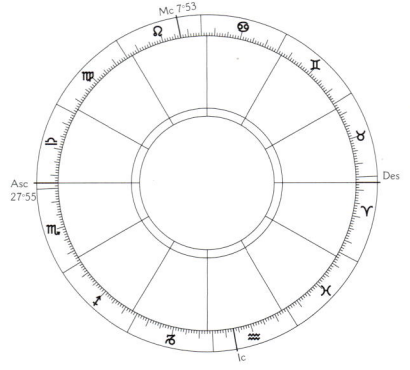

Exemplo da divisão em Casas Iguais, com o MC na décima casa.

> ## SIGNOS DE LONGA E DE CURTA ASCENSÃO
>
> Alguns signos se erguem sobre o horizonte em menos de uma hora (ascensão curta), enquanto outros levam cerca de três horas (ascensão longa).
>
> **Longa ascensão no hemisfério norte**   Câncer, Leão, Virgem, Libra, Escorpião, Sagitário
>
> **Longa ascensão no hemisfério sul**   Capricórnio, Aquário, Peixes, Áries, Touro, Gêmeos
>
> **Curta ascensão no hemisfério norte**   Capricórnio, Leão, Virgem, Libra, Escorpião, Sagitário
>
> **Curta ascensão no hemisfério sul**   Câncer, Leão, Virgem, Libra, Escorpião, Sagitário

tes, que incluem o de Placidus (o sistema usado neste livro), o MC forma sempre a cúspide da décima casa. As divisões das casas são desiguais e podem incluir até três signos. O signo da cúspide é o mais significativo, mas todos os signos se manifestam na esfera de vida à qual a casa está relacionada. O tamanho da casa indica a importância daquela esfera de vida.

O signo ascendente

O Ascendente assinala o horizonte oriental no nascimento. O Sol cai no Ascendente quando o nascimento se dá ao amanhecer; quando o nascimento se dá entre o poente e o amanhecer, o Sol fica na metade de baixo do mapa; entre o amanhecer e o poente, o Sol fica na metade de cima do mapa.

Elementos e regentes das casas

As casas têm elementos e regentes planetários. A primeira casa, regida por Marte, é uma casa do fogo, a segunda, regida por Vênus, é uma casa da terra e assim por diante.

ASCENDENTE
ASC

Palavras-chave	Consciência de si mesmo, individualidade, aparência, adaptação, reação, personificação, fronteiras, encontro, o ambiente

A máscara

O Ascendente é o signo que aparecia no horizonte no momento do nascimento. É o rosto que a pessoa apresenta ao mundo como um escudo para proteger o eu interior, regido pelo signo solar. Sendo a primeira coisa que os outros notam, o Ascendente pode mascarar a verdadeira personalidade.

O Ascendente determina também até que ponto o eu interior é revelado ao mundo. Com um Ascendente extrovertido, pode *parecer* que a pessoa compartilha a sua história de vida nos primeiros cinco minutos de conversa. Mas, com um signo solar introspectivo, essa impressão pode ser falsa: o que é "revelado" tende a ser uma fachada.

O Ascendente indica se a adaptação ao ambiente externo é fácil ou não. Os Ascendentes terra parecem práticos, bem organizados e eficientes; os Ascendentes fogo parecem confiantes, efervescentes e expansivos; os Ascendentes água parecem mais reservados e sensíveis; os Ascendentes ar são animados, curiosos e faladores.

Aparência

O Ascendente revela como é feito o ajuste à encarnação num corpo físico. Um Ascendente Sagitário, por exemplo, pode indicar falta de coordenação, enquanto Touro sugere uma boa coordenação. O Ascendente influencia também a aparência física. Um Ascendente Gêmeos tem um rebrilho nos olhos, Escorpião tem o olhar penetrante e Peixes uma expressão sonhadora. Libra se veste belamente enquanto Aquário tem como objetivo chocar os outros.

Fronteiras

O Ascendente define como funcionam as fronteiras pessoais. Áries sabe: "isto sou eu". Libra diz "isto sou eu, isto é você" e pergunta "como podemos nos unir?" enquanto Peixes não tem certeza: "onde eu termino e onde você começa?" Os signos negativos tendem a ter fronteiras menos demarcadas do que os signos positivos. No entanto, alguns signos negativos, como Câncer, têm consciência disso e ficam atentos à própria proteção.

ATRAVÉS DOS SIGNOS

Áries Quer causar impacto e conquistar o mundo.

Touro Experimenta o mundo com segurança, por meio dos sentidos.

Gêmeos Quer se comunicar com o mundo.

Câncer Protege e cuida do mundo por meios indiretos.

Leão Percebe no mundo súditos leais esperando para aplaudir.

Virgem Vê o mundo como um lugar onde servir e organizar.

Libra Quer se relacionar com o mundo todo, mas pode ser indeciso.

Escorpião É inescrutável, mas quer dominar o ambiente.

Sagitário Vê o mundo como um lugar interessante para explorar.

Capricórnio Quer controlar o ambiente.

Aquário Vê um mundo diferente.

Peixes Flui de lá para cá, reagindo ao ambiente.

DESCENDENTE
DES

Palavras-chave	Interação, consciência do outro, o parceiro, contato, projeção, necessidade de se relacionar, intimidade, compromisso cooperação

Relação com os outros

O Descendente assinala o ponto em que o sentido de relacionamento se torna mais amplo: interação e cooperação com os outros. É o ponto em que a pessoa se volta para fora para fazer contato com os outros: o signo Descendente revela se essa pessoa tem facilidade para se relacionar e até que ponto consegue enxergar o ponto de vista dos outros.

O Descendente indica também a capacidade de envolvimento e de intimidade. Num signo repressivo, que tende a se proteger, a relação é mais difícil do que no caso de um Descendente extrovertido, que tende a se expressar. Um signo que naturalmente se volta para fora acha mais fácil se adaptar a um parceiro do que um signo voltado para si mesmo. Então, o Descendente é a necessidade de fazer parte de um casal e de conciliar as próprias necessidades com as do outro.

Viver através dos outros

O Descendente indica também os atributos que são projetados nos outros: as facetas da personalidade que se revelam por meio do parceiro ou dos amigos e não apenas na própria pessoa. Quando se acolhe as qualidades inaceitáveis que a personalidade tende a rejeitar ou que foram rejeitadas pelos pais, começa a tarefa de integração e aceitação.

A maneira pela qual uma pessoa interage com os outros é fortemente matizada pelos planetas situados perto do Descendente no mapa, especialmente se forem planetas exteriores. Netuno perto do Descendente, por exemplo, sugere idealização, ilusões, desilusões e decepções, enquanto a intensidade de Plutão indica manipulação e dominação e, Urano, falta de intimidade e finais abruptos.

ATRAVÉS DOS SIGNOS

Áries Acha difícil manter uma relação mais próxima.

Touro Vê qualquer relacionamento como símbolo de *status* e segurança.

Gêmeos Pode ter mais do que um parceiro ao mesmo tempo.

Câncer Agarra-se ao relacionamento, a qualquer custo.

Leão Quer ser olhado de baixo para cima numa relação desigual.

Virgem Dedica-se à relação mas tende a exagerar nas críticas, esquecendo que o parceiro, como todo mundo, tem as suas imperfeições.

Libra Busca o relacionamento perfeito e está disposto a sacrificar qualquer coisa para consegui-lo.

Escorpião É leal, mas revela pouco numa relação a dois.

Sagitário Acha que a grama pode ser mais verde no vizinho.

Capricórnio Assume seriamente a responsabilidade de uma relação.

Aquário Acha extremamente difícil a intimidade e o envolvimento.

Peixes Idealiza e romantiza, querendo se fundir ao outro para que se tornem um.

MEIO DO CÉU
MC

Palavras-chave	O que é visível, eu exterior, profissão, ambição, reconhecimento, separação, extroversão, esforço

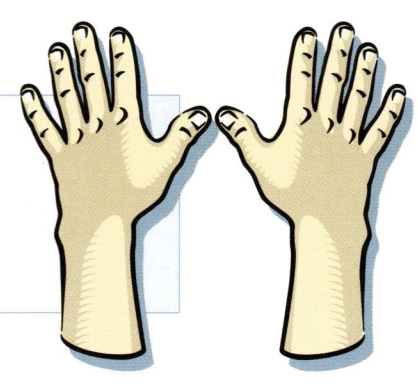

Causando impacto

O Meio do Céu, ou MC, simboliza aquilo pelo que se luta, a vontade de "ir atrás" e o quanto a personalidade se concentra na busca do sucesso. Nos sistemas de Casas Iguais, a casa em que cai o MC indica a esfera da vida em que se deve investir. O elemento do MC indica se o esforço é sustentável. Fogo e ar indicam pessoas de grandes idéias, mas sem ânimo para realizá-las. Os signos da terra têm dificuldade para começar mas, vencido o primeiro momento, vão até o fim. Os signos da água tendem a ser levados pela emoção – embora o altamente sensível MC em Câncer seja um dos mais ambiciosos.

MC e a escolha da profissão

Como define a maneira pela qual a pessoa procura ser reconhecida, o MC está muitas vezes ligado à escolha da profissão. Um MC em Escorpião é ligado à investigação e à medicina, um MC em Capricórnio tem ligações com o governo, a lei e a ordem, enquanto um MC em Libra é muitas vezes encontrado em posições que exigem diplomacia. Um MC em Aquário quer um mundo melhor para todos e pode desenvolver qualidades intuitivas na busca por novas soluções para os problemas do mundo. No entanto, o seu gosto pelo que é estranho pode fazer dele um proscrito pela sociedade.

O eu visível

O MC é o ponto em que a pessoa é embrulhada para consumo pelo mundo externo, dependendo da energia introvertida ou extrovertida do signo. Assim, revela se a pessoa é ou não motivada pelas idéias dos outros, se é voltada para a equipe ou para si mesma. Os signos individualistas firmam uma posição enquanto os signos mais cordatos procuram se dissolver no pano-de-fundo. O MC indica qualidades valorizadas, que serão buscadas e desenvolvidas ao longo na vida.

ATRAVÉS DOS SIGNOS

MC em Áries É assertivo e expansivo, quer causar impacto mas não persevera.

MC em Touro Chega lá por teimosia e determinação.

MC em Gêmeos Falando, vai abrindo caminho até o topo.

MC em Câncer Aproxima-se obliquamente das suas metas.

MC em Leão Faz a corte ao sucesso.

MC em Virgem Chega lá trabalhando duro, mas tende a continuar subserviente.

MC em Libra É folgado mas chega lá.

MC em Escorpião Manipula com o intuito de controlar o mundo.

MC em Sagitário Lança flechas mas nem sempre com um alvo determinado. É o estudante eterno, que nunca pára de aprender.

MC em Capricórnio Busca autoridade e estabilidade e persegue o sucesso com determinação.

MC em Aquário Tem os olhos fixos num mundo melhor para todos.

MC em Peixes Pode muito bem se desviar e pegar outro rumo quando o sucesso já está próximo.

IMUM COELI
IC

> **Palavras-chave** O que está oculto, eu interior, raízes, introspecção, lar, introversão, segurança, origens

A morada do eu

O imum coeli, ou IC, é a raiz do eu mais profundo. Simboliza a segurança de base, o que a pessoa precisa para se sentir segura. Define também o lar, a família e a origem da pessoa – e o seu grau de integração na família. O que é "seguro" para um pode não ser seguro para outros. Quem tem o IC em Escorpião, por exemplo, pode ter crescido em meio a situações traumáticas e agora busca segurança nesse tipo de situação. Para Aquário, revoltas e rebeliões são situações conhecidas. Essas experiências são familiares porque ocorrem cedo na vida – e depois são recriadas inconscientemente. É no IC que nascem os padrões de autodestruição, o que explica por que a violência e o trauma podem exercer tanto fascínio.

O eu interior

O eu interior é encontrado bem no fundo da solidão do IC. É o que encontra quem busca o pleno conhecimento de si mesmo. A paisagem interior pode ser segura ou ameaçadora, monótona ou emocionante, metódica ou flexível, conforme o signo. O IC mostra o grau de introspecção da pessoa e a sua capacidade para explorar as profundezas interiores.

ATRAVÉS DOS SIGNOS

IC em Áries Quer ser valorizado como indivíduo e muitas vezes é o solitário dentro da família.

IC em Touro Precisa de rotina para se sentir seguro. Sólido como uma rocha, Touro é o pivô em torno do qual a família gira.

IC em Gêmeos Gosta de ter à mão alguém que o escute. Gêmeos comunica as questões que interessam à família.

IC em Câncer Precisa de tempo para se retirar ao útero e refletir. Muito apegado, esse IC prioriza a família e tem dificuldade para romper vínculos.

IC em Leão Sente-se seguro quando é considerado especial e ocupa o centro das atenções. A família espera que Leão brilhe, e ele raramente a desaponta.

IC em Virgem Encontra segurança na rotina e em ambientes bem arrumados. Essa pessoa pode ter sido superprotegida quando criança, ou fazer parte de uma família com padrões inatingíveis.

IC em Libra Sente-se seguro numa família harmoniosa, mas a expectativa é que agrade a todos e não expresse individualidade.

IC em Escorpião É auto-suficiente e um mistério para o resto da família.

IC em Sagitário Encontra segurança na liberdade, odiando ser coibido.

IC em Capricórnio Precisa ter um ambiente seguro e controlar os níveis interiores. Espera-se muito do zeloso Capricórnio.

IC em Aquário Precisa de espaço e de uma base segura para onde voltar. IC em Aquário pode ser proscrito pela família ou então valorizado como pessoa independente.

IC em Peixes Tem grande dificuldade para estabelecer uma distinção entre ele mesmo e o resto da família.

I

PRIMEIRA CASA

Esfera	Individualidade
Polaridade	Masculina
Elemento	Fogo
Qualidade	Cardeal
Posição	Angular
Fisiologia	Cabeça, rosto
Lugares	Lugar do nascimento, ambiente imediato
Cor	Branco
Palavras-chave	O Eu, encarnação, auto-imagem, separação, individualidade, características físicas e aparência pessoal, expectativas, ambiente

Expressão da individualidade

A primeira casa é onde se forma a identidade. Define também as circunstâncias que cercam o nascimento e a recepção que a criança terá. Um planeta situado na primeira casa tem um profundo impacto sobre o começo da vida e sobre o desenvolvimento da personalidade. Plutão na primeira casa, por exemplo, indica um nascimento que pode ter posto a vida em perigo; Urano e Marte sugerem uma chegada repentina; Saturno faz pensar num nascimento demorado, numa recepção fria ou em empobrecimento material ou emocional da família.

O signo da primeira casa e os planetas nela situados influenciam a maneira de expressar a individualidade, que pode ser mais ou menos direta. Mas nem sempre as pessoas são o que se espera delas, dada a natureza dos planetas. A agressividade de Marte pode dar impressão de dinamismo mas, se estiver mascarando um signo solar passivo, pouca coisa vai ser realizada. Vênus na primeira casa pode ocultar uma natureza implacável e, situado no agradável signo de Libra, pode mascarar a tortuosidade do Sol em Escorpião, faminto de poder. Quando dois signos caem na primeira casa, um planeta como Marte no segundo signo pode revelar uma natureza inesperadamente agressiva por trás de uma fachada subserviente.

A primeira casa é o espelho que reflete a personalidade para o mundo.

Expectativas

Os planetas e os signos da primeira casa permeiam a vida inteira, definindo expectativas e o tipo de interação com o mundo. Capricórnio e Saturno esperam que o começo da vida seja oneroso, enquanto Leão e o Sol antecipam um período muito mais feliz. Marte é agressivo e impaciente, Saturno, lento e cauteloso. Assim, uma pessoa com esses dois planetas na primeira casa será às vezes precipitada e às vezes cautelosa demais. Caótico, Urano espera súbitas reviravoltas, Júpiter espera diversão e Netuno habita um ambiente sonhador ou ilusório. Plutão na primeira casa sugere que muita coisa acontece sob a superfície e que a vida será intensa.

SEGUNDA CASA

Esfera	Posses e recursos pessoais
Polaridade	Feminina
Elemento	Terra
Qualidade	Fixa
Posição	Sucedente
Fisiologia	Pescoço, garganta
Lugares	Bancos
Cor	Verde
Palavras-chave	O mundo material, prosperidade, bens mundanos, recursos pessoais, posses, segurança, valores, valor pessoal, valores materiais, gastos

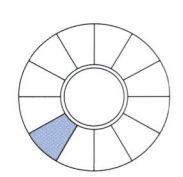

Valores e recursos

A segunda casa é onde o senso de individualidade é reforçado pelos bens pessoais e por um sólido senso de valor. Definindo o que é valorizado e obtido no dia-a-dia, é nela que a identidade se amplia por meio do acúmulo material e de um senso psicológico de valor. O signo na cúspide dessa casa define a atitude da pessoa com relação a dinheiro e bens. Indica se o dinheiro vem com facilidade ou se é ganho com trabalho duro – e revela o quanto a pessoa valoriza quem é.

Essa casa mostra também os recursos de que a pessoa precisa dispor para atingir o sucesso – o potencial a ser desenvolvido. Na segunda casa, os planetas ficam confortáveis e revelam o que vem naturalmente. Júpiter na segunda casa, simbolizando abundância, sugere alguém com muita "sorte", sobre quem as bênçãos chovem e que sempre ganha no jogo. Marte na segunda casa tem coragem e sabe como conseguir o que deseja, enquanto Saturno tem reservas de força e sabedoria. Vênus ou Libra na segunda casa indicam talento artístico ou aparência agradável, o que pode ser considerado um bem tangível.

Segurança

A segunda casa é associada à segurança. Para algumas pessoas, essa segurança vem de bens exteriores que dão a sensação de riqueza pessoal, geralmente uma casa ou um carro. Para outras, a segurança é uma qualidade interior: podem viver em qualquer lugar com muito pouco e ainda assim se sentirem seguras. O signo e o elemento na cúspide indicam se a pessoa busca segurança no tangível ou no intangível. Em geral, os signos da água e da terra valorizam bens materiais e os signos do fogo e do ar valorizam conhecimento, idéias e qualidades interiores.

A segunda casa tem a ver com a atitude com relação ao dinheiro e às coisas a que se atribui valor.

TERCEIRA CASA

Esfera	Comunicação
Polaridade	Masculina
Elemento	Ar
Qualidade	Mutável
Posição	Cadente
Fisiologia	Mãos, braços, ombros
Lugares	Escolas
Cor	Amarelo
Palavras-chave	Comunicação, irmãos, viagens curtas, aprendizado, ambiente imediato, vizinhos, maneira de falar

Auto-expressão

A terceira casa abrange o começo da auto-expressão. Os signos e os planetas aí localizados podem facilitar ou restringir o fluxo, enquanto o signo na cúspide indica se a comunicação será clara ou confusa e se o aprendizado será fácil ou custoso. Ligada ao lado racional do cérebro, o esquerdo (a nona casa é pensamento abstrato), a terceira casa define também a função concreta dos processos intelectuais da pessoa. Quando essa casa é enfatizada no mapa, a aquisição de novas habilidades será um fator de motivação ao longo da vida.

Mercúrio na terceira casa sugere um comunicador natural. Mas quando Saturno está na terceira casa, o aprendizado e a comunicação podem ser difíceis, principalmente nos primeiros anos. Quíron na terceira casa pode indicar alguém profundamente ferido pelo que os outros dizem ou alguém que, por uma razão ou por outra, se vê impedido de expressar uma verdade pessoal.

Irmãos

A terceira casa é também a casa dos irmãos. Quando o Sol está na terceira casa, o irmão ou irmã em questão pode ser a criança que mais brilha na família, enquanto a Lua sugere empatia entre irmãos, ou irmãos que fazem o papel dos pais. Saturno também indica um irmão ou irmã que assume a função de pai ou mãe, mantendo a disciplina na família – ou um irmão que carrega um fardo pesado ou que se torna um fardo para os outros. Quíron é o irmão ferido, muitas vezes um portador das dores da família. Mercúrio indica um irmão ou irmã falante e camarada, enquanto Netuno é mais esquivo. Marte sugere rivalidade entre irmãos e Vênus revela um profundo amor entre eles. Plutão sugere que um dos irmãos detém o poder e Urano geralmente se refere ao rebelde da família.

A terceira casa é a dos irmãos, da comunicação e das viagens curtas.

QUARTA CASA

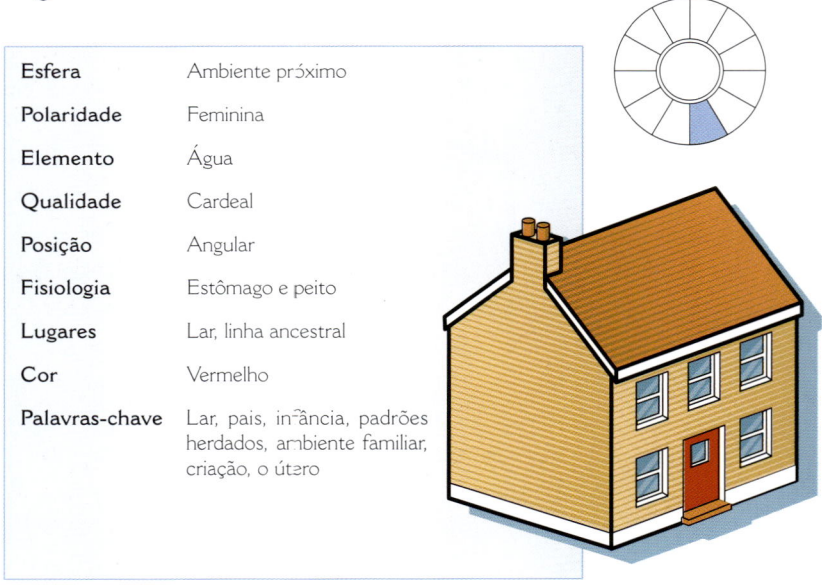

Esfera	Ambiente próximo
Polaridade	Feminina
Elemento	Água
Qualidade	Cardeal
Posição	Angular
Fisiologia	Estômago e peito
Lugares	Lar, linha ancestral
Cor	Vermelho
Palavras-chave	Lar, pais, infância, padrões herdados, ambiente familiar, criação, o útero

Base doméstica

A quarta casa é o lar, a base de onde sair para se aventurar no mundo. Quando coincide com um signo da água, o lar é em geral carregado de emoções e deixá-lo exige coragem. Os signos do fogo são mais confiantes nesse ponto, enquanto os lares influenciados pelo ar têm como base vínculos mentais. Já os influenciados pela terra são locais de conforto e apoio.

O lar é onde nos sentimos mais seguros. Como no caso do IC, isso não significa necessariamente que a quarta casa seja um ambiente fácil e sua-

A quarta casa muitas vezes representa a mãe ou cuidadora.

ve. Algumas pessoas se sentem "em casa" num campo de batalha. O senso internalizado de lar e segurança depende da experiência da primeira infância, indicada pelos planetas, signo(s) e regente da casa. Escorpião nessa casa sugere um ambiente permeado por subcorrentes abafadas mas perturbadoras, enquanto Câncer indica um lar acolhedor, mas também uma mãe possessiva. Essa experiência inicial do lar é procurada e replicada ao longo da vida.

Os pais arquetípicos

A quarta casa revela se os cuidados básicos virão do pai ou da mãe. Os planetas na quarta casa representam os pais arquetípicos semeando a sua energia na psique da pessoa, que reagirá ao se deparar com essa energia. A criança é programada para esperar um determinado comportamento e, quando o reconhece no pai ou na mãe real, o arquétipo é reforçado. Isso ocorre principalmente sob a influência de um planeta exterior. Plutão é poderoso, dominador e manipulador; Urano é instável, disruptivo e imprevisível; Netuno traz uma visão de perfeição que nem sempre é confiável; a Lua indica um pai (ou mãe) acolhedor, que entende os sentimentos da criança; Quíron, um pai (ou mãe) magoado a ponto de influenciar o ambiente doméstico.

QUINTA CASA

Esfera	Criação
Polaridade	Masculina
Elemento	Fogo
Qualidade	Fixa
Posição	Sucedente
Fisiologia	Coração e costas
Lugares	Teatros, casas noturnas, centros esportivos e de lazer, quartos de hotel
Cor	Qualquer cor escura
Palavras-chave	Auto-expressão, recreação, criatividade, prole, prazer, casos amorosos, crianças, especulação

Criação e recreação

A quinta casa abrange tudo o que é criativo, incluindo idéias, sonhos, música e arte: é a casa da auto-expressão. É onde a alma sai para o mundo, onde a paisagem interior se torna visível. O signo na cúspide e os planetas localizados nessa casa indicam o grau de facilidade com que flui a energia criativa. Saturno indica em geral dificuldade para tocar qualquer projeto.

Saturno também sugere dificuldade para conceber um filho biológico, já que os filhos são uma parte importante da quinta casa. O signo e os planetas aí localizados definem a interação com os filhos e o grau de facilidade que a pessoa tem para entrar no mundo de uma criança. Os signos do fogo são no fundo eternas crianças, enquanto os signos da terra podem não ter tido oportunidade de expressar plenamente a própria natureza infantil. Um signo do ar valoriza a criatividade individual dos filhos, tendo com eles uma amizade de igual para igual. Já os signos na água não conseguem perceber os filhos como seres independentes, vendo-os como extensões de si mesmo.

Casos amorosos

A quinta casa representa mais do que reprodução biológica ou impulso sexual. Os casos amorosos também pertencem a esta casa porque fazem com que a pessoa se sinta especial. Relacionada a Leão, essa casa é onde a pessoa se diverte e descobre a criança interior, desenvolvendo a admiração e a curiosidade.

Recreação

O signo na cúspide da quinta casa e os planetas nela localizados indicam o tipo de atividade de lazer que motiva essa pessoa. Um signo ou um planeta ativo e extrovertido – ou ênfase na terra ou no fogo – sugerem o gosto pelo esporte e pela dança, enquanto um signo indolente pode preferir a inatividade. O ar gosta de atividades mentais que envolvam a empatia. Os signos da água gostam de qualquer coisa que promova a comunicação emocional com os outros ou com a própria água.

Para algumas pessoas, a atividade vigorosa é estimulante, mas para outras não.

SEXTA CASA

Esfera	Serviço
Polaridade	Feminina
Elemento	Terra
Qualidade	Mutável
Posição	Cadente
Fisiologia	Intestinos e abdômen
Lugares	Hospitais, locais de trabalho vocacional
Cor	Marrom-escuro
Palavras-chave	Saúde, serviço, trabalho, altruísmo, trabalho em equipe, colegas de trabalho, eficiência, vocação, rotina diária

Trabalho e serviço

A sexta casa é onde tomamos consciência dos outros. Ligada a Virgem, é onde as habilidades e talentos inatos são usados de maneira produtiva e surge a vocação. Os signos e planetas localizados nessa parte do mapa definem o grau de altruísmo da pessoa. O Sol na sexta casa, por exemplo, sugere dedicação a uma vida de serviço, mas o signo determina se isso ocorre num hospital, numa loja, num departamento do governo ou numa instituição de caridade.

Na sexta casa, o serviço vem do coração e não espera recompensa ou reconhecimento. É o que tem que ser feito porque tem que ser feito. No entanto, quando a identidade pessoal e a auto-estima são pouco desenvolvidas, a sexta casa tende a buscar reconhecimento por suas boas obras, precisando que lhe digam como é útil e indispensável.

Trabalho em equipe

Essa casa se refere também a colegas de trabalho e indica o grau de harmonia com que a pessoa consegue se integrar numa equipe e como o trabalho será organizado. Sem um forte senso de eu, as fronteiras ficam elásticas e não há separação entre "eu" e "você" no local de trabalho. Quando as fronteiras pessoais são fortes demais, a cooperação é impossível e o isolamento é inevitável.

Em geral, a sexta casa indica uma vocação agradável.

Saúde

A sexta casa é ligada à saúde, que por sua vez depende do quanto a pessoa se sente à vontade com seu corpo, sua mente e suas emoções – e da sua capacidade de exprimir o Eu. Essa é uma casa realmente holística: o estado de saúde reflete a harmonia interior, enquanto a doença indica desarmonia interior. (Ver também Planetas, Saúde e a Sexta Casa, pp. 380-81).

SÉTIMA CASA

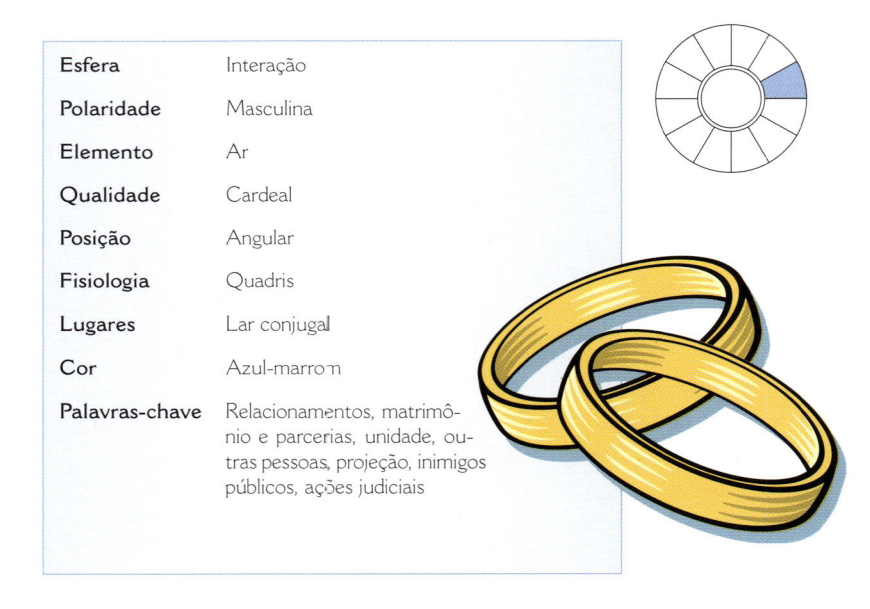

Esfera	Interação
Polaridade	Masculina
Elemento	Ar
Qualidade	Cardeal
Posição	Angular
Fisiologia	Quadris
Lugares	Lar conjugal
Cor	Azul-marrom
Palavras-chave	Relacionamentos, matrimônio e parcerias, unidade, outras pessoas, projeção, inimigos públicos, ações judiciais

O eu encontra o outro

Nessa esfera, a alma procura se aproximar de outra alma numa relação mutuamente benéfica. A capacidade de se aproximar e de levar em conta as necessidades do outro, sem abrir mão das suas, é indicada pelo signos(s) e pelos planetas. Urano e Aquário sugerem dificuldade de envolvimento, enquanto Saturno precisa de segurança.

A sétima casa indica também as qualidades que a pessoa procura no outro e o tipo de parceiro que a atrai. Quem tem Marte nessa casa busca assertividade no parceiro mas pode atrair um tipo agressivo, dependendo do signo na cúspide. O Sol ou a Lua na sétima casa sugerem uma busca inconsciente por alguém que substitua o pai ou a mãe.

Questões de relacionamento

A sétima casa levanta algumas questões importantes e dá algumas respostas. "A convivência será fácil, instigante e a favor da vida, ou será difícil e contrária a ela?" "Até que ponto eu consigo me adaptar?" "Nós combinamos?" Os planetas e o signo indicam o quanto você se esforça para manter as suas fronteiras pessoais numa relação e para compartilhar a sua humanidade com o outro. (Ver também A Sétima Casa e os Relacionamentos, pp. 346-47).

O casamento é uma função da sétima casa.

Projeção

A sétima casa é onde buscamos *feedback* – para reforçar o senso que temos de nós mesmos através do olhar do outro. Por isso, é a casa dos inimigos declarados assim como das parcerias. Podemos projetar medos e expectativas no outro, enxergando qualidades que ele *pode não ter*. Às vezes, buscamos no outro o que falta em nós – e isso revela o que ainda precisamos conquistar para nos sentir completos.

OITAVA CASA

Esfera	Transmutação
Polaridade	Feminina
Elemento	Água
Qualidade	Fixa
Posição	Sucedente
Fisiologia	Órgãos reprodutores
Lugares	Casas funerárias, cemitérios, maternidades, propriedade ancestral
Cor	Preto
Palavras-chave	Interação, recursos compartilhados, nascimento-morte-renascimento, regeneração, união sexual, integração, auto-sacrifício, consciência expandida, herança, dinheiro dos outros, metafísica

Mortalidade e metafísica

Na complexa oitava casa, os segredos do universo são revelados. Esse é o ponto em que passamos da autoconsciência para a consciência universal. Em seus confins plutonianos, a morte é conhecida – a única certeza da vida e a mais temida – e estados de consciência expandida são atingidos.

No nível mundano, a oitava casa é a dos recursos compartilhados, do ganho monetário e das coisas herdadas. O signo na cúspide indica a capacidade ou incapacidade de compartilhar recursos e de ser altruísta. As heranças podem ser físicas ou psíquicas, incluindo potencial ou padrões ancestrais. Evasivos, Peixes ou Netuno na oitava casa indicam uma herança que escorrega por entre os dedos da pessoa ou a perpetuação de um hábito ou vício recorrente na família. Capricórnio ou Saturno podem sofrer uma perda, herdar um legado vultoso ou ter jeito para aos negócios.

Dar de si

Intimamente ligado à união sexual, um processo fundamental nessa casa, esse é um lugar de disponibilidade para dar e receber. É onde o indivíduo perde o senso de identidade separada e aprende a se fundir ao outro. Para alguns, essa é uma experiência transcendental e, para outros, dolorosa.

A oitava casa revela também a sexualidade e a escolha da expressão sexual, enquanto o signo indica como a intimidade é vivida e quais as expectativas em torno da sexualidade. Urano nessa posição, por exemplo, indica uma profunda ambivalência no que diz respeito a preferências sexuais.

A oitava casa indica como os recursos são compartilhados com os outros.

NONA CASA

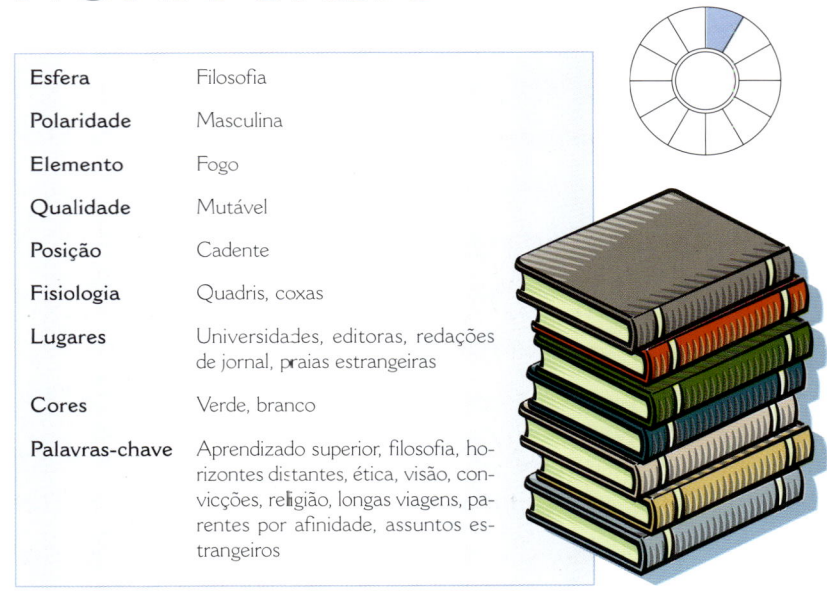

Esfera	Filosofia
Polaridade	Masculina
Elemento	Fogo
Qualidade	Mutável
Posição	Cadente
Fisiologia	Quadris, coxas
Lugares	Universidades, editoras, redações de jornal, praias estrangeiras
Cores	Verde, branco
Palavras-chave	Aprendizado superior, filosofia, horizontes distantes, ética, visão, convicções, religião, longas viagens, parentes por afinidade, assuntos estrangeiros

Busca de significado

Na filosófica nona casa, começa a busca por significado. É onde procuramos alcançar algo maior e buscamos a verdade universal. É a casa da educação superior, do debate filosófico e das grandes questões da vida, como "O que estou fazendo aqui?" e "O que isso tudo significa?" Viagens são feitas a horizontes distantes – físicos ou mentais.

Quando a pessoa percebe que faz parte de algo maior, o passo seguinte é querer ordenar o mundo pelo bem desse todo, dada a conexão dessa casa com a moralidade e a lei. Nela, as tradições são questionadas e ocorre a rebelião contra as convicções coletivas. Os signos e os planetas aí localizados indicam conformidade ou conflito com os sistemas de crenças estabelecidos – e revelam se a pessoa está pronta para incutir nos outros a sua visão pessoal. É também a casa da disseminação de informações.

Religião ou espiritualidade

Nessa casa há uma abertura para alguma coisa *a mais* – quando os planetas são propícios. Quando não são, a visão não é compartilhada e o processo de vida não é plenamente assumido. A nona casa é a esfera da religião organizada, do dogma, da doutrina ou da espiritualidade. Os planetas aí situados ilustram a resposta ao chamado do espírito. Caso seja Netuno, o chamado é para o ritual e o misticismo – ou para as ilusões que tomam o seu lugar. Saturno, por outro lado, favorece a certeza religiosa e o dogma. A predileção de Plutão pelo fanatismo e pelo fervor encontra o seu lugar natural na nona casa, enquanto Urano traz um novo sistema de crenças – ou nenhum.

A espiritualidade e a renúncia são impulsos da nona casa.

DÉCIMA CASA

Esfera	Ambiente além do imediato
Polaridade	Feminina
Elemento	Terra
Qualidade	Cardeal
Posição	Angular
Fisiologia	Joelhos, ossos
Lugares	Local de trabalho, lar, prédios oficiais, tribunais
Cores	Vermelho, branco
Palavras-chave	Ambiente mais amplo, vida pública, *status* social, ambição, pais, profissão, negócio ou profissão, reconhecimento, figuras de autoridade

Aquilo pelo que se luta

A décima casa é o ponto em que tentamos deixar a nossa marca no mundo. Indica o que desejamos conquistar, não apenas no mundo material mas também nas esferas intangíveis. Os planetas nessa casa e o signo na cúspide indicam o grau de motivação para lutar pelo sucesso. Com Saturno nessa posição, o progresso é lento mas constante, enquanto Marte mira diretamente o topo e o Sol precisa brilhar. Em termos de décima casa, a carreira tem que causar impacto. Essa casa pode indicar a profissão seguida, mas isso depende também de outros fatores no mapa. Marte e

A décima casa representa muitas vezes o pai ou cuidador.

Áries são tradicionalmente associados a profissões agressivas, Mercúrio e Gêmeos a profissões que envolvem a escrita. Saturno e Capricórnio sugerem um professor ou um defensor da lei, Júpiter, Sagitário ou Peixes, um agente de viagens ou um ator.

Pais

A décima casa é uma das casas relacionadas aos pais (a outra é a quarta). No passado, era associada ao pai, que era quem interagia com o mundo. Agora, como a mãe também participa do condicionamento social da criança, a décima casa é associada a ela também. Ela representa especialmente quem tem mais influência sobre a escolha da profissão e impulsiona o movimento para o topo, seja essa figura o pai ou a mãe. A escolha da profissão pode ser uma forma de buscar a aprovação do pai ou da mãe e, nesse caso, é isso que será indicado pelo signo e pelos planetas. A casa indica também a experiência com figuras de autoridade em geral, e as expectativas construídas em torno delas.

DÉCIMA PRIMEIRA CASA

Esfera	Comunidade
Polaridade	Masculina
Elemento	Ar
Qualidade	Fixa
Posição	Sucedente
Fisiologia	Pernas, tornozelos
Lugares	Reuniões sociais e tribais, o local de trabalho
Cor	Amarelo profundo
Palavras-chave	Atividades em grupo, sociedade, amigos, esperanças, desejos, aspirações, consciência social

Consciência social

A décima primeira casa é onde o senso de identidade se estende a um grupo, que pode ser a família estendida, a classe profissional, a tribo ou a raça. Essa é a casa da vida em grupo e da sociedade organizada, na qual a consciência social se desenvolve, as regras que governam a conduta humana são examinadas e a mudança é efetuada, caso seja necessário. Assim, os planetas situados na décima primeira casa indicam o grau de adaptação da pessoa à sociedade. Solitários, os planetas e os signos introspectivos acham difícil sair dos confins de si mesmos para participar do grupo, enquanto os planetas e signos extrovertidos acolhem rapidamente essa extensão de si mesmos.

Tradicionalmente, a décima primeira casa é também o domínio das esperanças e dos desejos. É aquilo que se deseja pelo bem da sociedade. Para quem tem consciência social, o sonho é o bem da comunidade mas, para quem ainda não desenvolveu essa consciência e nem o senso de integração social, os sonhos giram em torno do Eu.

A integração no contexto maior

A décima primeira casa é onde a pessoa se vê refletida nos olhos do grupo e reconhece o seu lugar nesse contexto maior. Os grupos podem ser fonte de conflitos ou oferecer oportunidades para encontrar soluções. Plutão na décima primeira casa sugere lutas pelo poder dentro do grupo – ou sobre ele. Mas essa casa pode também ser um lugar de amizade e aceitação, que facilita a cooperação em nome de um objetivo coletivo. Nela, o grupo pode ir além da convenção aceita para atingir uma consciência maior.

A décima primeira é a mais sociável das casas.

DÉCIMA SEGUNDA CASA

Esfera	Reintegração
Polaridade	Feminina
Elemento	Água
Qualidade	Mutável
Posição	Cadente
Fisiologia	Pés, dedos dos pés
Lugares	Prisões, instituições
Cor	Verde
Palavras-chave	Retorno, karma, segredos de família, inimigos ocultos, reconexão, confinamento, reparação, sacrifício, rendição, instituições, o inconsciente coletivo

Volta ao todo

A décima segunda casa é a casa dos segredos. Nela, a alma tem a oportunidade de restabelecer a conexão com o todo e trazer à luz da consciência tudo o que antes estava obscurecido. É onde a tarefa de reintegração é concluída, o limite da individualidade se dilui e o Eu retorna ao todo coletivo. Esse retorno ao todo pode ser voluntário ou involuntário. Essa é também a casa das instituições, da loucura e da desintegração, do engano e da ilusão, dos segredos de família. É possível cair num desvio e se ver em meio a uma névoa, onde a psique não sabe mais onde está e nem quem é. Se a alma ainda não estabeleceu um forte senso de identidade, nada há para retornar ao todo a não ser ilusões, que podem então prevalecer. Por outro lado, se foi construído um forte senso de individualidade, voltar a se fundir ao todo pode ser um processo doloroso. Esse é um lugar de reparação de erros passados. Muito depende do signo e dos planetas situados na décima segunda casa – e também desse retorno, que pode ser construtivo ou destrutivo.

A décima segunda é uma casa de mistério e segredo.

Karma

A décima segunda é a casa do karma e das vidas passadas, onde estão os resultados das ações passadas, individuais e coletivas. Os planetas que espreitam nessa casa indicam o tipo de karma envolvido, como ele pode ser resgatado, as questões que a alma está enfrentando, os impulsos e reações inconscientes que precisam ser controlados.

O Sol indica karma referente ao pai. A Lua indica a mãe, Mercúrio a mente, Vênus o amor, Marte a agressividade, Quíron a mágoa, Urano a rebelião, Netuno as ilusões e Plutão o poder. Saturno sugere uma pesada carga kármica, enquanto Júpiter é o velho sacerdote ou o excesso.

Os aspectos

As relações geométricas entre os planetas, medidas no círculo do zodíaco, são conhecidas como aspectos. Um aspecto é a distância angular entre o grau de um planeta e o grau de outro, indicados pelas linhas que cruzam o mapa natal. Os aspectos criam uma rede que aproxima diferentes impulsos planetários, ligando duas "substâncias" diferentes para formar uma reação em cadeia que altera sutilmente – ou drasticamente – o funcionamento das energias planetárias.

Como um processo psicológico em movimento, os aspectos revelam se as energias planetárias são acentuadas ou frustradas. Isso é particularmente perceptível quando o aspecto é entre um planeta interior e um exterior. As energias planetárias em questão podem se combinar num único impulso ou pode haver conflito entre duas necessidades opostas. Como regra geral, os aspectos "fáceis" permitem que as energias planetárias fluam melhor, enquanto os aspectos "difíceis" põem as energias planetárias em conflito. Mesmo que o aspecto seja negativo, o potencial de expressão construtiva daquela determinada combinação de energias está sempre lá.

LOCALIZAÇÃO DOS ASPECTOS

Medidas dos aspectos

A cada um dos 12 signos do zodíaco astrológico correspondem 30°. Um planeta situado a 0° de Sagitário, exemplo, cai bem no início – na cúspide – de Sagitário, já um planeta a 29° e 59' de Sagitário cai quase no fim desse signo (as divisões que formam um grau são conhecidas como minutos).

Para descobrir se dois planetas estão "em aspecto" – podem não estar – determine a posição de cada um deles em graus. Quando formam um aspecto – quando o ângulo, ou número de graus entre eles na roda do zodíaco, é significativo –, os planetas são ligados no mapa por uma linha. Alguns aspectos têm muito mais influência que outros.

Quando os planetas estão situados dentro do mesmo elemento, o aspecto entre eles é uma conjunção ou um trígono. Quando estão situados na mesma qualidade, o aspecto é uma quadratura ou uma conjunção. Os aspectos de oposição aproximam energias planetárias de lados opostos do zodíaco.

Os aspectos às vezes ocorrem "fora de signo", o que significa que os planetas em questão ativam elementos ou qualidades diferentes, causando um choque. Esses aspectos são muito difíceis de integrar.

Orbes

Um aspecto é chamado "exato" quando os dois planetas estão situados no mesmo grau – um planeta a 15° de Touro formaria, assim, uma quadratura exata com um planeta a 15° de Leão. Mas os astrólogos prevêem uma margem (ou orbe) ao fazer as suas medidas, de modo que um aspecto não precisa ser exato para existir. Em geral, o orbe (a sobreposição de posições planetárias) é de 8° para conjunção, trígono, quadratura e oposição, ou seja: um planeta situado a 15° formaria um desses aspectos com qualquer planeta situado entre 7 e 23° de um signo, exceto os imediatamente adjacentes de ambos os lados. O orbe para um sextil é de 6°, e de 2° para todos os aspectos menores. A astrologia tradicional concede ao quincunce um orbe de 8°, já que se trata de um aspecto kármico maior.

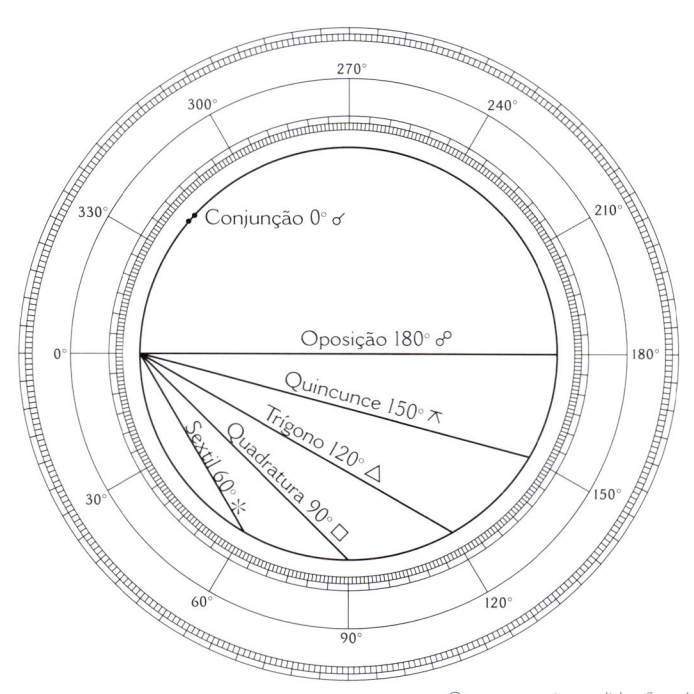

Os aspectos são medidos fora do círculo zodiacal, mas as linhas traçadas cruzam o centro.

ASPECTOS MENORES E MAIORES

Os aspectos são classificados em maiores e menores, ou principais e secundários. As relações definidas pelos aspectos maiores têm um efeito mais forte sobre o fluxo das energias planetárias.

ASPECTOS MENORES

Semi-sextil 30°
Esse aspecto um tanto estressante une dois signos sem relação natural. A energia resultante é muitas vezes sentida por meio do comportamento dos outros e não da própria pessoa.

Semi-quadratura 45°
Outro aspecto de tensão, com a natureza de uma quadratura, mas de efeito mais fraco.

Quintil 72°
Aspecto unidirecionado que indica potencial, talvez um gênio na esfera mental.

Sesquiquadratura 135°
Outro aspecto de tensão: tem a natureza de uma quadratura, mas com efeito mais fraco.

Biquintil 144°
Aspecto harmonioso, mas fraco, de promessa e potencial.

ASPECTOS MAIORES

Conjunção 0°

☌

Essa relação aproxima as energias planetárias de maneira imediata, o que funciona bem quando os planetas são harmoniosos. Quando eles representam energias incompatíveis, a conjunção gera stress. Quando o orbe é estreito, a energia de um planeta pode sobrepujar a do outro.

Sextil 60°

✶

Tradicionalmente um aspecto de conforto e harmonia, considerado menos poderoso do que outros aspectos maiores, a combinação de energias no sextil gera pouco stress. Mas a relação pode ser tão confortável que deixa de ser produtiva, passando a ser uma fonte de conflito e tensão.

Quadratura 90°

□

Um aspecto de tensão óbvia, onde os planetas ficam em desacordo entre si. Esse aspecto pode impor uma questão ou lançar um desafio. Pode ter um efeito energizante ou criar um bloqueio, dependendo dos planetas envolvidos.

Trígono 120°

△

Aspecto fluente que em geral liga o mesmo elemento, o trígono harmoniza as energias. Embora reúna potencial, tende a ser vagaroso, precisando de um trânsito (planeta que passa) que o anime. O desafio que oferece diz respeito ao melhor modo de expressão do potencial.

Quincunce 150°

⚻

Ponto de tensão e aprendizado, o quincunce aproxima energias discordantes que precisam ser integradas e equilibradas.

Oposição 180°

☍

Esse aspecto solta faíscas de tensão dinâmica quando as energias dos planetas se encontram de frente. Quando aproxima energias conflitantes, a tensão força uma resolução. Quando aproxima energias compatíveis, a interação é revigorada e fortalecida.

PADRÕES DE ASPECTOS

Aspectos que se repetem, ou combinações de aspectos diferentes, criam padrões facilmente reconhecíveis num mapa. O efeito desses padrões é perceptível, dependendo dos planetas envolvidos. Em geral, traz um desafio para integrar as energias planetárias e usá-las com sabedoria.

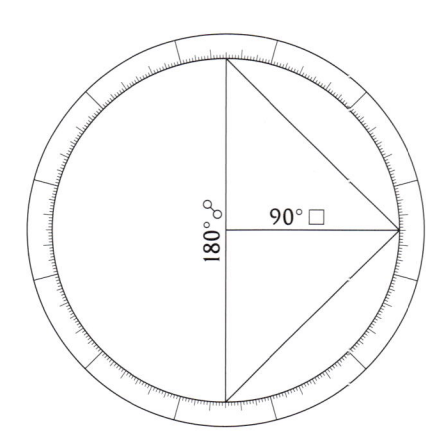

Quadratura-T *Dois planetas em oposição e em quadratura com um terceiro: um padrão de tensão que pressiona a "perna que falta".*

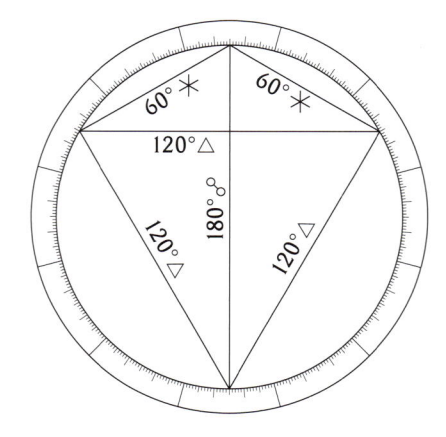

Pipa *A adição de uma oposição ao grande trígono aumenta a tensão e a possibilidade de um escape construtivo para as energias envolvidas.*

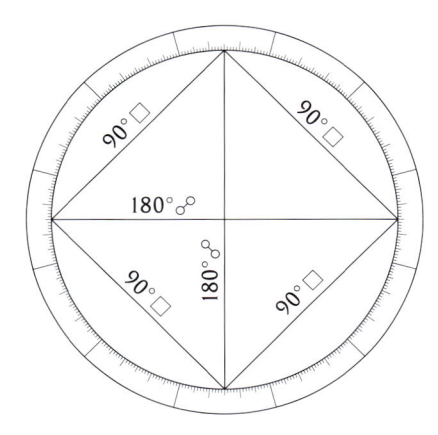

Grande cruz Duas oposições ligadas por quatro quadraturas: um padrão tenso que indica o que vai se enfrentar na vida, mas com potencial para o sucesso.

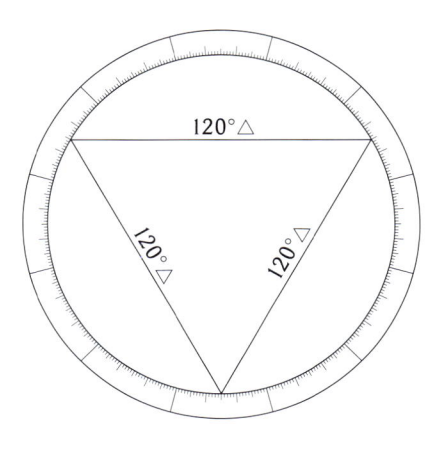

Grande trígono Três trígonos ligados: um padrão fluente de grande potencial, embora a energia possa ficar fluindo em círculos, sem encontrar um escape.

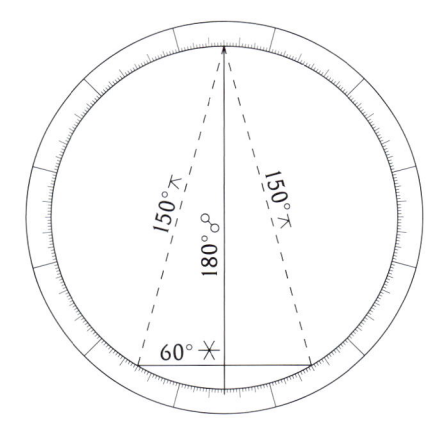

Dedo do destino Dois quincunces ligados por um sextil: um padrão tenso que exige integração. Quando um planeta está em oposição à "ponta", a liberação é mais fácil.

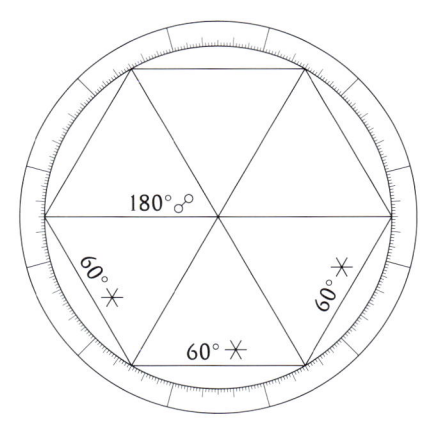

Grande sextil Um aspecto fluente de grande potencial, que pode no entanto causar uma tensão considerável caso a energia não seja liberada.

PLANETAS EM ASPECTO

A natureza do aspecto – fluente ou difícil – afeta a expressão das energias planetárias.

☉ ASPECTOS DO SOL

Sol com a Lua A necessidade inconsciente de agir conforme antigos padrões e instintos encontra a necessidade consciente de crescer e de se expressar. Esse aspecto indica também o tipo de experiência que se tem com os pais.
Expressão positiva: natureza assentada e harmonia no lar.
Expressão negativa: conflito interior relativo a hábitos arraigados, emoções turbulentas e relações difíceis com os pais.

Sol com Mercúrio Necessidade de se comunicar e de se expressar.
Expressão positiva: personalidade criativa e com forte auto-expressão.
Expressão negativa: arrogância mental, sentimento de opressão e exaustão.

Sol com Vênus Necessidade de amor.
Expressão positiva: pessoa artística, afetuosa e sedutora, que busca ativamente uma relação e que floresce quando há intimidade e afeto.
Expressão negativa: vaidade egocêntrica.

Sol com Marte Necessidade de se afirmar.
Expressão positiva: pessoa corajosa, enérgica e assertiva, com uma constituição excelente e uma forte libido.
Expressão negativa: pessoa impaciente, atrevida e belicosa, com uma tendência egoísta a trabalhar demais e um impulso sexual excessivo.

Sol com Júpiter Necessidade de se expandir.
Expressão positiva: personalidade inspirada, bem-humorada, generosa, otimista e de muita sorte.
Expressão negativa: imprudência, exagero, falta de discernimento, presunção e extravagância.

Sol com Saturno Necessidade de se controlar.
Expressão positiva: personalidade disciplinada, conscienciosa, cheia de recursos, persis-

tente e controlada.
Expressão negativa: depressão, inibição, baixa auto-estima; relação ruim com o pai; separação física ou emocional; uma criança que é amada só por suas conquistas. Circunstâncias de vida difíceis.

Sol com Quíron Necessidade de recuperar a auto-imagem.
Expressão positiva: vocação para a cura; melhora da relação com o pai.
Expressão negativa: mágoas no início da vida prejudicam a percepção de si mesmo; pode indicar um pai que foi magoado.

Sol com Urano Necessidade de liberdade e independência.
Expressão positiva: pessoa não-convencional, original, idealista e intuitiva, com queda para a ciência e para a compreensão de vibrações sutis.
Expressão negativa: disrupção; personalidade caótica e teimosa; solidão excêntrica ou genialidade mal dirigida.

Sol com Netuno Necessidade de transcender.
Expressão positiva: pessoa imaginativa, sensível, artística e intuitiva, atraída pelo lado espiritual da vida.
Expressão negativa: personalidade vaga, confusa e impressionável; ilusão, escapismo, vício ou sacrifício inútil de si mesmo.

Sol com Plutão Necessidade de se transformar.
Expressão positiva: personalidade dinâmica, dedicada à transformação de tudo o que está superado. O desafio é aceitar o próprio poder.
Expressão negativa: obstinação, paranóia ou dedicação ao avanço a qualquer custo ou à eliminação implacável.

Sol com Nodo Norte Necessidade de evoluir.
Expressão positiva: energia para desenvolver as qualidades positivas do signo solar e seguir o propósito da alma.
Expressão negativa: ênfase no lado menos produtivo e mais egoísta do signo solar.

☽ ASPECTOS DA LUA

Lua com Mercúrio Necessidade de comunicar sentimentos.
Expressão positiva: alguém que expressa sentimentos com eloqüência, que consegue perceber os sentimentos dos outros com precisão e que tem excelente memória.
Expressão negativa: alguém que vive no passado e faz suposições com base em emoções superadas; memória fraca; hábitos mentais arraigados.

Lua com Vênus Necessidade de um ninho.
Expressão positiva: pessoa sociável e agradável, afetuosa e voltada para o lar, para a família e para as artes.
Expressão negativa: indecisão, apego ao passado, necessidades emocionais confusas.

Lua com Marte Necessidade de exteriorizar sentimentos.
Expressão positiva: personalidade robusta, apaixonada e emocionalmente corajosa.
Expressão negativa: mau humor, intolerância; natureza irascível, propensa a batalhas emocionais; os pais podem estar em conflito.

Lua com Júpiter Necessidade de "mais".
Expressão positiva: natureza generosa e otimista, que atrai boa sorte.
Expressão negativa: extravagância, necessidade constante de mais resultados; compulsões e obsessões (incluindo distúrbios alimentares).

Lua com Saturno Necessidade de controle emocional.
Expressão positiva: pessoa fiel e confiável, que assume responsabilidades de boa vontade e as leva até o fim.
Expressão negativa: falta de auto-estima, dificuldade para expressar emoções, sensação de ser esmagado pelas responsabilidades; mãe fisicamente ou emocionalmente distante; homens atraídos por mulheres mais velhas; necessidade de um lar estável; relacionamentos difíceis com mulheres; arquétipo da mãe controladora.

Lua com Quíron Necessidade de curar emoções feridas. Indica uma mãe que oferece cura e bem-estar ou a necessidade de transformar padrões matriarcais.
Expressão positiva: potencial para integração e cura emocional; um canal para a melhora coletiva. Uma Lua alquímica que incorpora sentimentos à dimensão espiritual.
Expressão negativa: insegurança emocional; mágoa emocional, causada especificamente pela mãe ou por outras mulheres; sensibilidade extrema e abertura a influências e interferências de fora.

Lua com Urano Necessidade de expressão individual das emoções.
Expressão positiva: personalidade intuitiva e emocionalmente independente, que precisa de liberdade pessoal e passa por muitas conturbações emocionais na vida.
Expressão negativa: terrorismo emocional, caos, frieza, inconfiabilidade; possíveis transtornos psiquiátricos explosivos; rompimentos improdutivos com o passado; mãe imprevisível ou emocionalmente distante.

Lua com Netuno Necessidade de empatia; busca da mãe perfeita.
Expressão positiva: pessoa altamente imaginativa e artística, como um visionário ou um místico; compaixão e tendência a se sacrificar; desejo por algo "maior"; quer refinar os sentimentos.
Expressão negativa: extrema sensibilidade emocional, fantasias pouco realistas ou escapismo; figura materna idealizada, indisponível.

Lua com Plutão Necessidade de transformação emocional.
Expressão positiva: capacidade mediúnica e de cura, emoções intensas sob a superfície; necessidade de envolvimento emocional por parte da família e de um ambiente favorável; a energia emocional pode ser usada de maneira construtiva ou destrutiva para atingir a total transformação.
Expressão negativa: trauma e drama emocional, abandono e rejeição; arquétipo da "mãe devoradora".

Lua com Nodo Norte Necessidade de retrabalhar o passado.
Expressão positiva: as qualidades positivas do signo são reforçadas e dirigidas para o crescimento da alma.
Expressão negativa: o passado impede o crescimento e a evolução da alma.

☿ ASPECTOS DE MERCÚRIO

Mercúrio com Vênus Necessidade de expressar afeição.
Expressão positiva: pessoa afetuosa, cativante e justa, que expressa sentimentos com eloqüência.
Expressão negativa: excesso de racionalização que leva a categorizar os sentimentos.

Mercúrio com Marte Necessidade de se afirmar mentalmente; vontade de saber.
Expressão positiva: personalidade incisiva, vigorosa e decidida, com jeito para pesquisa.
Expressão negativa: sarcasmo, irritabilidade, excesso de trabalho e exaustão.

Mercúrio com Júpiter Necessidade de expandir a mente.
Expressão positiva: personalidade otimista e filosófica, que tem sede de conhecimento e é aberta a novas idéias.
Expressão negativa: visões extremadas, exageradas; generalizações excessivas; falta de discernimento; possíveis dificuldades com a lei.

Mercúrio com Saturno Necessidade de se adequar mentalmente às normas.
Expressão positiva: personalidade séria, conservadora, com excelente concentração e raciocínio lógico; gosta de segurança e rotina.
Expressão negativa: padrões rígidos de pensamento, bloqueios na comunicação, auto-expressão inibida, falta de confiança nas próprias idéias.

Mercúrio com Quíron Necessidade de curar a mente.
Expressão positiva: mente original, intuitivamente lógica, com uma profunda compreensão das causas das doenças; potencial para ensinar; alguém que faz com que as coisas aconteçam como que por mágica.
Expressão negativa: dificuldade de comunicação, doença psicossomática, atitudes e convicções arraigadas; potencial para ser ridicularizado.

Mercúrio com Urano Necessidade de atingir a iluminação mental.
Expressão positiva: mente livre e intuitiva, com forte poder inventivo, afinada com soluções e inovações tecnológicas.
Expressão negativa: incapacidade de se concentrar, idéias pouco práticas, excentricidade, grave tensão nervosa.

Mercúrio com Netuno Necessidade de atingir a iluminação espiritual.
Expressão positiva: pessoa imaginativa, artística, idealista, visionária.
Expressão negativa: mentalidade "cabeça nas nuvens"; ingenuidade, confusão, escapismo.

Mercúrio com Plutão Necessidade de domínio mental.
Expressão positiva: mente perceptiva, penetrante e poderosa, propensa ao humor negro.
Expressão negativa: ânimo sombrio, fanatismo, obstinação, manipulação, coerção e conversão forçada; possibilidade de neurose profunda.

Mercúrio com Nodo Norte Necessidade de evoluir mentalmente.
Expressão positiva: mente dirigida ao crescimento e ao propósito espiritual; abertura para novas idéias.
Expressão negativa: a mente expressa as qualidades negativas do signo e a evolução é prejudicada.

♀ ASPECTOS DE VÊNUS

Vênus com Marte Necessidade de unir o masculino e o feminino.
Expressão positiva: sensualidade e sentimentos apaixonados. Idealismo romântico; alguém que demonstra afeição com facilidade.
Expressão negativa: dificuldade nos relacionamentos, erotismo excessivo, desejo de gratificação pessoal; conflito entre os pais.

Vênus com Júpiter Necessidade de crescer por meio do amor.
Expressão positiva: pessoa ardente, cativante, sociável, hospitaleira.
Expressão negativa: egoísmo, exigências emocionais excessivas, vulgaridade, exagero.

Vênus com Saturno Necessidade de controle emocional.
Expressão positiva: personalidade afetuosa, fiel e socialmente responsável.
Expressão negativa: mau gênio, frieza, solidão; desilusão no amor; alguém que não se acha digno de amor.

Vênus com Quíron Necessidade de relações com potencial de cura.
Expressão positiva: relações que curam a dor emocional.
Expressão negativa: abuso e mágoa na convivência, especialmente abuso emocional.

Vênus com Urano Necessidade de independência emocional.
Expressão positiva: encanto magnético; independência emocional construtiva; excelente amigo e companheiro.
Expressão negativa: fobia ao envolvimento, isolamento emocional, ambigüidade e ambivalência sexual, tendência a amizades e valores pouco convencionais, envolvendo ambivalência e ambigüidade sexual.

Vênus com Netuno Necessidade de amor incondicional.
Expressão positiva: personalidade artística, romântica, intuitiva e idealista; a alma pratica o amor incondicional.
Expressão negativa: idealização e idolização, decepção e co-dependência; alguém que busca o amor perfeito e só encontra ilusões.

Vênus com Plutão Necessidade de poder emocional.
Expressão positiva: sentimentos intensos, profundos; personalidade carismática e magnética, que busca poder emocional construtivo.
Expressão negativa: obsessões e neuroses; manipulação, reserva; alguém que busca poder emocional destrutivo e é excessivamente carente.

Vênus com Nodo Norte Necessidade de evoluir através da relação com o outro.
Expressão positiva: os relacionamentos são uma rica fonte de evolução e crescimento.
Expressão negativa: antigos padrões de relacionamento ou valores superados atrapalham o crescimento.

♂ ASPECTOS DE MARTE

Marte com Júpiter Necessidade de manifestar.
Expressão positiva: pessoa expansiva e entusiasta, que atrai a abundância e tem capacidade de manifestar o que é necessário.
Expressão negativa: ganância, complexo de superioridade, especulação irrefletida, expectativas negativas; jogo compulsivo.

Marte com Saturno Necessidade de afirmação controlada.
Expressão positiva: assertivo, trabalhador, vontade concentrada.
Expressão negativa: sentimentos de impotência e desamparo; inconsistência; bloqueios e protelações.

Marte com Quíron Necessidade de curar a vontade.
Expressão positiva: pessoa dinâmica com potencial para energizar os outros.
Expressão negativa: transtornos compulsivos, vontade ferida, desordem.

Marte com Urano Necessidade de ter vontade própria.
Expressão positiva: personalidade individualizada, empreendedora e enérgica, possivelmente com coragem fanática.
Expressão negativa: Teimosia exagerada; rebeldia; pessoa imprevisível, irritável, propensa a acidentes.

Marte com Netuno Necessidade de espiritualizar a vontade.
Expressão positiva: pessoa altamente imaginativa, artística ou musical.
Expressão negativa: não prático, medos irracionais; probabilidade de vício.

Marte com Plutão Necessidade de poder.
Expressão positiva: personalidade dinâmica, agressiva, altamente sexuada, com forte instinto de sobrevivência; envolvimento com uma causa.
Expressão negativa: abuso e mau uso do poder; temperamento explosivo, raiva enterrada; possibilidade de dedicação fanática a uma causa.

Marte com o Nodo Norte Necessidade de evolução da vontade.
Expressão positiva: vontade e afirmação expressas de maneira construtiva através da energia do signo e da casa.
Expressão negativa: vontade e asserção expressas negativamente através do signo e da casa.

♃ ASPECTOS DE JÚPITER

Júpiter com Saturno Dilema expansão-contração.
Expressão positiva: sabedoria inata, ampliação das fronteiras, crescimento através da espiritualidade prática.
Expressão negativa: incapacidade de aceitar limitações pessoais, que gera depressão, compulsão alimentar, jogo ou consumo compulsivo; alguém que oscila entre a sovinice e o esbanjamento.

Júpiter com Quíron Crescimento por meio da dor.
Expressão positiva: capacidade de superar a dor do passado e de crescer por meio dela; capacidade de inspirar os outros.
Expressão negativa: dor causada por um sistema de crenças muito frágil; alguém propenso a excessos dolorosos.

Júpiter com Urano Necessidade de explorar novos horizontes.
Expressão positiva: expansão disciplinada; otimismo; pessoa aventureira, com idéias originais e a mente independente.
Expressão negativa: tendências anti-sociais; necessidade constante de variedade.

Júpiter com Netuno Imaginação irrestrita.
Expressão positiva: pessoa criativa, intuitiva, filosófica e compassiva, possivelmente com visão religiosa.
Expressão negativa: fantasia escapista, busca de sensações, tendência a se sacrificar por grandes causas, dispersão.

Júpiter com Plutão Crescimento através da transformação de si mesmo.
Expressão positiva: capacidade de se regenerar, especialmente através de transformação radical.
Expressão negativa: desejo avassalador de poder pessoal como compensação pela falta de adequação.

Júpiter com o Nodo Norte Necessidade de expansão pessoal e espiritual.
Expressão positiva: crescimento sem esforço.
Expressão negativa: o desejo de crescer leva a um comportamento descontrolado.

♄ ASPECTOS DE SATURNO

Saturno com Quíron Necessidade de romper amarras.
Expressão positiva: potencial para curar o karma, canalizando a energia de cura para a terra e resolvendo padrões ancestrais negativos.
Expressão negativa: sensação de medo e isolamento sem saída.

Saturno com Urano Dilema entre mudança e preservação: um objeto imóvel encontra uma força irresistível.
Expressão positiva: personalidade inovadora, original, ambiciosa e determinada, que desafia construtivamente o *status quo*.
Expressão negativa: oscila entre ordem e caos; autoritarismo ou anarquia; ideologias extremas ou crueldade; transtorno bipolar.

Saturno com Netuno Dilema entre misticismo e pragmatismo.
Expressão positiva: transcendência do que é conhecido; imaginação disciplinada e misticismo prático.
Expressão negativa: falta de senso prático; oscila entre a consciência pragmática e o escapismo, o que leva à frustração emocional e à neurose.

Saturno com Plutão Necessidade de transcender limitações.
Expressão positiva: profundo desejo de se aperfeiçoar e de superar as emoções fortes; construtivamente controlado e poderoso.
Expressão negativa: obsessão, compulsão, violência, medo da aniquilação, autocontrole destrutivo; um estado totalitário.

Saturno com o Nodo Norte Necessidade de evolução disciplinada.
Expressão positiva: caminho de evolução pessoal sincero e dedicado.
Expressão negativa: convicções e limites falsos que atrapalham a evolução.

⚷ ASPECTOS DE QUÍRON

Quíron com Urano Necessidade de curar o caos.
Expressão positiva: um senso singular de individualidade e transformação inevitável.
Expressão negativa: excentricidade e caos.

Quíron com Netuno Necessidade de curar ilusões.
Expressão positiva: alguém que renuncia às ilusões, que tem compaixão, visão e disposição para se sacrificar; karma redentor e possibilidade de cura coletiva.
Expressão negativa: auto-imolação, tendência a ser bode expiatório; supersensibilidade; crucificação emocional.

Quíron com Plutão Necessidade de encontrar o sentido profundo e a cura.
Expressão positiva: potencial para resolver questões relativas ao poder e à degradação ambiental; resolução de padrões ancestrais; canalização ou transformação da energia proveniente do nível coletivo.
Expressão negativa: abuso ambiental, abuso de poder; crescimento bloqueado até a morte do pai (ou mãe) déspótico.

Quíron com o Nodo Norte Necessidade de curar feridas kármicas.
Expressão positiva: um caminho dedicado à cura e à integração de padrões kármicos; vocação para a cura.
Expressão negativa: mágoas do passado impedem o crescimento pessoal.

⛢ ASPECTOS DE URANO

Urano com Netuno Necessidade de transcendência visionária.
Expressão positiva: inspiração e criatividade dinâmica; personalidade altamente intuitiva, imaginativa, inventiva e espiritualmente inspirada, aberta a novas tecnologias; desejo de introduzir a mudança.
Expressão negativa: decepção consigo mesmo, neurose, caos.

Urano com Plutão Necessidade de mudança dinâmica.
Expressão positiva: grande potencial para mudança criativa.
Expressão negativa: potencial para destruição violenta em grande escala.

♆ ASPECTOS DE NETUNO

Netuno com Plutão Necessidade de crescimento evolutivo.
Expressão positiva: potencial de transformação visionária, capaz de alterar a consciência espiritual coletiva ou de causar uma revolução pessoal; intensidade emocional.
Expressão negativa: colapso religioso ou ideológico; revolta, caos, confusão; desintegração como que causada por forças externas.

Netuno com o Nodo Norte Necessidade de espiritualizar o caminho do crescimento pessoal.
Expressão positiva: um caminho espiritual ajuda o crescimento da alma.
Expressão negativa: a alma encontra ilusões que se fazem passar por um caminho de evolução; falta total de fundamento.

♇ ASPECTOS DE PLUTÃO

Plutão com o Nodo Norte Necessidade de transformação evolutiva.
Expressão positiva: dedicação total ao caminho da transformação e ao crescimento por meio da capacitação.
Expressão negativa: desejo de poder e domínio sobre os outros.

CONJUNÇÕES COM OS ÂNGULOS

Sol no Ascendente personalidade forte que acentua as qualidades do Ascendente, mas que pode ser egocêntrica.

Sol no Descendente alguém que se expressa por meio do relacionamento.

Sol no MC forte necessidade de deixar uma marca no mundo; pode indicar egocentrismo.

Sol no IC uma pessoa voltada para o lar, que precisa de raízes.

Lua no Ascendente personalidade reflexiva e suscetível ou reacionária.

Lua no Descendente alguém cujo passado e cujas emoções matizam o atual relacionamento.

Lua no MC desejo de cuidar do mundo por meio das qualidades do signo.

Lua no IC alguém com profundo apego ao lar e à família.

Mercúrio no Ascendente personalidade cerebral, que consegue se expressar e que pode ser inquieta e irritável.

Mercúrio no Descendente a comunicação e o companheirismo são mais importantes para essa personalidade do que o amor.

Mercúrio no MC o ego precisa se expressar para o mundo por meio das palavras.

Mercúrio no IC criança que expressa os sentimentos da família.

Vênus no Ascendente pessoa cativante, afetuosa, de fácil convívio, que se mistura ao ambiente.

Vênus no Descendente a relação a dois é muito importante e precisa ser harmoniosa.

Vênus no MC alguém que exerce uma influência artística ou agradável sobre o mundo.

Vênus no IC criança que precisa de uma família harmoniosa e amorosa.

Marte no Ascendente personalidade vigorosa, que pode ser egoísta e de "pavio curto".

Marte no Descendente possibilidade de conflitos com o parceiro ou parceria dinâmica.

Marte no MC alguém que tem uma influência dinâmica sobre o mundo.

Marte no IC criança que pode vivenciar conflitos dentro da família.

Júpiter no Ascendente ou MC desejo de crescer e de se expandir, que em geral é realizado, mas que pode ser hedonista.

Júpiter no Descendente crescimento por meio de parcerias.

Júpiter no IC a família ajuda no crescimento.

Saturno no Ascendente ou MC alguém que causa um impacto controlador ou controlado sobre o mundo.

Saturno no Descendente um parceiro mais velho e controlador. A parceria é kármica.

Saturno no IC pais controladores ou lar restritivo.

Quíron no Ascendente ou MC uma vocação de cura ou uma personalidade ferida.

Quíron no Descendente necessidade de curar mágoas vindas de relacionamentos.

Quíron no IC um ambiente doméstico sofrido ou uma criança que não se sente à vontade em casa.

Urano no Ascendente ou MC o carismático causador do caos ou da revolução.

Urano no Descendente problemas de envolvimento; potencial para vários parceiros.

Urano no IC um lar mutável e imprevisível.

Netuno no Ascendente ou MC difícil de ver, como que observado através da neblina; sensibilidade extrema ao ambiente.

Netuno no Descendente o parceiro é idealizado e pode não ser o que parece ser.

Netuno no IC os pais são idealizados e podem não ser o que parecem ser; segredos de família.

Plutão no Ascendente ou MC pessoa intensa e um tanto obsessiva, voltada para ao poder.

Plutão no Descendente lutas pelo poder dentro de uma relação.

Plutão no IC pais controladores e fortes.

PLANETAS SOLITÁRIOS

Um planeta que não forma um par numa relação aspectual com outro planeta, aparecendo sozinho no mapa, é conhecido como planeta solitário ou sem aspecto e pode não aparecer na fachada superficial da personalidade. Não é que a energia planetária esteja ausente mas, sem ligação com o todo, não consegue se manifestar. Um planeta sem aspecto espera a sua hora e então emerge, em geral de maneira explosiva e em aparente desacordo com o resto. Esses solitários poderosos são uma influência oculta no mapa. Quando são planetas dinâmicos, como o Sol, Marte, Urano ou Plutão, representam fortes impulsos inconscientes atuando na personalidade. Quando são passivos e receptivos, como a Lua, Vênus ou Netuno, absorvem prontamente as influências externas, mas têm dificuldade para liberá-las.

As energias planetárias sem aspecto são muitas vezes projetadas nos outros, como se reivindicassem a energia "perdida" por meio de um relacionamento. Um planeta sem aspecto pode representar também a personalidade de uma vida passada, que pode um dia irromper com muita força.

PLANETAS SEM ASPECTO

Sol sem aspecto A falta de senso de identidade e de confiança em si mesmo pode ser mascarada por um aparente egotismo ou por fanfarronice. Um Sol sem aspecto indica uma personalidade sem noção de si mesma: é como se duas pessoas habitassem a mesma pele.

Lua sem aspecto Emoções profundas continuam enterradas, mas um dia irromperão explosivamente. Forças inconscientes em conflito com a superfície da personalidade. Pessoa distante do lar, da família e dos sentimentos.

Mercúrio sem aspecto Os processos mentais podem ser potentes, de acordo com o signo, mas a expressão dos pensamentos é difícil, bloqueada ou inadequada.

Vênus sem aspecto As relações sociais e românticas são difíceis quando Vênus está sozinho. Se estiver situado num signo sensual ou social, o excesso de sociabilidade ou promiscuidade poderá ser usado para mascarar um sentimento de desconexão.

Marte sem aspecto A motivação é difícil e as explosões de raiva ou agressividade podem ser um problema caso Marte esteja isolado em Áries, Touro, Leão, Escorpião ou Capricórnio.

Júpiter sem aspecto Incapacidade de ligação com a abundância da vida; ou o lado exagerado do planeta se manifesta sem controle.

Saturno sem aspecto Fronteiras e limites são um desafio quando Saturno está sozinho, embora essa pessoa possa mostrar uma vontade determinada e uma forte disciplina.

Quíron sem aspecto Fortes mágoas de vidas passadas podem criar problemas até que se descubra a fonte e se encontre uma forma de cura e integração.

Urano sem aspecto Quando Urano está sozinho, o seu lado caótico e instável muitas vezes se manifesta. Pode ser alguém com dificuldade para expressar criativamente a própria genialidade ou brilhantismo.

Netuno sem aspecto Quando não encontra expressão para a sua energia mística, Netuno favorece o escapismo, a mediunidade descontrolada ou a autodestruição. Quando esses impulsos são canalizados construtivamente, surge um artista ou místico dedicado.

Plutão sem aspecto Sozinho, Plutão abre caminho para as compulsões ou obsessões. É preciso encontrar uma saída para os intensos ímpetos emocionais desse planeta para que não ocorra uma implosão.

FORMAS DO MAPA

A distribuição dos planetas dentro de um mapa pode parecer caótica mas, em geral, eles formam um padrão identificável. A forma que eles criam ilustra a experiência que se tem das energias planetárias (ver abaixo exemplos de mapas).

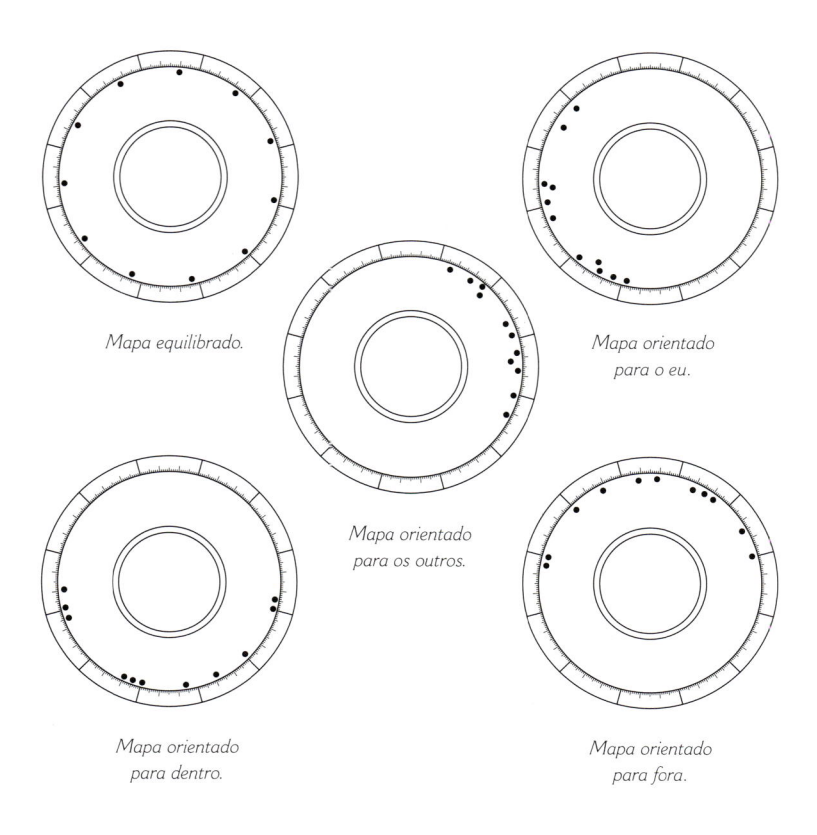

Mapa equilibrado.

Mapa orientado para o eu.

Mapa orientado para os outros.

Mapa orientado para dentro.

Mapa orientado para fora.

Equilibrado: distribuição uniforme dos planetas. A energia planetária flui em todas as áreas da vida. Essa distribuição contém um enorme potencial, mas as energias podem ser exauridas caso várias metas sejam perseguidas ao mesmo tempo.

Orientado para o eu: planetas na metade vertical próxima ao Ascendente. Um mapa natal com essa forma indica uma personalidade que preza a individualidade, especialmente quando em contato com o mundo (o quadrante superior do mapa).

Orientado para os outros: planetas na metade próxima ao Descendente. Aqui, a ênfase é na relação com o outro, considerado mais importante do que a própria pessoa.

Orientado para dentro: todos os planetas na metade de baixo. O fluxo de energia planetária é introvertido e tende para dentro.

Orientado para fora: planetas na metade de cima. A energia planetária está fluindo para o mundo, mas olha para o centro vazio e se pergunta o que tem ali.

Tigela: ocupa uma das metades do mapa. Dependendo do ângulo, a forma de tigela pode indicar uma personalidade receptiva. Uma tigela emborcada sugere alguém que olha para dentro de si mesmo em busca de sustento espiritual. Uma tigela num leve ângulo, que permite um reabastecimento constante, é o ideal.

Balde: uma tigela com um planeta que funciona como "alça", um condutor entre o eu e o mundo. Se receptivo, pode canalizar inspiração e sustento espiritual para dentro da tigela.

Feixe: todos os planetas contidos em quatro signos, ou 120°. Um feixe indica um especialista, concentrado nas áreas da vida onde os planetas estão. Mas sugere também unilateralismo ou potencial não realizado.

Gangorra: dois grupos de planetas, um à frente do outro. As energias planetárias dessa forma puxam em duas direções, indicando necessidade de equilíbrio em áreas conflitantes da vida.

Locomotiva: espalhados igualmente por oito signos, ou 240°. Essa forma deixa um setor vazio e sem expressão. O primeiro planeta tende a ser o mais ativo, puxando os outros atrás de si.

Splay: Grupos coesos de planetas em vários signos. Essa forma focaliza a atenção em várias áreas da vida, permitindo escolher qual delas será plenamente expressa.

Asas de anjo: dois triângulos que saem de um único planeta-base. Nessa apresentação, a alma encarnada quer se elevar acima do nível mundano do mapa, em direção à consciência superior (ver mapa na p. 291).

Dividido: planetas posicionados em duas áreas desconexas. Nessa distribuição, a energia está dividida, indicando uma personalidade que oscila entre as duas áreas.

Juntando

As diferentes facetas de um mapa astrológico são como peças de um quebra-cabeça. É só depois de examinar as peças e juntá-las que a figura inteira surge. Esse ato de interpretação e integração é a arte da astrologia: perceber o que é dominante e o que está sob a superfície. No mapa ou horóscopo, as energias mais fortes são em geral o Sol, o elemento fogo, os signos positivos e as qualidades cardeais ou fixas. O Ascendente e os planetas da primeira casa tendem a ser dominantes – à primeira vista. No nível inconsciente, a Lua, o IC ou a preponderân-

as peças

cia de um elemento, polaridade ou qualidade podem também exercer forte influência sobre o comportamento. Muito depende dos signos e elementos que são enfatizados no mapa e dos planetas que se fazem sentir. Um Ascendente fogo anula um Sol dominado pela água ou pelo ar – e um Ascendente terra dá uma expressão prática a um Sol que de outra maneira nada teria de prático, dada a influência da água ou do fogo. Os aspectos indicam se a força de um planeta se faz sentir plenamente ou se o seu poder está restrito.

COMO INTERPRETAR UM MAPA

A maioria dos astrólogos segue um padrão ao examinar um mapa pela primeira vez. Dividindo a interpretação em estágios simples, é possível perceber o que é dominante e o que é passivo, e detectar conflitos e contradições. Os principais temas presentes no mapa são agrupados para que se possa fazer uma síntese. Interpretação é uma combinação de análise e integração – com uma pitada de intuição para fermentar a mistura. Com a prática, avaliar um mapa se torna um processo automático, mas no começo é bom fazer anotações.

Os passos a seguir mostram como interpretar um mapa. Cada passo é acompanhado de um exemplo que se refere ao mapa da p. 291.

1 Forma Geral Examine a forma geral do mapa (ver p. 286) para determinar a atitude diante da vida e as áreas que estão ativadas.
Mapa do exemplo: A disposição dos planetas se inclina para o Ascendente, mas o mapa se divide em duas metades distintas. Formação "asas de anjo".

2 Equilíbrio dos elementos O equilíbrio ou desequilíbrio dos elementos podem indicar uma predileção por um determinado modo de perceber o mundo (ver pp. 124-35). Observe que Quíron e os Nodos não são levados em conta no equilíbrio de elementos, polaridades e qualidades.
Mapa do exemplo: A ênfase na Terra (4) fortalece os signos do Sol e da Lua, indicando uma predileção pela percepção prática, sensorial, que parte do corpo.

EXEMPLO DE MAPA
08H23, 21 DE SETEMBRO DE 1958, LONDRES

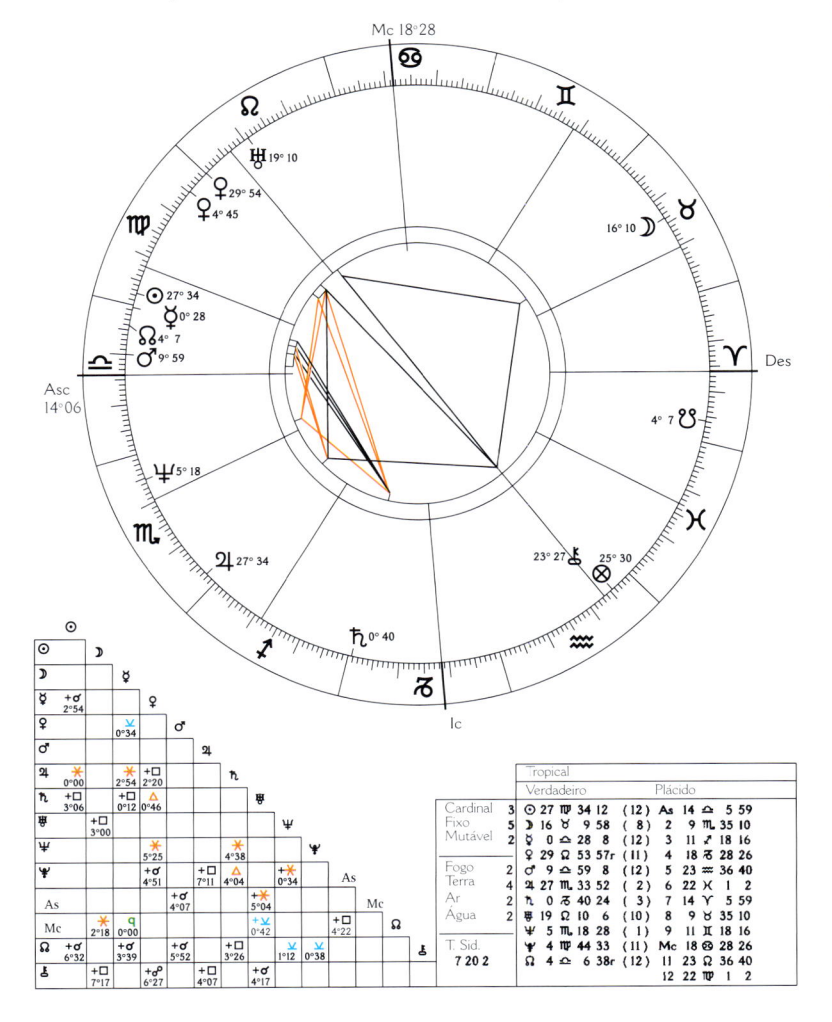

COMO INTERPRETAR UM MAPA

3 Polaridades Um mapa com planetas predominantemente negativos sugere uma personalidade introvertida e com foco interior, enquanto um mapa com mais planetas positivos e ativos sugere alguém com necessidade de causar impacto no mundo (ver pp. 146-47), independentemente da localização do signo solar.
Mapa do exemplo: 4 positivos e 6 negativos – favorece a polaridade receptiva do signo solar.

4 Qualidades A ênfase numa determinada qualidade pode sobrepujar a qualidade do signo solar (ver pp. 136-45).
Mapa do exemplo: 5 planetas fixos sobrepujam o mutável signo solar.

5 Signo solar É o eu encarnado, tornando-se individuado por meio da experiência de vida. A menos que a Lua esteja numa localização forte, com aspectos poderosos, o signo solar é em geral a influência mais óbvia (ver pp. 154-59).
Mapa do exemplo: O Sol em Virgem está oculto na décima segunda casa, atrás do Ascendente.

6 Signo lunar A Lua indica a atitude emocional diante da vida, iluminando hábitos e padrões arraigados que ficam sob a superfície. É uma força potente na personalidade (ver pp. 160-65).
Mapa do exemplo: Uma forte Lua em Touro, com aspectos difíceis.

7 O Sol e a Lua estão em harmonia ou em conflito?
Quando estão no mesmo elemento, polaridade ou qualidade, o Sol e a Lua se harmonizam. Situados em elementos diferentes, podem entrar em conflito, gerando a aparência de um tipo de personalidade na superfície, e um eu interior muito diferente.
Mapa do exemplo: O Sol e a Lua estão ambos em signos da terra.

8 Mercúrio favorece ou modifica a auto-expressão?

Quando Mercúrio está num signo positivo e o Sol num signo negativo, Mercúrio favorece a extroversão e a auto-expressão. Quando Mercúrio está num signo negativo e o Sol num positivo, a introversão é favorecida, desacelerando a auto-expressão. Quando o Sol e Mercúrio estão no mesmo signo, as qualidades do signo são acentuadas. A regência também pode ter o seu efeito.

Mapa do exemplo: Com o Sol em Virgem, regido por Mercúrio, e Mercúrio em Libra, o caráter crítico da mente virginiana é enfatizado, assim como o desejo de justiça e perfeição.

9 Ascendente

O Ascendente pode mascarar ou realçar o signo solar, dependendo da camuflagem que o signo ascendente oferece ao Sol e da propensão do Sol a aceitar a oportunidade de se disfarçar. Ascendentes positivos tendem a ser mais ativos do que os negativos.

Mapa do exemplo: O Ascendente Libra, positivo e cardeal, disfarça o Sol em Virgem na décima segunda casa, oculto também pelo véu de Netuno na primeira casa. O Ascendente incentiva a aproximação entre o eu e os outros, um tema importante no mapa.

10 Ênfase nas casas

As casas que contêm um planeta são energizadas, mas as casas que contêm dois ou mais planetas causam um impacto decisivo na vida (ver pp. 228-63). A localização de planetas em casas com o mesmo elemento em que está o Sol fortalece a tendência do elemento.

Mapa do exemplo: Forte ênfase na décima primeira e na décima segunda casas.

11 Aspectos

Liste os aspectos maiores. Os aspectos fortes criam temas no mapa e podem incentivar ou retardar a expressão dos planetas pessoais (ver pp. 264-85).

Mapa do exemplo: Sol em conjunção com Mercúrio e Nodo Norte em quadratura com Saturno; oposição entre Urano e Quíron em quadratura T com a Lua; Vênus em conjunção com Plutão e oposição com Quíron, em quadratura T com Júpiter; Vênus em conjunção com Plutão, trígono com Saturno, sextil com Netuno; na décima segunda casa, Marte sem aspectos em Libra.

12 Padrões de aspectos Os principais padrões de aspectos influenciam fortemente o mapa e podem sobrepujar o signo solar (ver pp. 270-71).
Mapa do exemplo: O mapa se abre em duas quadraturas T, as "asas de anjo", que tentam se elevar acima do nível mundano.

13 Necessidades emocionais Considere a Lua e os seus aspectos, depois Vênus e as casas parentais.
Mapa do exemplo: Forte necessidade instintiva de segurança e estabilidade (Lua em Touro) compensada pela quadratura com Urano, que tenta transformar padrões arraigados em liberdade emocional. Necessidade de curar as mágoas emocionais indicadas por Quíron. Vênus em conjunção com Plutão e trígono com Saturno tem forte necessidade de amor mas não se acha digno de ser amado.

14 Abordagem mental Considere Mercúrio e seus aspectos, Urano, a terceira e a nona casas.
Mapa do exemplo: Com inclinação intelectual, perspicácia e potencial para a análise (Mercúrio em Virgem), mas com dificuldade para tornar isso visível (décima segunda casa). A perspicácia mental é restringida por Saturno em Capricórnio na terceira casa.

15 Saúde Examine os planetas na sexta casa, o regente da casa e os aspectos do regente.
Mapa do exemplo: Com o Nodo Sul na sexta casa e Peixes na cúspide, Ne-

tuno (regente da sexta) na primeira casa e o Sol em Virgem na décima segunda, a vitalidade pode ser reduzida. As doenças têm origem no passado.

16 Prosperidade Examine a segunda e a oitava casas, os seus regentes e os aspectos dos regentes.
Mapa do exemplo: Júpiter na segunda casa sugere capacidade de manifestar abundância ou pelo menos o suficiente para suprir as necessidades. A Lua em Touro quer se agarrar a tudo o que tem.

17 Profissão Examine a décima e a sexta casas.
Mapa do exemplo: Câncer no MC e Sol em Virgem sugerem uma profissão que envolva cuidar dos outros. A ênfase na décima segunda casa sugere um trabalho em instituições.

18 Parcerias Examine a sétima e a oitava casas, seus regentes e aspectos, e Vênus.
Mapa do exemplo: O desejo de ser um indivíduo (Áries na cúspide e uma inclinação em direção ao Ascendente) é equilibrado pelo Ascendente Libra, que precisa de uma parceria. Dois indivíduos precisam se unir numa relação de igual para igual, com espaço para a expressão individual.

19 Família Examine a quarta e a décima casas.
Mapa do exemplo: Apesar da necessidade de segurança (Capricórnio no IC e Lua em Touro), Urano na décima casa sugere mudança e instabilidade no ambiente familiar, com a possibilidade do pai ou da mãe se afastar – pode ser uma família sem a mãe, que gira em torno do pai (Urano/Quíron em quadratura-T com a Lua: separação da mãe).

20 Temas emergentes O equilíbrio entre os elementos; a ênfase num planeta, signo ou elemento; vários aspectos com o mesmo espírito, como a preponderância de quadraturas ou trígonos; localizações em casas com o mesmo tema – tudo isso faz surgir um ou dois temas principais no mapa. Eles podem, por exemplo, focalizar atitudes diante do amor (aspectos com Vênus, a quinta, sétima e oitava casas, e vários planetas em Libra ou Libra na cúspide da sétima casa); vontade e poder (aspectos de Marte ou Plutão, Leão e Aquário) ou a comunicação (aspectos com Mercúrio, Gêmeos, a terceira ou nona casas).

Mapa do exemplo: Dor emocional, inclusive dentro do relacionamento (aspectos com Vênus), mas a mudança é difícil (Lua). Necessidade de integrar o eu e os outros (mapa em duas metades, Ascendente Libra). A tendência a agradar todo mundo sobrepuja a autenticidade; asserção e vitalidade enfraquecidas.

21 Integração e síntese

Reunindo todas as facetas do mapa, é possível determinar a força das energias e como elas se complementam e contrastam entre si.

Mapa do exemplo: Esse mapa é fortemente dividido entre o passado – e a relação com os outros no passado – e a necessidade de desenvolver e expressar o eu mais claramente dentro de uma relação. A asserção tem que ser integrada e o eu tem que se tornar mais visível.

22 Personalidade

Reúna o signo solar, a Lua, o Ascendente e os aspectos maiores.

Mapa do exemplo: Essencialmente prática, reprimida e quieta, trabalhadora e dedicada a servir, chegando a ignorar as próprias necessidades. A Lua destaca a tendência a ser um pino quadrado num buraco redondo, havendo também aversão à mudança e necessidade de aprovação. O eu essencial está escondido atrás da "gentileza" do Ascendente Libra e da ilusão gerada por Netuno: uma pessoa difícil de se conhecer. Marte, isolado em Libra na décima segunda casa, sugere agressividade passiva.

LISTA DOS PASSOS DA INTERPRETAÇÃO DE UM MAPA

1 Forma geral

2 Equilíbrio dos elementos

3 Polaridades

4 Qualidades

5 Signo solar

6 Signo lunar

7 O Sol e a Lua estão em harmonia ou em conflito?

8 Mercúrio favorece ou modifica a auto-expressão?

9 Ascendente

10 Ênfase nas casas

11 Aspectos

12 Padrões de aspectos

13 Necessidades emocionais (Lua, Vênus, quarta e décima casas)

14 Atitude mental (Mercúrio, Urano, terceira e nona casas)

15 Saúde (sexta casa, regente e aspectos)

16 Prosperidade (segunda e oitava casas, regentes e aspectos)

17 Profissão (sexta e décima casas)

18 Parceria (sétima e oitava casas, regentes e aspectos)

19 Família (quarta e décima casas)

20 Temas que surgem

21 Integração e síntese

22 Personalidade

O desdobramento

O mapa natal não é um evento estático: ele se desdobra continuamente. Os movimentos diários dos planetas aceleram ou bloqueiam as energias presentes em cada mapa, trazendo ativação e mudança. Os planetas não fazem com que as coisas aconteçam, *mas é essa a impressão que dá.* Quando os planetas passam no signo solar, param no Ascendente ou ativam outro planeta, um efeito se faz sentir. Os trânsitos podem indicar períodos de mudança, como uma nova casa, uma nova profissão ou um novo relacionamento. No entanto, muitos trânsitos ocorrem "internamente", prenunciando um período

do mapa

de crescimento interior. Pouco se vê na superfície, mas as forças pressionam sutilmente para que ocorra uma mudança interior ou uma nova compreensão. Os movimentos dos planetas pessoais têm um efeito breve, mas os trânsitos dos planetas exteriores ficam ativos por muito tempo – e uns seis meses antes do trânsito se tornar "exato", o efeito já é sentido. E pode levar mais uns seis meses para esse efeito ser incorporado. O mapa pode também se desdobrar através de progressões – e os mapas solar e lunar dão uma indicação do ano seguinte.

TRÂNSITOS

Os trânsitos liberam potencial, combinando impulsos arraigados e estímulos transitórios. Facilmente calculados por computador, os trânsitos sinalizam períodos de mudança e ativação, que oferecem uma oportunidade de cooperar mais de perto com a combinação planetária envolvida e de fazer os ajustes necessários na maneira de usar as energias.

Às vezes os trânsitos reúnem planetas complementares, que aumentam a energia uns dos outros. Em outras ocasiões, as energias entram em conflito, exatamente como num mapa natal. No entanto, as pessoas reagem aos trânsitos de maneira diferente, dependendo do seu nível de autoconsciência. Quando alguém é fortemente afinado com um planeta, que pode ser o regente do signo solar ou um planeta com posição proeminente no mapa, a cooperação com os trânsitos desse planeta ocorre naturalmente. Se não, a pessoa é atingida pelos trânsitos e sente como se "alguma coisa lá fora" forçasse as mudanças.

Ritmo dos trânsitos

Como os planetas se movem em velocidades diferentes, o período de atividade dos trânsitos varia. Os trânsitos da Lua duram algumas horas, enquanto os de Marte levam alguns dias. Os de Saturno demoram longos meses e, durante uns dois anos, ainda dá para sentir os seus efeitos.

ORBES

O orbe tradicional concedido a um planeta é de 2°, mas orbes maiores podem fazer-se sentir.

No caso dos planetas exteriores, o efeito das energias combinadas também é sentido durante algum tempo, antes e depois do

ASPECTOS EM TRÂNSITO

Os aspectos entre planetas e posições em trânsito dentro de um mapa natal são calculados exatamente da mesma maneira que os aspectos dentro do próprio mapa, só que é usado um orbe menor. Em geral, aspectos "difíceis" indicam pressão, mas podem levar a uma solução favorável, enquanto aspectos "fáceis" podem levar mais tempo para se resolver. O tipo de aspecto que se forma tem a mesma relevância dos aspectos natais: uma conjunção, um trígono ou um sextil permitem um fluxo mais fácil das energias do que uma oposição ou uma quadratura. Certos trânsitos ocorrem numa idade estabelecida e têm um impacto maior (ver p. 304).

TRÂNSITOS SOBRE O MAPA NATAL
de 1 a 23 de janeiro de 2004

Programas de computador são usados para calcular trânsitos e mostrar aspectos com o planeta natal e a casa transitada, e para localizar a data de ingresso em cada casa. Esses exemplos se referem ao mapa natal da p. 291.

Data	Planeta	Casa	Aspecto	Planeta em trânsito	Casa
1, 1, 04	♂	11	△	⚷	6
2, 1, 04	♄ r	1	⚻	⚷	6
8, 1, 04	♂	11	⚺	♀	10
9, 1, 04	♂	11	☍	♆	5
9, 1, 04	♂	11	△	♇	3
22, 1, 04	♂	11	⚺	☉	10
23, 1, 04	♂	11	⚺	♂	10

trânsito propriamente dito. O trânsito de um planeta exterior por uma casa pode ter um efeito a longo prazo sobre as questões relativas a essa casa. Isso se percebe especialmente quando um planeta natal está envolvido ou quando a casa "completa" um aspecto natal, como uma quadratura-T.

O efeito retrógrado

O movimento retrógrado deixa as coisas mais lentas. Nesse tipo de movimento, o planeta pode transitar até três vezes pelo mesmo ponto, intensificando assim o processo que lhe é relacionado. Há três oportunidades de aproveitar o desafio ou a dádiva do trânsito. Na primeira passagem, a crise inicial é sentida; na segunda passagem, quando o planeta em trânsito "passa de volta" pelo outro, a percepção se aprofunda e a ação se inicia; quando o planeta em trânsito passa mais uma vez pelo outro, retomando o seu caminho, a crise é resolvida e a solução encontrada.

Ao se tornar retrógrado ou direto, o planeta "faz uma parada" num determinado grau, como se ficasse imóvel por um tempo. Caso esse grau corresponda a um ponto sensível no mapa natal, o efeito do trânsito estacionário é fortemente intensificado.

A NATUREZA DOS TRÂNSITOS PLANETÁRIOS

Os planetas levam tempos diferentes para completar o seu trânsito por outros planetas ou ângulos, e podem ter uma variedade de efeitos.

Planeta/Período Estimula

Sol (3 dias)	Energia física, libido, saúde e vigor; necessidade de afirmação e conflito com figuras de autoridade.
Lua (3 horas)	Mudanças de humor, hábitos, emoções, sentimentos passageiros e pessoas do passado.

Mercúrio (1 dia a 1 mês ou mais)	Clareza mental e comunicação, que fica bloqueada ou problemática quando Mercúrio está retrógrado; mudanças mentais e novas informações.
Vênus (1 dia a 1 mês ou mais)	Sentimentos amorosos, atrações passageiras e farras de consumo.
Marte (1 semana a 1 mês ou mais)	Um efeito energizante sobre outros planetas, energia física, atividade vigorosa, explosões de raiva, queimaduras, facadas, cortes, tiros; ativa as questões relativas à casa em questão.
Júpiter (5 meses a 1 ano)	Crescimento, expansão ou excesso; prosperidade, oportunidade ou inflação; perda, viagem, lei e problemas com a lei.
Quíron (até 18 meses)	Mágoas ou processos de cura, integração e desintegração.
Saturno (até 1 ano)	Estrutura e reestruturação, lições, restrições, responsabilidade, consolidação, bloqueios, demoras, perdas, quedas, golpes, colisões, batidas, depressão.
Urano (1-2 anos)	Mudança, acontecimentos catalíticos ou cataclísmicos, o inesperado, transformação, um ponto de vista diferente, caos, explosões, eletrocussão, acidentes com máquinas, terrorismo e revolução.
Netuno (1-2 anos)	Iluminação, ilusão, decepção, confusão, colapso e desintegração, inundação, afogamento, auto-sacrifício, martírio.
Plutão (1-2 anos)	Mudança inevitável, transformação, pressão psicológica, regeneração, desintegração, colapso, lutas por controle e poder, compulsões e obsessões, problemas com esgotos e drenos, morte e fins, decepção, grandes ondas de emoção intensa.
Nodo Norte (algumas semanas)	Nova expressão da energia planetária em questão.
Nodo Sul (algumas semanas)	Uma nova apresentação de uma antiga energia planetária, de modo que ela possa ser retrabalhada ou as lições revisitadas.

OS PRINCIPAIS TRÂNSITOS RELACIONADOS COM A IDADE

Alguns trânsitos dos planetas exteriores, relacionados às suas posições no mapa natal, ocorrem numa idade específica, estabelecendo marcos na vida da pessoa e indicando períodos de oportunidade e desafio.

Trânsito	Efeito
Retorno Nodal (a cada 18 anos e meio)	Reitera e reativa o propósito
Retorno de Júpiter (a cada 12 anos)	Começo de um novo ciclo de oportunidade e expansão.
Retorno de Saturno (a cada 28-29 anos)	Período importante de reavaliação. É quando a pessoa pergunta a si mesma se está seguindo o seu plano de vida, o que precisa fazer para crescer e o que precisa abandonar para seguir em frente.
Oposição de Urano (38-44 anos de idade)	Crise catalítica da meia-idade, envolvendo mudanças drásticas e términos; o que já foi superado tem que ser deixado para trás para que alguma coisa nova possa surgir.
Retorno de Urano (84 anos de idade)	Reavaliação e oportunidade de passar a um estado mais elevado de consciência.

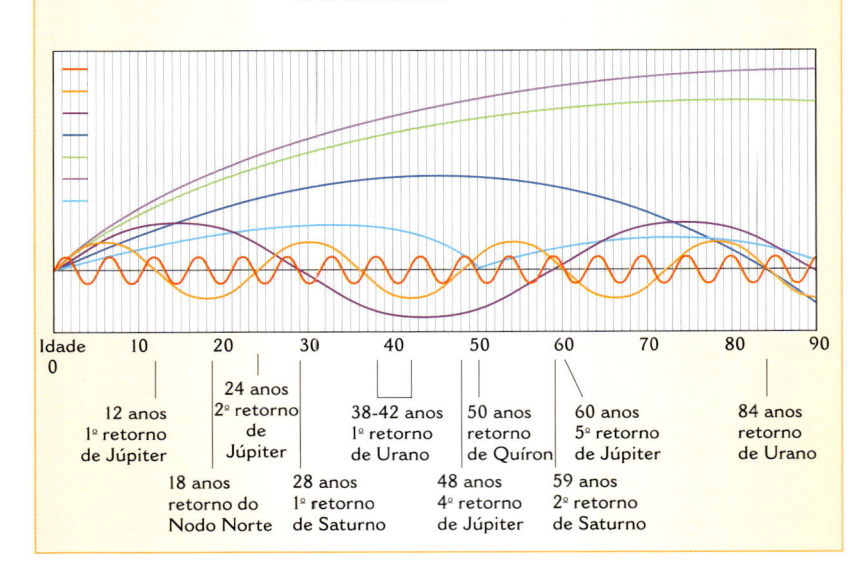

Idade 0 — 10 — 20 — 30 — 40 — 50 — 60 — 70 — 80 — 90

- 12 anos — 1º retorno de Júpiter
- 18 anos — retorno do Nodo Norte
- 24 anos — 2º retorno de Júpiter
- 28 anos — 1º retorno de Saturno
- 38-42 anos — 1º retorno de Urano
- 48 anos — 4º retorno de Júpiter
- 50 anos — retorno de Quíron
- 59 anos — 2º retorno de Saturno
- 60 anos — 5º retorno de Júpiter
- 84 anos — retorno de Urano

TRÂNSITOS PELAS CASAS

Quando um planeta transita por uma casa, as questões associadas a ela são estimuladas e matizadas pela energia desse planeta durante o trânsito, principalmente se um planeta natal na casa formar um aspecto com o planeta em trânsito.

Trânsitos na primeira casa são imediatamente aparentes, estimulando a interação entre o eu que se expande e o ambiente externo.

Trânsitos na segunda casa estimulam questões relativas a valores pessoais, dinheiro e posses.

Trânsitos na terceira casa afetam a comunicação, as obrigações contratuais e as relações entre irmãos, mas podem se refletir na educação e em viagens de curta duração.

Trânsitos na quarta casa podem indicar uma mudança física ou trazer à tona assuntos ligados a pais e filhos, mas focalizam também acontecimentos interiores, psicológicos.

Trânsitos na quinta casa estimulam questões de criatividade e casos amorosos, mas afetam também assuntos relativos aos filhos e aos momentos de lazer. Sob esse trânsito, uma nova atividade pode ser iniciada.

Trânsitos na sexta casa refletem questões associadas à saúde e ao bem-estar.

Trânsitos na sétima casa estimulam relacionamentos de todos os tipos e podem indicar casamento ou divórcio. Indicam também a existência de inimigos ocultos.

Trânsitos na oitava casa se refletem em heranças e questões relativas a recursos compartilhados e à consciência superior, e podem envolver também morte e términos.

Trânsitos na nona casa podem afetar profundamente o sistema de crenças da pessoa, predispondo-a a uma viagem longa ou à educação superior.

Trânsitos na décima casa estimulam a profissão e a ambição, especialmente o que vem como resultado do esforço.

Trânsitos na décima primeira casa envolvem interação social e responsabilidades grupais, podendo indicar também o início de uma nova amizade.

Trânsitos na décima segunda casa podem trazer à luz segredos ocultos ou propiciar o contato com instituições de todos os tipos.

O ciclo da Lua em trânsito

O trânsito da Lua tem um forte efeito universal durante os seus ciclos mensais e anuais, mas tem também um breve efeito pessoal a cada mês. Durante dois dias e meio, a Lua transita pelo seu signo solar, trazendo à tona questões emocionais. Nesse período, você estará mais sensível do que o normal e pode precisar se recolher para processar e liberar os sentimentos.

Duas vezes por ano, ocorre em cada signo solar uma Lua nova ou cheia. Nesses períodos, você tem a oportunidade de abandonar o passado e iniciar algo novo. Sementes são plantadas, idéias são semeadas e, na lua cheia seguinte, os projetos se concretizam. A Lua cheia no signo solar pode também ativar uma crise na sua vida pessoal. O seu comportamento pode parecer irracional mas a verdade é que você não consegue mais reprimir os impulsos emocionais que precisam ser liberados ou realizados.

A Lua transitando por um planeta natal ou progredido tem efeito passageiro, mas pode trazer à tona a expressão irracional ou habitualmente arraigada da energia desse planeta, provocando depressão ou alegria. Os eclipses também têm um forte efeito (ver pp. 382-89), especialmente quando caem nos ângulos ou planetas natais.

OS TRÂNSITOS E OS CHAKRAS

	Idade	
- Chakra da coroa - Chakra da fronte	60	A vida pode ser dividida em faixas etárias relacionadas ao fluxo de energia sutil pelos corpos físico, emocional, mental e espiritual. Iniciada pelos trânsitos dos principais planetas exteriores, a energia planetária é transmitida através dos chakras (centros de energia do corpo), via sistema endócrino, ativando os corpos sutis.
- Chakra da garganta	40	

		Corpo	Efeito
- Chakra do coração		Físico (0 a 29 anos de idade)	Os chakras inferiores, aliados aos órgãos sexuais, são ativados e afinados com a força vital no nível fisicamente criativo.
- Chakra do plexo solar	29	Emocional (retorno de Saturno, 29 a 38-44 anos)	Os chakras do plexo solar e do coração são ativados com o corpo emocional. Os sentimentos sobre o eu e os outros são examinados. O desafio é dominar as emoções e manter o coração calmo, sem ser afetado pelos extremos de dor ou alegria.
- Chakra do sacro - Chakra da base	nascimento	Mental (oposição de Urano, 38-44 a 50 anos)	A maturidade chega e as energias sobem para os chakras da garganta e da fronte, ativando a mente superior e a criação mental – e passando ao corpo mental. A autoconsciência se expande. A incapacidade de experimentar plenamente o eu nessa idade pode resultar em crises cardíacas para os homens e em bloqueio no chakra da garganta para as mulheres, sentindo estas que "não são ouvidas e que não conseguem falar".
		Espiritual (retorno de Quíron, 50-51 a 58 anos)	A alma encontra uma nova forma, o Eu se solidifica, os chakras da garganta e da coroa são ativados e há uma ligação com a consciência mais ampla.
		Espiritual (segundo retorno de Saturno, 58-59 anos em diante	O passado precisa ser liberado ou as lições reiteradas, levando a uma re-visão. Quando a transição é bem-sucedida, a pessoa colhe as suas recompensas kármicas e toma posse da própria sabedoria.

CICLO DE OPORTUNIDADES: JÚPITER

Júpiter leva 12 anos para percorrer o mapa, formando um aspecto desafiador com a sua posição natal a cada três anos. Então, a cada 12 anos (aos 12, 24, 36 anos e assim por diante), um novo ciclo de oportunidades começa. Outros ciclos de oportunidades, também de 12 anos, ocorrem entre Júpiter e o Sol natal ou Ascendente, que são igualmente ativados quando o trânsito de Júpiter atinge esses pontos no mapa natal. No início de um ciclo de Júpiter, a oportunidade é agarrada, as sementes são plantadas e depois cultivadas durante três anos. Os benefícios são colhidos durante seis anos. No nono ano, o ciclo começa a esmorecer, pronto para começar de novo.

Trânsitos de Quíron

Um trânsito de Quíron revela a natureza do planeta por onde transita e levanta questões sobre o uso que está sendo feito da sua energia. Os trânsitos de Quíron sobre Marte, por exemplo, focalizam questões relativas à vontade e à auto-afirmação, podendo envolver episódios de agressividade caso a capacidade de afirmação não tenha sido desenvolvida.

As experiências associadas a Quíron podem afastar a pessoa do plano físico para que experimente outras dimensões – emocionais, mentais ou espirituais. É preciso buscar um equilíbrio entre as formas existentes e os novos sistemas de energia que lutam para elevar as suas vibrações. Durante esses trânsitos, o apego ao passado precisa diminuir para que a dor do passado possa ser lancetada e a cura comece.

Para encontrar a primeira quadratura de Quíron, localize a situação natal de Quíron na coluna da esquerda e procure então a idade na coluna de cima.

QUÍRON – TRÂNSITOS DE QUÍRON

Os trânsitos de Quíron sobre si mesmo são pontos de virada. Devido à órbita elíptica errática, eles ocorrem em idades diferentes, de acordo com a localização natal – leva oito anos e meio para Quíron passar por Áries mas menos de dois para atravessar Libra.

Primeira quadratura de Quíron — Separa do que é mais reconfortante e pode trazer uma profunda crise espiritual, com a percepção de que a alma habita um corpo. Lembranças de vidas passadas podem ser despertadas e as feridas kármicas emergem.

Oposição de Quíron — Nesse ponto, a pessoa vislumbra a origem da ferida interior. Inicialmente, essa consciência pode ser projetada, levando a uma crise de significado.

Segunda quadratura de Quíron — A ferida ressurge e a necessidade de cura é aceita, embora a consciência continue limitada. A cura pode não vir antes do retorno de Quíron.

Retorno de Quíron (50-51 anos de idade) — A ferida retorna, trazendo consigo toda a sua dor e exigindo cura e integração. Em geral, a situação externa espelha o que gerou a ferida ou a dor interior. Quando essa crise é negociada com sucesso, a pessoa passa a uma consciência mais ampla, que une coração, mente e espírito – e promove um modo de vida criativo. Senão, o ciclo começa de novo.

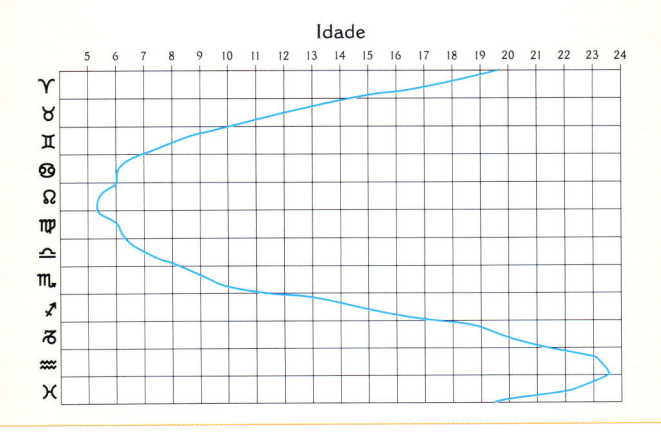

PROGRESSÕES

As progressões ilustram a evolução do mapa e identificam as idades significativas, em que tendem a ocorrer mudanças e avanços, com base em configurações do mapa "progredido" ou em aspectos do mapa natal. Enquanto o mapa natal indica traços ou tendências que podem durar a vida inteira, o mapa progredido – que mostra movimentos planetários subseqüentes – pode destacar uma fase que dure um ou dois anos – ou pode prenunciar uma mudança psicológica que dure até 30 anos, no caso de mudança de signo do Sol ou do Ascendente progredido.

As progressões dos planetas exteriores não são tão significativas quanto as dos planetas pessoais, a menos que o planeta exterior mude de

EFEMÉRIDE
AGOSTO DE 1982

As progressões podem ser calculadas com base na efeméride ou, o que é mais fácil, no computador.

AGOSTO 1982 — LONGITUDE

Dia	Hora sid.	☉	0 hr ☽	Mdia ☽	Verd. ☊	☿	♀	♂	♃	♄	♅	♆	♇
2 Se	8 43 1	9 ♌ 51 59	7♉ 4 42	12 59 25	13R 16.8	18 40.0	15 27.7	29 ♊ 26.2	2 16.3	17 7.5	0R 35.7	24R 34.8	24 21.0
3 Te	8 46 57	10 49 23	18 55 13	24 52 28	13 16.4	20 35.7	16 40.3	0♋ 0.3	2 22.3	17 11.7	0 35.4	24 33.8	24 22.0
4 Q	8 50 54	11 46 49	0♊ 51 28	6♊ 52 29	13 14.5	22 29.8	17 53.0	0 34.6	2 28.5	17 16.0	0 35.1	24 32.8	24 23.0
5 Qui	8 54 51	12 44 15	12 55 44	19 1 27	13 11.3	24 22.4	19 5.8	1 9.1	2 34.8	17 20.3	0 34.9	24 31.9	24 24.1
6 Se	9 58 47	13 41 42	25 9 48	1♋ 20 56	13 6.9	26 13.4	20 18.6	1 43.7	2 41.2	17 24.8	0 34.7	24 30.9	24 25.1
7 Sá	9 2 44	14 39 10	7♋ 35 0	13 52 7	13 1.7	28 2.8	21 31.4	2 18.5	2 47.8	17 29.3	0 34.6	24 30.0	24 26.3
8 Do	9 6 40	15 36 39	20 12 23	26 35 55	12 56.4	29 50.6	22 44.3	2 53.5	2 54.5	17 33.8	0 34.6	24 29.2	24 27.4
9 Se	9 10 37	16 34 10	3♌ 2 50	9♌ 33 13	12 51.6	1 36.9	23 57.2	3 28.6	3 1.4	17 38.5	0D 34.5	24 28.3	24 28.6
10 Te	9 14 33	17 31 42	16 7 11	22 44 52	12 47.9	3 21.6	25 10.2	4 3.9	3 8.4	17 43.2	0 34.6	24 27.5	24 29.8
11 Q	9 18 30	18 29 15	29 26 20	6♍ 11 43	12 45.7	5 4.8	26 23.2	4 39.4	3 15.5	17 48.0	0 34.6	24 26.7	24 31.0
12 Qui	9 22 26	19 26 50	13♍ 1 5	19 54 30	12D 45.0	6 46.4	27 36.3	5 15.0	3 22.7	17 52.8	0 34.8	24 25.9	24 32.2
13 Se	9 26 23	20 24 26	26 52 1	3♎ 53 35	12 45.7	8 26.6	28 49.4	5 50.9	3 30.1	17 57.8	0 35.0	24 25.2	24 33.5
14 Sá	9 30 19	21 22 4	10♎ 59 8	18 8 30	12 47.1	10 5.2	0♎ 2.6	6 26.8	3 37.6	18 2.8	0 35.2	24 24.5	24 34.9
15 Do	9 34 16	22 19 43	25 21 25	2♏ 37 34	12 ≈8.3	11 42.4	1 15.8	7 3.0	3 45.2	18 7.8	0 35.5	24 23.8	24 36.2
16 Se	9 38 13	23 17 24	9♏ 56 26	17 17 29	12R ≈8.5	13 18.0	2 29.0	7 39.3	3 53.0	18 13.0	0 35.8	24 23.2	24 37.6
17 Te	9 42 9	24 15 6	24 39 59	2♐ 3 11	12 ≈7.2	14 52.2	3 42.3	8 15.8	4 0.9	18 18.2	0 36.2	24 22.5	24 39.0
18 Q	9 46 6	25 12 49	9♐ 26 11	16 48 6	12 ≈3.8	16 24.9	4 55.7	8 52.4	4 8.9	18 23.4	0 36.7	24 21.9	24 40.4
19 Qui	9 50 2	26 10 35	24 7 59	1♑ 24 55	12 58.7	17 56.1	6 9.0	9 29.2	4 17.0	18 28.8	0 37.2	24 21.4	24 41.9
20 Se	9 53 59	27 8 21	8♑ 38 3	15 46 36	12 52.1	19 25.8	7 22.4	10 6.1	4 25.3	18 34.2	0 37.7	24 20.8	24 43.4
21 Sá	9 57 55	28 6 9	22 49 54	29 47 28	12 44.9	20 54.0	8 35.9	10 43.2	4 33.7	18 39.6	0 38.3	24 20.3	24 44.9
22 Do	10 1 52	29 3 58	13♒ 23 58	12 ≈ 8.0	22 20.7	9 49.4	11 20.4	4 42.2	18 45.1	0 39.0	24 19.9	24 46.4	
23 Se	10 5 48	0♍ 1 47	20 2 40	26 35 2	12 12.1	23 45.8	11 2.9	11 57.8	4 50.8	18 50.7	0 39.7	24 19.4	24 48.0
24 Te	10 9 45	0 59 39	3♓ 1 18	9♓ 21 48	12 7.9	25 9.4	12 16.5	12 35.4	4 59.5	18 56.3	0 40.4	24 19.0	24 49.6
25 Q	10 13 42	1 57 31	15 36 57	21 47 16	12 5.6	26 31.4	13 30.1	13 13.0	5 8.3	19 2.0	0 41.2	24 18.6	24 51.2

signo ou direção, prenunciando uma mudança de foco. Um planeta retrógrado no nascimento tem a sua energia acentuada na idade em que se torna direto, ficando mais visível na experiência de vida nessa época.

Progressões secundárias: "um dia equivale a um ano"

Nas progressões secundárias, ou método "1 dia = 1 ano", um dia da efeméride equivale a um ano de vida. Pegue a data do nascimento e some a ela a idade em dias, levando em conta a duração de cada mês, para obter a data de nascimento progredida. Um leonino de 24 anos, por exemplo, nascido a 2 de agosto de 1982, deve examinar um mapa do dia 25 de agosto de 1982 para ver as progressões do corrente ano, ou seja, do seu 25º ano de vida. Nesse exemplo, o Sol acabou de entrar em Virgem, introduzindo uma nova vibração. (Ver Efeméride na p. anterior.)

Progressões por arco solar

Nas progressões por arco solar, todos os planetas e ângulos percorrem a mesma distância que o Sol progredido percorre a cada ano. Para calcular as progressões por arco solar, é preciso descobrir quanto o Sol se deslocou e, então, cada planeta e cada ângulo do mapa é deslocado pelo mesmo número de graus. No exemplo acima, como o Sol se deslocou 22º, todos os planetas avançam 22º e Plutão muda de posição, de 24º de Libra para 16º de Escorpião.

Planetas pessoais progredidos

Os planetas pessoais progredidos se movem mais depressa do que os planetas exteriores e, por isso, tendem a formar mais aspectos com os planetas natais (planetas presentes no mapa natal). A significância desses aspectos é avaliada de acordo com a natureza dos planetas envolvidos e com a época da vida da pessoa em que é feito o contato. Quanto mais cedo ocorrer o aspecto, mais significativa será a mudança, mesmo que mais inconsciente. Quanto mais tarde ocorrer, maior será a oportunidade de usar conscientemente a mudança de energia. Quando o efeito de um aspecto natal entre um planeta interior e um exterior é contraído pela aproximação do planeta pessoal progredido, sente-se de maneira mais aguda a tensão ou o fluxo que esse aspecto incorpora.

PLANETAS PROGREDIDOS EM ASPECTO COM O MAPA NATAL

Os planetas pessoais têm um efeito significativo quando entram em aspecto com os planetas do mapa natal, conforme a natureza do planeta aspectado.

Planeta progredido

Sol	Necessidade de ajustes e integrações importantes; o plano de vida se desenrola de acordo com características planetárias.
Lua	Ajustes emocionais são ativados por circunstâncias externas e impulsos internos são matizados pelo planeta aspectado.
Mercúrio	A atividade mental é estimulada, provavelmente por meio de viagens e leituras.
Vênus	Os assuntos do coração são estimulados ou restringidos, conforme a natureza do planeta aspectado. Atividades e valores criativos são enfatizados.
Marte	Há mais atividade e mais iniciativa, pode haver conflito e a ação impulsiva deve ser evitada.

O CICLO DA LUA PROGREDIDA

Por progressão secundária, a Lua passa dois anos e meio em cada signo ou casa, no sistema de casas iguais (no sistema de quadrantes, o tempo varia). O ciclo indica novas maneiras de expressar a energia instintiva. Atraindo pessoas e situações que espelham a energia do signo, a Lua progredida estimula questões vistas através das lentes da casa que ela ocupa.

Lua progredida em

Áries	Favorece a concentração em torno do eu eterno ou do ego, e levanta questões para que sejam resolvidas.
Touro	Testa a segurança interior e pergunta o que o eu, e não o ego, valoriza.
Gêmeos	Concentra-se na auto-expressão, especialmente em encontros sociais.
Câncer	Um estímulo para começar a cuidar de si mesmo – e de abandonar padrões emocionais do passado.
Leão	Estimula o desenvolvimento da autoconfiança e pergunta como a pessoa vai se destacar.
Virgem	Leva à exploração de problemas psicossomáticos e acentua a propensão a servir os outros.
Libra	Traz à tona questões ligadas a relacionamentos e pergunta quais os ajustes necessários para se viver em harmonia.
Escorpião	Alavanca questões relativas a controle e manipulação. Enfrentar a sombra pode implicar uma viagem às profundezas.
Sagitário	Explora o mundo num esforço de encontrar significado.
Capricórnio	Pergunta como desenvolver disciplina interior e autoridade – e pode indicar mais responsabilidade na comunidade.
Aquário	Penetra num mundo maior, procurando novas maneiras de se encaixar na sociedade – ou de adaptar a sociedade a uma nova vibração.
Peixes	Traz o desafio de superar emoções desgastadas e de abrir mão de ilusões para encontrar a totalidade.

RETORNO SOLAR E RETORNO LUNAR

O mapa do retorno solar é calculado para o momento exato em que o Sol retorna ao seu grau natal, dando uma idéia do ano vindouro. (Esse retorno não coincide necessariamente com o aniversário da pessoa.)

Os retornos solares podem ser usados de várias maneiras. O mapa pode ser lido exatamente como o mapa natal – para se captar o sabor característico do vindouro. As casas enfatizadas nesse mapa indicam as áreas da vida que estão em evidência, enquanto os planetas identificam os impulsos e desafios que entrarão em cena com mais destaque e os que estão se dissipando. Para se ter uma visão mais precisa do ano que está para começar, pode-se usar os dados para mapear o trânsito do Sol ou Ascendente pelo mapa do retorno solar: neste caso, um grau equivale mais ou menos a um dia. É possível apurar com bastante precisão a época de acontecimentos ou de mudanças interiores determinando quando os planetas serão "acionados" pelo trânsito do Sol ou Ascendente. Alternativamente, o retorno solar pode ser lido em termos dos aspectos formados com o mapa natal. Os retornos solares podem ser transferidos de acordo com o local de residência no momento – isso altera a posição do Ascendente e da casa.

O mapa de retorno lunar define o momento em que a Lua volta à sua posição natal. (O que pode não coincidir com o aniversário da pessoa.) Os retornos lunares tendem a indicar ressurgimentos ou mudanças emocionais que ocorrem ao longo do ano.

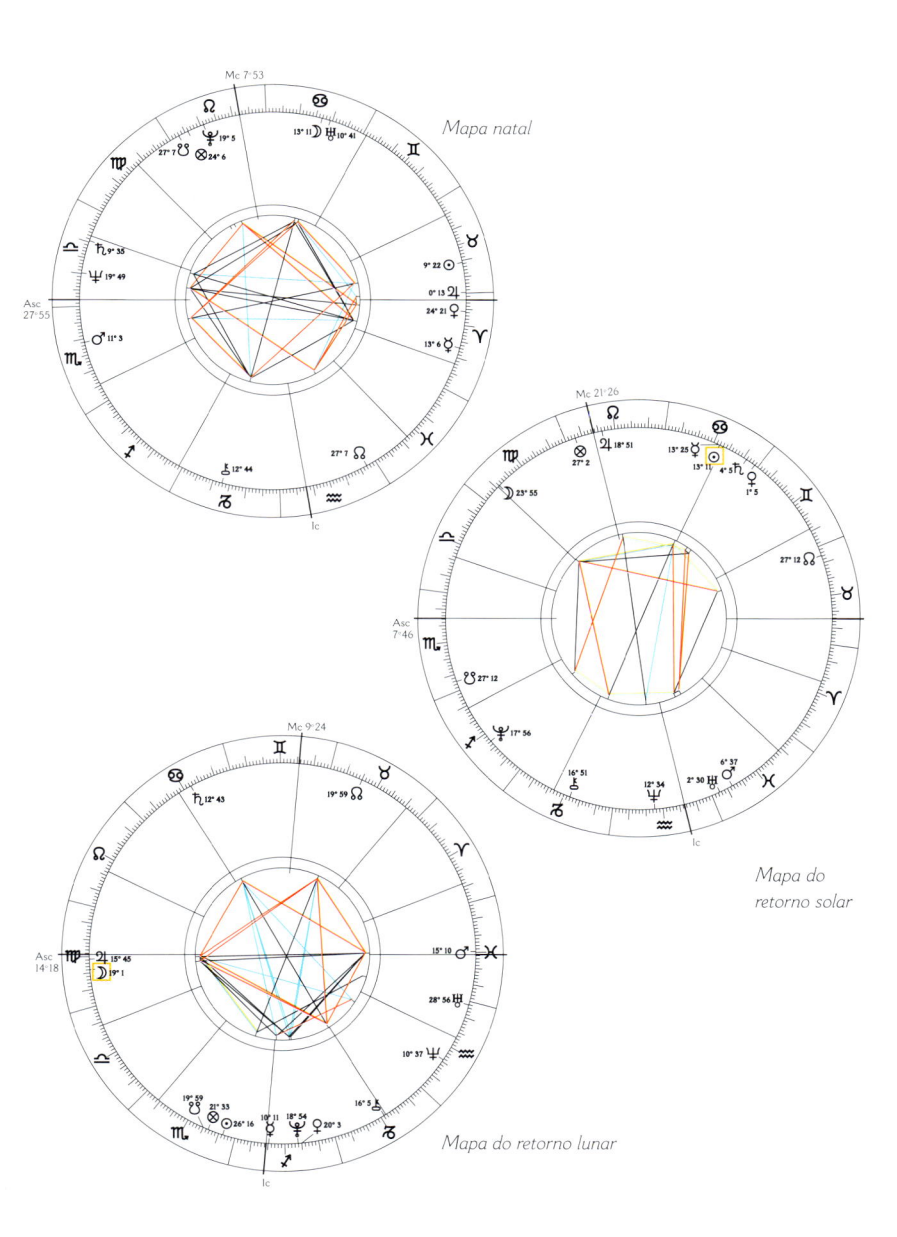

Mapa natal

Mapa do retorno solar

Mapa do retorno lunar

RETORNO SOLAR E RETORNO LUNAR

Astrologia dos

A astrologia pode lhe dizer muito a respeito da sua atitude num relacionamento e do tipo de relacionamento que você atrai. O signo solar do seu parceiro, por exemplo, indica como ele ou ela se comportará na relação. No seu mapa, por outro lado, a localização de Marte e Vênus e os planetas que habitam a sétima casa indicam o que você espera do outro e quais são as suas necessidades.

A atração pode ser imediata entre signos opostos. Dois Sóis no mesmo elemento sugerem uma relação harmoniosa, en-

Relacionamentos

quanto as quadraturas tendem a ser difíceis, já que reúnem elementos díspares.

É possível descobrir fatos significativos sobre a interação entre duas pessoas a partir das relações geométricas entre os dois mapas, conhecidas como interaspectos. A arte da sinastria (comparação de mapas), com as suas grades e interaspectos, pode parecer complexa à primeira vista, mas é fácil de aprender.

O QUE O SIGNO SOLAR PODE LHE DIZER SOBRE O SEU PARCEIRO

O signo solar de uma pessoa pode lhe dizer muito a seu respeito e de como será conviver com ela. Cada signo envia sinais sexuais característicos e cada um se comporta de maneira única em situações de amor e desejo. Com uma pequena ajuda do zodíaco, você pode descobrir a dinâmica profunda das necessidades do seu parceiro ou parceira, podendo assim lhe dar apoio. Sabendo que alguns signos têm necessidade de flertar sem atribuir a isso nenhuma importância especial, você verá com mais tranqüilidade esse comportamento. Por outro lado, dependendo do signo solar do seu parceiro, você pode descobrir que as suas suspeitas de infidelidade têm fundamento.

Estilo de relacionamento

O signo solar pode lhe dizer também se o seu relacionamento é para a vida toda ou se você está às voltas, na melhor das hipóteses, com uma monogamia serial. Pode revelar se o seu parceiro está preparado para se dedicar à vida a dois ou se ainda acha que "a grama do vizinho é mais verde". O signo solar destaca o estilo sexual, as metas, as expectativas e as fantasias sexuais do seu parceiro. Revela também se ele (ou ela) é passional ou romântico, fiel ou infiel, se está em busca de prazer ou de amizade.

Saber o que ele (ou ela) quer e do que precisa para se sentir confortável pode mudar radicalmente a convivência, ajudando-o a se adaptar, a se ajustar e a aproveitar todo o potencial da relação.

Compatibilidade

Use o mapa das pp. 320-21 para descobrir o seu grau de compatibilidade com os outros signos do zodíaco. Os corações formam uma escala, sendo que cinco corações indicam uma ótima compatibilidade.

A sinastria pode ajudá-lo a se adaptar e a se ajustar às exigências de um relacionamento e a aproveitar o seu potencial.

MAPA DE COMPATIBILIDADE

HOMENS \ MULHERES	Áries	Touro	Gêmeos	Câncer	Leão	Virgem
Áries	♥♥♥	♥	♥♥♥	♥♥♥	♥♥♥♥	♥
Touro	♥	♥♥♥♥♥	♥	♥♥	♥♥♥	♥♥♥♥♥
Gêmeos	♥♥♥♥	♥♥♥	♥♥♥♥♥	♥	♥♥♥	♥
Câncer	♥♥	♥	♥	♥♥♥♥	♥	♥♥♥♥
Leão	♥♥♥♥♥	♥♥♥	♥♥♥	♥	♥♥	♥
Virgem	♥♥♥	♥♥♥♥♥	♥♥♥♥	♥♥♥	♥♥	♥♥♥♥♥
Libra	♥♥♥♥♥	♥♥	♥♥♥♥	♥♥♥♥	♥♥♥♥♥	♥
Escorpião	♥♥♥	♥♥♥♥♥	♥	♥♥♥♥♥	♥♥♥♥	♥♥♥♥
Sagitário	♥♥♥♥♥	♥♥	♥♥♥♥♥	♥	♥♥♥♥♥	♥♥♥
Capricórnio	♥♥♥	♥♥♥♥♥	♥♥	♥♥♥	♥♥	♥♥♥♥♥
Aquário	♥♥	♥♥♥	♥♥♥♥	♥♥♥	♥♥♥♥♥	♥♥♥
Peixes	♥	♥♥♥♥	♥	♥♥♥♥♥	♥♥	♥♥♥♥♥

MAPA DE COMPATIBILIDADE

MULHERES / HOMENS	♎ Libra	♏ Escorpião	♐ Sagitário	♑ Capricórnio	♒ Aquário	♓ Peixes
♈ Áries	♥♥♥♥♥	♥♥♥♥	♥♥♥♥♥	♥♥♥♥	♥♥♥♥♥	♥
♉ Touro	♥♥♥	♥♥♥♥♥	♥♥	♥♥♥♥♥	♥♥♥	♥♥♥♥
♊ Gêmeos	♥♥	♥♥	♥♥♥♥	♥	♥♥♥♥	♥♥
♋ Câncer	♥	♥♥♥♥	♥	♥♥♥♥	♥♥♥	♥♥♥♥♥
♌ Leão	♥♥♥♥♥	♥♥♥♥	♥♥♥♥♥	♥	♥♥♥♥♥	♥♥♥
♍ Virgem	♥♥	♥♥	♥♥	♥♥♥♥	♥♥♥	♥♥♥♥♥
♎ Libra	♥♥♥♥♥	♥♥	♥♥♥♥♥	♥♥♥♥	♥♥♥♥	♥♥♥♥
♏ Escorpião	♥♥	♥♥♥	♥	♥♥	♥♥♥	♥♥♥♥
♐ Sagitário	♥♥♥♥♥	♥	♥♥♥♥♥	♥	♥♥♥	♥
♑ Capricórnio	♥♥♥	♥♥♥	♥	♥♥♥♥♥	♥	♥
♒ Aquário	♥♥♥	♥♥♥♥	♥♥♥♥	♥	♥♥♥♥♥	♥
♓ Peixes	♥♥♥	♥♥♥♥	♥	♥♥	♥	♥♥♥♥♥

ÁRIES
O amante ardente

Zonas erógenas	Orelhas, cabelo ou nuca, língua
Estímulos	Um olhar ardente, qualquer coisa vermelha, lingerie sexy
Afrodisíacos	Uma única rosa vermelha, gengibre, tomate, couro
Fantasias	Romântico, veloz e arrebatado, Áries chega para resgatar o seu amor
Faça dar certo	Deixe Áries mandar, faça-se de indefeso

Impetuoso e agressivo, Áries é um amante apaixonado que gosta de conquistar. Há pouca sutileza envolvida quando esse signo sai à caça de um parceiro sexual. Mas, quando se envolve, Áries costuma ser fiel. Só que, sem paciência para resolver problemas, tende a ter vários relacionamentos.

Áries precisa estar no comando. Não é alguém que tope alegremente passar uma noite tranquila em casa. Se ficar em casa, espera que você o seduza. Os arianos adoram realizar as suas fantasias e muitas vezes não têm paciência para chegar até o quarto. Esse signo não tolera frustração e nem demora.

O seu amante ariano não tem dificuldade para dizer "eu te amo". E quando diz, é verdade. Generoso, Áries cobre o parceiro de presentes inesperados, só que vive no momento e não tem sutileza para levar adiante uma relação a longo prazo. No entanto, Áries precisa de admiração e saber que é amado, o que surpreende num signo tão confiante. Essa necessidade pode levar a flertes inócuos e a uma eventual aventura. Esse signo egocêntrico exige atenção total e, se não a tiver de você, vai procurar em outro lugar. Apesar das escapadas, você tem que esperá-lo com paciência e lealdade inabalável. Mas essas escapadas não envolvem necessariamente parceiros sexuais. Áries tem muito com que se ocupar e ficar preso a alguém é anátema para esse signo amante da liberdade. O seu parceiro quer ver os amigos e fazer o que gosta sem que você esteja sempre junto.

Para viver feliz com Áries, você precisa aceitar que esse signo é egocêntrico e, em geral, insensível às suas necessidades. Essa é a natureza ariana e isso não tem jeito. Para manter a harmonia com Áries, lembre-se: ele é que sabe. A frase favorita de Áries é "você vai ver como eu tenho razão", maldizendo quem ousa discutir ou lembrá-lo das vezes em que não foi bem assim. Altamente competitivo, ele odeia ser humilhado. Quando Áries sofre uma derrota, é melhor fingir que isso nunca aconteceu.

As discussões com esse signo tempestuoso se inflamam rapidamente mas duram pouco. Como parceiro, o melhor é esquecer tudo o que é dito no calor da hora. De vez em quando, Áries emburra, mas um bom elogio sempre resolve a questão.

Áries é um dos mais apaixonados e românticos signos do zodíaco.

TOURO
O amante sensual

Zonas erógenas	Pescoço, papilas gustativas e os sentidos
Estímulos	Massagem, seda sobre a pele, comida, perfume, dinheiro, lençóis de seda
Afrodisíacos	Chocolate, almíscar, óleos essenciais, trufas
Fantasias	Ambientes voluptuosos, comida exótica, parceiros dispostos a tudo
Faça dar certo	Nunca pressione, introduza a mudança aos poucos

O sensual Touro é um amante indolente mas tenaz. Depois que se envolve, oferece e exige lealdade absoluta. O divórcio é altamente improvável, embora Touro não seja avesso a um caso duradouro. Só que um caso não seria uma traição porque não envolveria "amor", apenas sexo. Mas, se *você* estiver querendo dar uma escapada, saiba que Touro é um dos signos mais possessivos e ciumentos do zodíaco.

Touro gosta de ser o ganha-pão e de se encarregar das finanças mas, fora isso, fica feliz num relacionamento de igual para igual. Esse signo sociável gosta de se divertir, mas também gosta de passar uma noite tranqüila em casa. Touro faz questão de ter uma casa confortável.

Como o interesse desse signo é voltado para questões sólidas e tangíveis, o taurino tende a sofrer de falta de imaginação e de sensibilidade.

É improvável que o seu parceiro seja receptivo aos seus sentimentos ou necessidades emocionais. Touro não tem dificuldade para dizer "eu te amo", mas tem poucos gestos espontâneos de afeição e as sutilezas da emoção passam em branco por esse signo pragmático. Não vê a necessidade de expressões floreadas de sentimentos mas é muito sensual e guarda a expressão física do amor para o quarto de dormir.

Calmo e confiante, Touro não precisa que você reafirme o seu amor a toda hora, mas precisa permanecer na sua zona de conforto. O taurino precisa de uma profunda sensação de segurança, que vem não apenas de um relacionamento sólido, mas de bens materiais. Casa e carro são ao mesmo tempo símbolos de *status* e âncoras. É o tipo de pessoa que, para explicar por que mantém uma relação pouco gratificante, diz: "É que tem a casa..." Pôr fim a uma relação é muito difícil para Touro, que faz de tudo para mantê-la. O divórcio é especialmente doloroso porque significa dividir os bens acumulados.

Quando empurrado para fora das fronteiras do que é conhecido e confortável, Touro se torna extremamente obstinado. Esse signo tem um temperamento terrível. Custa a se irritar mas, quando explode, o resultado é impressionante. O touro bufa e escava o chão com as patas. Aconteça o que acontecer, nunca dê risada dessa demonstração. Touro tem a melhor memória do zodíaco e acha quase impossível perdoar ou esquecer.

Touro é um dos signos mais sensuais e fiéis do zodíaco.

GÊMEOS
O amante eloqüente

Zonas erógenas	Entre as orelhas, dedos das mãos e dos pés
Estímulos	Arte erótica, toques leves, pornografia *soft*, sexo por telefone ou computador
Afrodisíacos	Gim, falar obscenidades, uniformes
Fantasias	Sexo virtual, orgias, fazer um filme pornô
Faça dar certo	Saiba ouvir, seja interessante, improvise, compre o Kama Sutra

Falando, Gêmeos consegue convencer qualquer um de qualquer coisa. Esse signo loquaz gosta de insinuações e de discussões animadas, quase nunca visando uma conquista sexual, embora possa escorregar para um flerte fugaz. Sociável, precisa de outras pessoas para trocar idéias e tem um círculo de amigos platônicos, com quem flerta descaradamente, mas sem intenção de levar as coisas adiante. Quando se trata de sexo, muitos geminianos passam mais tempo fantasiando do que praticando.

A fidelidade não é o forte desse signo, que também não a espera do parceiro. Etéreo, Gêmeos tem problemas com o envolvimento a longo prazo e precisa de muito espaço. Esse signo reluta muito para se casar e pode se separar rapidamente.

Mais importante do que a compatibilidade sexual é a companhia intelectual. Você precisa saber que esse signo odeia ficar aborrecido. O espírito naturalmente brincalhão pode facilmente se tornar maldoso. Gêmeos é capaz de iniciar uma discussão só para agitar um pouco as coisas. Você pode não entrar nessa, mas precisa oferecer outra distração. Gêmeos adora um debate e é bom você se acostumar com isso. Esse signo de duas caras argumenta que preto é branco num minuto e que preto é preto no minuto seguinte. Você precisa ser mentalmente ágil para acompanhá-lo, além de ter sempre em mente que promessas e decisões firmes não são o forte desse signo. Procure não levar para o lado pessoal.

Gêmeos é o amante mais vocal do zodíaco.

Gêmeos não é um bom ouvinte, especialmente quando se trata de problemas emocionais ou do dia-a-dia, achando impossível guardar um segredo. Se você precisa de intimidade emocional, não é aqui que vai encontrar, já que Gêmeos não sabe estabelecer uma ligação emocional profunda. Em vez de desabafar com Gêmeos, que vai dissecar seus sentimentos até aniquilá-los, é melhor ter um amigo com quem compartilhar tais questões.

Gêmeos é cheio de surpresas. Quando você pensa que já conhece bem esse caráter complexo, descobre mais um lado dele. É como se várias personalidades habitassem um só corpo. Algumas delas são propensas a súbitos momentos da mais negra depressão. Nessas horas, o melhor é se afastar. Em pouco tempo, Gêmeos volta à sua natureza charmosa de sempre.

CÂNCER
O amante carinhoso

Zonas erógenas	Mamilos, seios e estômago
Estímulos	Carícias, ser necessário, sexo oral
Afrodisíacos	Luar, água, abacate, frutos do mar, uvas
Fantasias	Intensamente reservadas e românticas, em que a água muitas vezes tem destaque
Faça dar certo	Compartilhe sentimentos, faça carinho, reafirme o seu amor, lembre-se de aniversários

Não há nada que o seu parceiro canceriano goste mais do que cuidar de você. Seja homem ou mulher, Câncer tende a ser maternal com quem gosta. Depois de se aproximar e de se envolver, não há volta para esse signo. Possessivo e fiel, Câncer nem considera dar uma escapada e muito menos se separar. Esse signo exige total fusão emocional, o que pode ser sufocante. Mas você pode contar com a lealdade e a fidelidade do seu parceiro.

Câncer é compreensivo, mas pode ser complicado num relacionamento. Valente e confiante por fora, por dentro não é nada disso: é um signo complexo e vulnerável, intensamente sensível e generoso, sob a dura casca do caranguejo. Acima de tudo, Câncer tem que se sentir necessário. Intensamente sensível a cada nuance do seu humor, Câncer precisa de muita segurança para se abrir. Você pode ficar surpreso com a melancolia e a profunda autopiedade que o seu parceiro às vezes demonstra, especialmente quando acha que foi mal compreendido ou negligenciado. É preciso ser muito convincente para satisfazer a necessidade de afeto do canceriano. Mas há momentos em que ele (ou ela) precisa ficar sozinho para processar emoções profundas, especialmente pouco antes da Lua nova. É melhor lhe dar espaço sem deixar de demonstrar o seu amor: assim, o seu parceiro ficará mais seguro e a relação será extremamente beneficiada.

Com Câncer, tudo tem a ver com emoção e vida doméstica. Esse signo demonstra o que sente cuidando de você, dando-lhe de comer. Rejeitar a comida que Câncer oferece é como rejeitá-lo. Como esse signo é sensível à mais leve rejeição, essas coisas tendem a ser levadas para o lado pessoal, assim como qualquer recusa de sua parte a compartilhar sentimentos. Se Câncer ficar emburrado, o que certamente vai acontecer, verifique primeiro a fase da Lua e depois se não é por causa de alguma coisa que você disse. Câncer pode se sentir insultado mesmo que essa não tenha sido a sua intenção. Assim, espera desculpas sinceras, por mais inocente que tenham sido as suas palavras.

Às vezes, Câncer pode parecer mesquinho porque, para esse signo, segurança tem tudo a ver com dinheiro no banco. Então, por mais que ame seu parceiro, Câncer não gosta que gaste dinheiro sem pensar e examina cuidadosamente as contas da casa. Mas isso tem um lado bom: como esse signo é muito sagaz e ambicioso, a perspectiva material é muito boa.

Câncer é um signo muito sentimental. Assim, se quiser temperar a relação, organize uma festa surpresa para comemorar a data em que se conheceram. Câncer também gosta de ficar com você trocando carinhos ou vendo um filme antigo: para esse signo, os melhores momentos acontecem em casa.

LEÃO
O amante orgulhoso

Zona erógena	Base das costas
Estímulos	Admiração e elogios; carinho com as unhas, como um gato
Afrodisíacos	Ouro, banana, sol
Fantasia	Dominatrix
Faça dar certo	Admire, adore e adule; Leão precisa se sentir especial

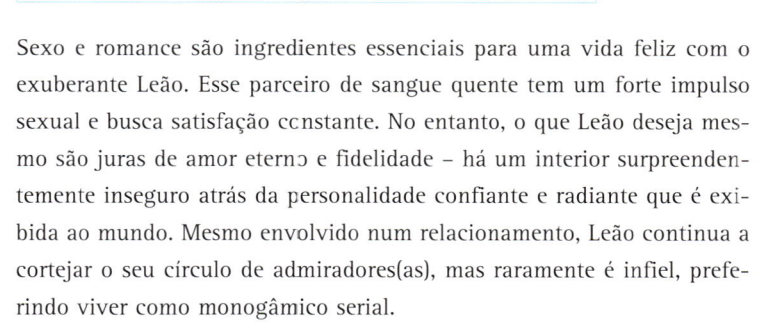

Sexo e romance são ingredientes essenciais para uma vida feliz com o exuberante Leão. Esse parceiro de sangue quente tem um forte impulso sexual e busca satisfação constante. No entanto, o que Leão deseja mesmo são juras de amor eterno e fidelidade – há um interior surpreendentemente inseguro atrás da personalidade confiante e radiante que é exibida ao mundo. Mesmo envolvido num relacionamento, Leão continua a cortejar o seu círculo de admiradores(as), mas raramente é infiel, preferindo viver como monogâmico serial.

Leão não é um grande defensor de relações igualitárias. Dominante, precisa ser o centro das atenções e espera que você organize a vida em torno do que ele quer, o que inclui ser visto nos melhores lugares. Leão tem uma tendência natural a se exibir e gosta de desfilar o parceiro para os outros, como se fosse uma propriedade. Como é extremamente vaidoso e preza muito as aparências, Leão faz questão que você esteja sempre impecável, já que o vê como uma extensão de si mesmo. Como se considera especial, nada mais lógico que a pessoa que ama também o seja.

Leão é um signo fixo e gosta de rotina. Por isso, qualquer mudança deve ser introduzida gradualmente. Caso o convide para sair, avise com muita antecedência porque Leão leva um tempo inacreditável para se preparar. Essa aversão à mudança também faz com que Leão seja fiel, mesmo quando a relação não vai muito bem, o que ele é orgulhoso demais para admitir. O orgulho é uma das qualidades menos negociáveis de Leão. Embora em geral seja alegre, se você inadvertidamente ferir a sua dignidade ou – pior ainda – caçoar dele, vai ter muito trabalho para persuadi-lo a voltar ao seu bom humor costumeiro.

Leão leva algum tempo para se abrir. Afinal, um leão não pode parecer fraco ou inadequado. A confiança é importante para esse signo e, se você trair essa confiança, nunca a terá de volta. O seu parceiro Leão tem uma fé quase ingênua nas pessoas e muitas vezes é enganado.

Leão é um signo extremamente fiel e amoroso.

VIRGEM
O amante criterioso

Zonas erógenas	Mente, pele, extremidades
Estímulos	Massagem, literatura erótica, mordiscar os dedos dos pés ou das mãos, uniformes de enfermeira
Afrodisíacos	Água e sabão, ginseng, aipo, camisinha
Fantasias	Orgias, filmes pornográficos, banheiros
Faça dar certo	Procure ser perfeito

Por fora, Virgem parece frio e afetado, mas esconde uma forte libido sob a superfície. Esse signo sensual gosta da segurança de um relacionamento a longo prazo e de uma vida sexual ativa. No entanto, flertes discretos e espirituosos podem ocorrer por fora – e um caso de uma noite só não está fora de questão. E que esse signo sociável gosta do estímulo mental que essas experiências oferecem mas, no todo, é bastante confiável.

Quando se trata de sexo, Virgem é uma mistura curiosa de melindre e curiosidade. O seu parceiro gosta de pensar sobre sexo, de discutir longamente o assunto e até de experimentar, mas a prática sexual pode lhe parecer confusa e trabalhosa. Na maior parte do tempo, Virgem prefere o afeto tranqüilo.

Virgem estabelece padrões muito altos para tudo. Como parceiro, você precisa ter uma aparência agradável e se comportar de acordo com o que Virgem considera correto e desejável. Haverá momentos em que você se sentirá injustamente criticado, mas lembre-se: Virgem é igualmente crítico com relação a si mesmo. Isso vem da necessidade de perfeição, própria do signo. Extremamente exigente, cada pequeno detalhe é objeto de um estrito controle de qualidade. Nos momentos de introspeção, é provável que o seu parceiro esteja tentando descobrir como poderia ter resolvido alguma coisa com mais eficiência. Para alimentar o ego um tanto frágil de Virgem, procure aplacar a sua insistente voz interior com elogios, especialmente a respeito do desempenho sexual.

Regido pelo falador Mercúrio, esse signo tem tudo a ver com comunicação. No entanto, pode ser estranhamente reticente a respeito dos próprios sentimentos, como condiz com um signo da terra. Você vai perceber que o conhecimento que tinha inicialmente sobre o seu parceiro não era muito profundo. Atrás da fachada aparentemente aberta, Virgem é tímido e acha a intimidade emocional muito difícil.

É importante você saber que Virgem quer ser valorizado por todos os pequenos serviços que presta no dia-a-dia. Vale a pena lembrar também que Virgem não suporta sujeira ou desordem, esperando que você cuide escrupulosamente da higiene pessoal e mantenha o ambiente impecável.

Muitos virginianos são viciados em trabalho e se esforçam demais, podendo assim sofrer com o stress. A melhor coisa que você pode oferecer a esse parceiro é a oportunidade de relaxar e levar a vida numa boa.

LIBRA
O amante encantador

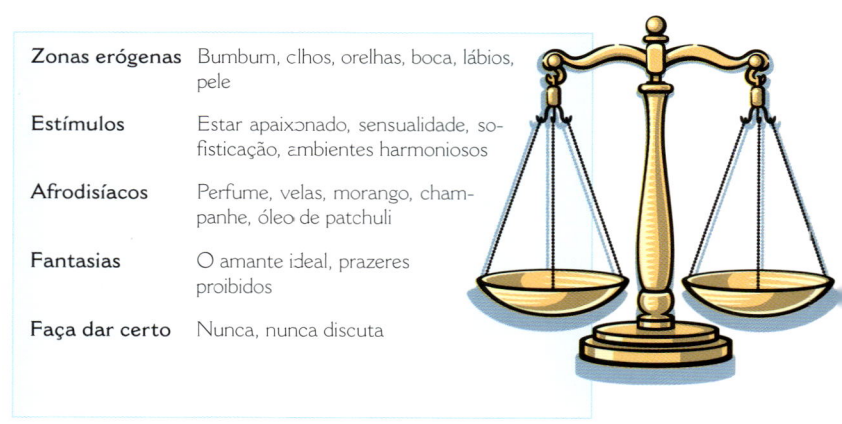

Zonas erógenas	Bumbum, olhos, orelhas, boca, lábios, pele
Estímulos	Estar apaixonado, sensualidade, sofisticação, ambientes harmoniosos
Afrodisíacos	Perfume, velas, morango, champanhe, óleo de patchuli
Fantasias	O amante ideal, prazeres proibidos
Faça dar certo	Nunca, nunca discuta

Libra foi feito para o amor. Esse parceiro charmoso continua galante mesmo depois de anos de casamento. Libra gosta acima de tudo de ser a metade de um casal e, se acreditar que você é a sua alma gêmea, o relacionamento durará para sempre. Não que isso o impeça de flertar, mas não se preocupe. Para Libra, flertar é tão natural quanto respirar. Mantenha a calma porque o seu parceiro voltará para você, estimulado e renovado por novas idéias.

Libra faz um esforço extraordinário para não discutir. Na superfície, é um modelo de virtude: põe o prazer do outro em primeiro lugar e faz todas as suas vontades. É que esse signo aprende logo cedo a agradar todo mundo. Como odeia discussões e desarmonia, faz concessões de todos os tipos para manter a paz. Quando há problemas no relacionamento, o libriano pede desculpas pelo que considera um fracasso pessoal e jamais porá a culpa em você. Às vezes, parece até que falta sinceridade sob esse exterior tão agradável. E falta mesmo, só que dificilmente isso vem à tona. Mas, de vez em quando, necessidades pessoais enterradas e reprimidas irrompem, deixando Libra tão surpreso quanto você. No entanto, a harmonia logo é restabelecida e a máscara de perfeita gentileza é novamente posta em uso.

Libra tem a fama de ser preguiçoso e indeciso porque, de tanto deliberar e hesitar, acaba tirando a concentração dos outros. O problema é que Libra enxerga todas as possibilidades e quer fazer a escolha perfeita – sendo justo com todo mundo. A justiça é um conceito importante para Libra, como também a perfeição. O seu parceiro quer ter uma bela aparência e se comportar do jeito certo, sempre. Esse desejo de perfeição revela um veio crítico escondido sob tanta gentileza, mas a vontade de se relacionar a qualquer custo impede que Libra se abra. Procure estimular uma abertura mútua no relacionamento porque isso fará bem a vocês dois.

Libra gosta do aparato e do prazer da sedução.

ESCORPIÃO
O amante ciumento

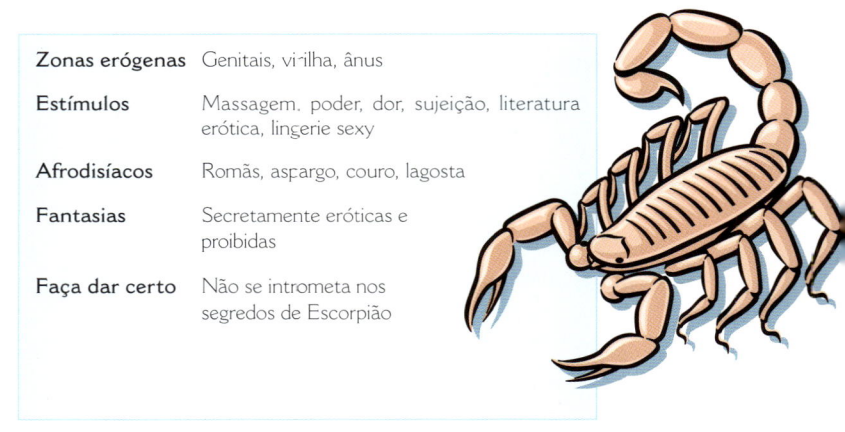

Zonas erógenas	Genitais, virilha, ânus
Estímulos	Massagem, poder, dor, sujeição, literatura erótica, lingerie sexy
Afrodisíacos	Romãs, aspargo, couro, lagosta
Fantasias	Secretamente eróticas e proibidas
Faça dar certo	Não se intrometa nos segredos de Escorpião

Escorpião é um signo sexualmente intenso mas, pelo menos em público, a profundeza da paixão se esconde sob um exterior enigmático. Cauteloso, Escorpião é por natureza muito fechado, o que prejudica a intimidade e torna esse parceiro difícil de se conhecer. Esse signo gostaria de ser emocionalmente auto-suficiente, mas precisa dar vazão à sua forte libido. No entanto, o fato de precisar de um parceiro faz com que Escorpião se sinta vulnerável.

Intensamente reservado e defensivo, Escorpião não se abre com facilidade, o que vem de um grande medo de ser controlado. Alguma coisa sempre fica em segredo. Escorpião é um signo controlador e dominador. Escorpião espera que o parceiro seja totalmente fiel, como ele costuma ser. Para Escorpião, é nítida a separação entre amor e desejo e, assim, uma escapada discreta não está fora de questão. Mas se você der um passo em falso, o famoso ciúme de Escorpião entrará em cena. Esse signo não perdoa e nem esquece. Quando Escorpião perde a confiança, dificilmente a recupera.

Escorpião não se satisfaz com a vida superficial, buscando o que é tabu e proibido. Fascinado por conhecimento proibido, parece às vezes desejar a morte. No plano sexual e no plano espiritual, Escorpião precisa se ver cara a cara com a parte mais negra de si mesmo. No meio tempo, procure ser compreensivo e generoso.

O ferrão de Escorpião é lendário – e letal. Para Escorpião, o ataque é a melhor defesa e é da sua natureza atacar sem nenhuma provocação. A língua cáustica do seu parceiro pode levá-lo às lágrimas, mas lembre-se que, por mais que doa, a ferroada não é dirigida a ninguém em particular. Atrás do exterior inescrutável, Escorpião duvida muitas vezes da própria competência. Quando as marés emocionais ameaçam arrebatá-lo, ele se sente vulnerável e teme perder o controle. Então ataca.

Escorpião é muito perspicaz e enxerga dentro do seu coração. Consciente das próprias forças e fraquezas, esse signo não hesita em manipulá-las para os próprios fins. Mas, manipulador e insensível num momento, é cheio de consideração no momento seguinte. O seu parceiro carismático pode também ser um estímulo, incentivando-o a aproveitar ao máximo o seu potencial.

Escorpião põe em prática o que outros signos apenas fantasiam.

SAGITÁRIO
O amante aventureiro

Zonas erógenas	Quadris e parte interna das coxas
Estímulos	Idéias compartilhadas e um lugar exótico
Afrodisíacos	Bagagem, sorvete, ioimbina
Fantasias	Viagens e fugas da rotina, que podem envolver cavalos
Faça dar certo	Dê muito espaço e liberdade

Romântico, Sagitário é um espírito livre que acha difícil se manter fiel a uma só pessoa. Se o seu parceiro sagitariano mostrar sinais de inquietação, você tem motivo para se preocupar, embora em geral tudo não passe de um flerte sem conseqüências. Mas é pouco provável que você perceba algum sinal: quando quer ir embora, Sagitário levanta e vai.

Sagitário tem muita necessidade de espaço pessoal e de liberdade. Se tentar prendê-lo, a relação vai fracassar. Mas se Sagitário tiver bastante espaço e for incentivado a explorá-lo, é bem provável que o relacionamento seja longo e de igual para igual. Isso é ainda mais provável se você acompanhar Sagitário nas suas aventuras. O seu parceiro não gosta de planos meticulosos a longo prazo, preferindo jogar umas roupas na mala e sair atrás do sol – ou comprar uma casa por impulso. Embora seja bom ter

Sagitário pode ser um amante romântico, embora inconstante.

cuidado com os impulsos mais desenfreados de Sagitário, esse modo de vida costuma dar certo. Sagitário tem confiança no universo, o que atrai muita sorte.

Esse é um signo descomplicado. Embora às vezes seja dado a exageros, Sagitário é confiável e prefere tudo às claras. Pouco sutil e muito franco, tem uma aversão genuína pelo fingimento e pelos jogos emocionais que os signos mais complicados costumam jogar.

Essa honestidade lhe traz a reputação de falta de tato. Quase nunca é de propósito, mas a falta de jeito de Sagitário pode machucar, graças à sua infeliz capacidade de ir direto à verdade. Nunca pergunte se uma determinada roupa engorda, a menos que esteja preparado para uma resposta direta. E não espere desculpas: Sagitário mal sabe o sentido dessa palavra e não vê necessidade de explicar nada.

Os sagitarianos tendem a prometer mais do que cumprem. Por não gostar de dizer não ou simplesmente por não pensar direito nas implicações, esse signo promete demais e acaba inevitavelmente desapontando alguém, mas por pura distração.

CAPRICÓRNIO
O amante consistente

Zonas erógenas	Parte de trás dos joelhos, pele
Estímulos	Poder, massagem, casacos de pele, música
Afrodisíacos	Dinheiro, perfumes clássicos, uniformes, caviar, vinhos finos
Fantasias	Despudoradas e eróticas, punição ou submissão
Faça dar certo	Ceda com elegância

Capricórnio é um dos signos mais confiáveis e tem muita força de caráter. Há quem se refira ao parceiro capricorniano como "rocha". Esse signo tem relacionamentos duráveis e, apesar de algumas escapadas sem conseqüências, o lar e a família acabam prevalecendo. Capricórnio leva o dever e a responsabilidade a sério. Mas, apesar da seriedade, Capricórnio tem um senso de humor meio maldoso. Com Saturno como regente do signo, a frivolidade não tem vez e a expressão emocional é refreada – apesar da forte libido. Como acontece com todos os signos da terra, há uma separação entre o corpo e as emoções – às vezes, Capricórnio realmente não sabe o que está sentindo.

Para entender o seu parceiro, você precisa considerar o sexo e a idade. As mulheres de Capricórnio superam com mais facilidade as restrições de Saturno, o que as torna emocionalmente mais abertas e mais próximas da sua natureza sensual do que os homens de Capricórnio. A maturidade condiz melhor com Capricórnio do que a juventude. Um jovem capricorniano é mais velho do que a sua idade e pode se sentir oprimido pela vida. Mas um capricorniano mais velho, que já conquistou a segurança que busca, parece até rejuvenescer. Nas últimas fases da vida, Capricórnio pode ultrapassar as armadilhas do sucesso material e descobrir uma satisfação mais profunda, tornando a convivência mais suave.

O seu parceiro capricorniano vai querer passar todo o tempo livre com você, mas seguindo uma rotina. Embora essa não seja uma relação de igual para igual, já que é Capricórnio quem manda, você tem um papel importante. Mas, para Capricórnio, os negócios vêm antes do prazer, principalmente na juventude. Assim, é possível que você passe muito tempo sozinho enquanto o seu parceiro persegue a sua ambição.

Convencional, Capricórnio é cheio de "deves e não deves" e se esforça muito para ficar à altura dos padrões que estabelece. Entenda que o seu parceiro busca a aprovação do mundo externo – o que inclui você. O desejo de "sucesso" aos olhos do mundo vem de um profundo sentimento de inadequação. Qualquer coisa que você faça para dar mais leveza à vida de Capricórnio é benéfica. O que esse signo mais precisa aprender é a arte de viver e deixar viver.

Um relacionamento com Capricórnio é em geral para a vida toda e costuma melhorar com o tempo.

AQUÁRIO
O amante sereno

Zonas erógenas	Panturrilhas e tornozelos
Estímulos	O que se passa na cabeça, carícias leves, pintura na pele
Afrodisíacos	Maconha, incenso, velas
Fantasias	Vale qualquer coisa, quanto mais estranha melhor
Faça dar certo	Esteja preparado para o inesperado

Aquário é um signo extremamente independente e imprevisível. Conhecer esse parceiro é um desafio. Mas, se vencer o primeiro obstáculo – conseguir que Aquário se envolva – você já terá percorrido um longo caminho, mesmo que não pareça. O fato é que o seu parceiro acaba descobrindo que uma relação estável pode ser incrivelmente tranqüilizadora. No entanto, Aquário gosta de afirmar a liberdade pessoal flertando quando surge a oportunidade e iniciando discussões profundas e significativas. Você pode muito bem relevar esse tipo de comportamento.

Se Aquário tiver mesmo um caso, qualquer demonstração de ciúme vai deixá-lo totalmente confuso. Esse signo não tem nenhum traço de ciúme no corpo e dá a todos igual liberdade. Com isso, você terá uma relação de igual para igual. Aquário apóia e celebra a individualidade e incentiva a sua expressão. Por isso, pode buscar arranjos pouco convencionais quando se trata de convivência e romance.

Aquário é conhecido como o signo mais racional e menos emotivo do zodíaco, mas tem fortes paixões. Só que não tem contato com elas. Embora goste de intelectualizar e discutir sentimentos abstratos, esse signo independente tem problemas enormes com a intimidade, preferindo uma relação mental. Às vezes, é como se Aquário usasse um aviso para os outros manterem distância. Com toda essa necessidade de espaço, é preciso muita compreensão para conviver com Aquário. Talvez você se sinta rejeitado por esse espírito em busca de liberdade, mas não precisa levar para o lado pessoal.

No convívio com um aquariano, é importante aceitar a sua profunda necessidade de ser *diferente*. Isso se revela através das roupas, das convicções ou do estilo de vida e é um reflexo de Urano, co-regente e catalisador. Saturno, o outro regente desse signo, pode criar um conflito interior para o aquariano, como se uma força irresistível encontrasse um objeto imóvel. Se você conseguir fazer com que o seu parceiro altamente sensível canalize essa força para alguma coisa que não seja confrontação, a vida será menos estressante para vocês dois. Do contrário, a pressão poderá gerar súbitas explosões.

Muitos aquarianos se sentem como alienígenas na Terra, como se viessem de um lugar distante ou de um futuro onde a humanidade vive melhor. Esse signo é mal compreendido pelos outros e por si mesmo – e tem dificuldade para descobrir o que faz o seu coração bater mais depressa.

PEIXES
O amante romântico

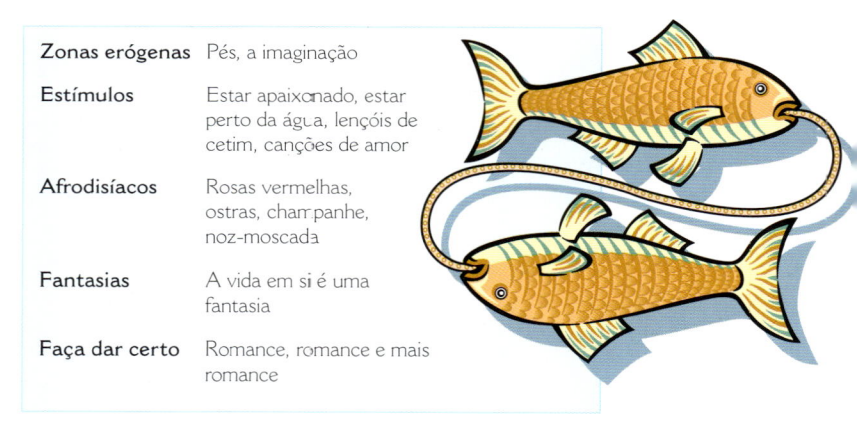

Zonas erógenas	Pés, a imaginação
Estímulos	Estar apaixonado, estar perto da água, lençóis de cetim, canções de amor
Afrodisíacos	Rosas vermelhas, ostras, champanhe, noz-moscada
Fantasias	A vida em si é uma fantasia
Faça dar certo	Romance, romance e mais romance

Peixes é um romântico incurável. Esse signo vê tudo através de lentes cor-de-rosa e tem a tendência a se perder na outra pessoa. Mas o outro lado desse signo dual é incrivelmente perspicaz, embora muito pouco prático. Trata-se de um signo emocionalmente complexo, que é difícil de entender. Quando se envolve, Peixes quer se fundir ao parceiro como alma gêmea, jurando fidelidade eterna. Só que sai por aí para flertar com novas possibilidades e quase nunca se separa totalmente dos parceiros anteriores. Por isso, essa fusão não parece genuína. Esse é um dos signos mais infiéis, mas é também um dos que mais sabem perdoar.

Peixes raramente sabe onde ele mesmo termina e o mundo externo começa. Ingênuo, crédulo e de coração mole, Peixes sempre cai em histórias tristes – e os amigos e antigos parceiros tendem a se aproveitar disso. Sob a superfície serena, Peixes é puxado de lá para cá, dividido entre emoções internas e exigências externas. Com pouca compreensão de si mesmo, Peixes precisa ver no mundo exterior o reflexo do que lhe vai por dentro. Você pode facilitar esse processo compartilhando com delicadeza as suas percepções e ajudando o seu parceiro a reagir refletidamente e não de maneira automática.

Com a profunda empatia e percepção de um signo da água, Peixes sabe exatamente o que você está pensando ou sentindo, e reage intuitivamente a qualquer desejo seu, mesmo os não enunciados. Na verdade, esse signo sabe o que você está sentindo antes que você mesmo saiba – e espera a mesma coisa de você, o que pode ser problemático se o seu signo for menos intuitivo. Peixes é adepto da comunicação emocional e não tanto da verbal, que permitirá uma relação mais harmoniosa. Mas o seu parceiro se importa profundamente com você e, na tentativa de expressar tal sentimento, pode sufocá-lo. Se você entender que isso vem de uma profunda insegurança, poderá dar o amor e a segurança que Peixes precisa – desde que mantenha um forte senso de si mesmo.

Muitas vezes, o mundo parece duro demais para esse signo sensível. Isso favorece uma tendência a fugir para um mundo de fantasias – e pode trazer vícios e desilusões. O desejo de salvar o mundo muitas vezes leva Peixes ao papel de vítima. Nesses momentos, bom senso é o melhor que você pode oferecer.

Peixes vive para amar e ama para viver.

A SÉTIMA CASA E OS RELACIONAMENTOS

A sétima casa dá uma visão geral do que esperar de um relacionamento. Ela mostra o que cada um busca no outro e se a adaptação à vida a dois é fácil ou não – o que depende da flexibilidade do signo na cúspide. Esse signo pode coincidir com o signo solar do parceiro, já que representa uma imagem interior do parceiro ideal. Os planetas situados na sétima casa indicam expectativas e necessidades – e favorecem ou restringem a capacidade de adaptação. (Os planetas do parceiro que caem nessa casa quando os signos são colocados juntos, têm o mesmo efeito – ver Bicírculos, pp. 364-65.)

PLANETAS NA SÉTIMA CASA

Sol	Não-adaptável. O eu cresce e se expressa por meio da relação com o outro – essa localização precisa de um parceiro. O parceiro – ou a própria pessoa – pode assumir ou refletir o papel ou as qualidades do pai no relacionamento – e pode ter sido o pai numa vida passada.
Lua	Adaptável. Fortes vínculos emocionais são essenciais para essa localização que prioriza a segurança. O parceiro – ou a própria pessoa – pode assumir ou refletir o papel ou as qualidades da mãe no relacionamento – e pode ter sido a mãe numa vida passada.
Mercúrio	Adaptável. A ligação mental é básica e a companhia pode ser mais importante do que o sexo. O parceiro pode ter sido um irmão numa vida passada.

Vênus	Adaptável. Vênus precisa muito da relação e pode ser ao mesmo tempo exigente com o parceiro e dependente dele. Procura um parceiro charmoso e sociável. Na astrologia de vidas passadas, qualquer relação entre pessoas envolve karma.
Marte	Não-adaptável. O relacionamento tende a ser ativo e extrovertido, mas pode terminar de repente depois de um desentendimento. Procura um parceiro positivo, mas a agressividade pode arruinar a relação.
Júpiter	Adaptável. O eu se expande por meio da relação com o outro e tende a atrair um parceiro disposto a ajudar ou a atuar como mentor. Como sempre acontece com Júpiter, essa localização indica tendência ao exagero. Procura um parceiro confiante.
Saturno	Não-adaptável. Essa localização indica um profundo desejo de estabilidade na relação, embora as restrições que isso traz possam se tornar onerosas. Procura um parceiro confiável, que pode ser mais velho. Em termos kármicos, todos os tipos de questões não concluídas podem vir à tona.
Quíron	Adaptável. O parceiro pode ser ferido ou ferir, embora a busca seja por uma relação com potencial de cura. Em termos kármicos, a mágoa matiza os relacionamentos.
Urano	Não-adaptável. Essa é a localização tradicional do divórcio e indica que a liberdade é muito importante. O eu cresce e evolui, deixando o parceiro para trás, a menos que se dê atenção a isso. O parceiro é quase sempre incomum ou diferente. Para a astrologia kármica, houve fins abruptos e falta de intimidade no passado.
Netuno	Adaptável. Essa localização sugere ilusão e fantasia. O parceiro idealizado e idolatrado é perfeito – até que as imperfeições apareçam. Procura um parceiro sensível e romântico.
Plutão	Não-adaptável. Essa é uma localização emocionalmente exigente. Indica que os jogos de poder são comuns e sugere abuso. Procura um parceiro poderoso.

AMOR E DESEJO: VÊNUS

Como deusa do amor, Vênus tem um papel importante num relacionamento. Quando está num signo sexualmente carregado, esse planeta pode sobrepujar um signo solar mais passivo, revelando uma libido inesperadamente forte. No mapa de uma mulher, Vênus aponta para o modelo feminino que essa mulher almeja (o arquétipo) e que projeta para os homens da sua vida – embora a realidade possa ser diferente. No mapa de um homem, Vênus indica o tipo de mulher que atrai esse homem (ver Vênus, pp. 172-77), assim como a sua *anima* interior – as qualidades femininas da sua natureza – que ele projeta na "mulher ideal".

Compatibilidade

Quando Vênus está em harmonia com Marte, o Sol ou a Lua do parceiro, as duas partes têm valores e impulsos sexuais semelhantes, que se expressam de maneira compatível. Isso sugere um relacionamento longo e confortável, desde que outros fatores sejam favoráveis. Quando Vênus se choca com os planetas pessoais do parceiro, a relação não é muito acolhedora, mas pode ser excitante. É um tipo de conflito mais comum em casos rápidos e apaixonados. Mas, dependendo de outros fatores, pode indicar um relacionamento longo, sexualmente excitante.

ATRAVÉS DOS SIGNOS

Vênus em Áries (a mulher predadora) Uma localização voraz, sexualmente ativa, que vai atrás do que quer. Nada segura essa combinação audaz.

Vênus em Touro (a mulher voluptuosa) Uma localização indolente e sensual que prefere ir devagar mas que tem uma forte libido oculta sob a superfície aparentemente calma.

Vênus em Gêmeos (uma hábil sedutora) Uma localização sedutora, capaz de persuasão e de manipulação sutil. A variedade é o tempero da vida dessa companhia encantadora.

Vênus em Câncer (a deusa maternal) Essa localização é sentimental e cheia de apego, preferindo o romance à luxúria. Vínculos emocionais muito fortes são formados.

Vênus em Leão (a rainha dramática) Orgulhosa, impetuosa e brincalhona, essa localização glamourosa emana um intenso calor sexual. É impossível ignorá-la.

Vênus em Virgem (a donzela casta ou a mulher fecunda) Essa localização se divide entre dois extremos: é fria e crítica mas, quando despertada, revela uma forte libido e uma sensualidade poderosa.

Vênus em Libra (a deusa do amor) Essa combinação eroticamente agradável foi feita para o amor, mas se contenta com uma relação sensualmente gratificante ou com uma boa companhia.

Vênus em Escorpião (a sedutora provocante) Como um canto de sereia, essa localização tem atração magnética e sensualidade irrefreável. Intensamente ciumenta, mata para conseguir o que quer.

Vênus em Sagitário (a cortesã) Essa combinação volúvel gosta de aventuras sexuais intensas mas precisa de companheirismo para manter o relacionamento nos trilhos.

Vênus em Capricórnio (a mulher manhosa) Vênus mostra o seu aspecto mais controlador em Capricórnio. A libido é bloqueada pela dificuldade de mostrar os sentimentos.

Vênus em Aquário (a mulher excêntrica) Imprevisível e impassível, essa localização fica perplexa diante da força do desejo e do amor, mas gosta de sexo não convencional.

Vênus em Peixes (a princesa da fantasia) Aérea e sonhadora, essa combinação ingênua quer tanto se apaixonar que muitas vezes acaba sendo vítima do amor.

AMOR E DESEJO: MARTE

Viril, Marte é o deus do desejo ardente. Onde Marte reside, o desejo potente é traduzido em ação irrefreável ou em fantasia e sonhos ativos, caso Marte esteja num signo passivo. Localizado num signo ativo, Marte pode sobrepujar o signo solar, acentuando a libido e exigindo gratificação imediata.

No mapa de um homem, Marte aponta para o arquétipo a que esse homem aspira e que projeta para as mulheres da sua vida – embora a realidade possa ser diferente. No mapa de uma mulher, Marte indica o tipo de homem que a atrai (ver Marte, pp. 178-83) e o seu *animus* interior – as qualidades masculinas da sua natureza – que ela projeta no "homem ideal".

Compatibilidade

Quando Marte está em contato com o Sol, com a Lua ou com Vênus nos mapas de um casal, a indicação é de atração sexual intensa, mas nem sempre harmoniosa. O desejo pode ser forte mas, na ausência de interaspectos favoráveis, pode surgir uma incompatibilidade sexual mais profunda.

ATRAVÉS DOS SIGNOS

Marte em Áries (o homem macho) Egoísta e altamente competitiva, essa localização agressiva gosta de conquistas rápidas. A caçada estimula, a libido fica em alta e a gratificação tem que ser imediata.

Marte em Touro (o homem das cavernas) Nesse caso, sexo equivale a posse. O impulso sexual é forte, mas pode ser refreado por uma gratificação maior num momento posterior.

Marte em Gêmeos (o garotão) Essa localização é sensível à persuasão verbal e pode ver o sexo como um meio para começar uma nova amizade. O flerte é considerado um bom substituto para o sexo.

Marte em Câncer (o dono de casa) Essa localização romântica aborda o objeto do seu desejo de maneira indireta, mas depois acerta no alvo. A gratificação sexual é muito ligada à segurança.

Marte em Leão (ativo e passional) Indicativa de monogamia serial, essa localização ardente tem um forte apetite pela vida, por amor e por sexo.

Marte em Virgem (o amante virgem) A libido é reprimida, até que a forte sexualidade irrompa; os problemas emocionais são comuns.

Marte em Libra (o sedutor romântico) Amante do prazer e com vontade fraca, essa localização flerta com facilidade, mas prefere um relacionamento à mera gratificação sexual.

Marte em Escorpião (o amante dominador) Com uma aura magnética de poder, essa localização altamente sexuada é atraente, mas extremamente intensa.

Marte em Sagitário (o aventureiro descuidado) Esse aventureiro sexual busca sentido através do sexo mas acha restritiva qualquer relação mais próxima.

Marte em Capricórnio (a figura paterna) Essa localização calculista avalia as recompensas do sexo antes de ceder à sua natureza excitável.

Marte em Aquário (o "novo homem") Essa localização friamente impessoal luta até a morte por uma causa, mas tem muita dificuldade na intimidade. A libido é ignorada.

Marte em Peixes (o amante dos sonhos) A luxúria é confundida com a paixão nos romances precipitados ou o desejo sexual pode ser transcendido em favor de uma união espiritual.

ATRAÇÃO ENTRE OS ELEMENTOS

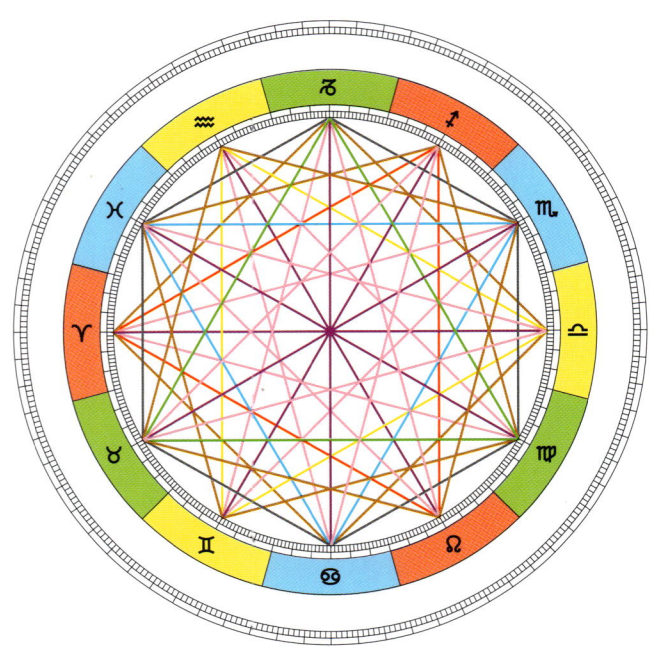

CHAVES

- 🟩 harmonioso e duradouro
- 🟦 empático e duradouro
- 🟥 atração intensa, talvez inflamável
- 🟨 atração sem envolvimento
- 🟪 forte atração
- 🟫 conflito de personalidade, metas em comum
- ⬛ harmonioso mas sem empolgação
- 🟪 sem harmonia apesar da atração inicial

Quando, nos mapas de duas pessoas, o Sol, a Lua, Marte, Vênus ou os Nodos Lunares caem em elementos compatíveis, a atração cresce rapidamente e a relação é confortável logo de início. Diferenças mais sérias podem surgir depois mas, pelo menos nas aparências, o relacionamento parece ter tudo a seu favor.

PARES DE ELEMENTOS

Fogo e Fogo Uma união apaixonada, mas o desejo pode se extinguir com a mesma rapidez com que surgiu.

Fogo e Terra O desejo carnal é ardente, pelo menos até que as rotinas da terra ameacem apagar a chama. Para a terra, é difícil se adaptar.

Fogo e Ar O desejo acende rapidamente, mas o ar pode arruiná-lo falando demais, e a paixão também pode se extinguir rapidamente. O envolvimento a longo prazo é difícil.

Fogo e Água Vapor escaldante ou um rojão que nega fogo. Para a água, é difícil conviver com o jeito independente do fogo. As mágoas são muitas.

Terra e Terra Longo, lento e sensual – quando finalmente deslancha. Esses dois são totalmente leais e para eles é difícil se separar.

Terra e Ar O ar acha a terra séria demais e a terra fica exasperada com a frivolidade do ar, mas pode ser a rocha de que o ar precisa.

Terra e Água Um par sensual, esses dois podem ter um relacionamento duradouro – ou cair numa confusão. Os dois são passivos demais para discutir.

Ar e Ar Esse relacionamento é feito de conversa. O sexo seria inventivo, se conseguissem parar de falar. Sexo por telefone pode ser a solução.

Ar e Água Uma combinação problemática, já que o ar passa horas explicando o que pensa, enquanto a água procura mostrar o que sente.

Água e Água Empatia para toda a vida. As emoções correm lá no fundo e unem esses dois – mesmo depois da separação física, o vínculo emocional permanece.

SINASTRIA: GRADES E INTERASPECTOS

Na sinastria, a comparação entre os mapas de duas pessoas indica como funciona a relação e quais os temas e potenciais que virão à tona. O astrólogo prepara os dois mapas natais e então calcula os interaspectos (as relações geométricas entre os planetas nos mapas). Considera também a significância dos planetas que caem nas diversas casas dos parceiros (ver pp. 364-65).

Orbes

A astrologia tradicional usa orbes de 2º na sinastria, mas margens maiores podem identificar questões e temas kármicos que aparecem à medida que o relacionamento avança. Nos exemplos dos mapas das pp. 356-57, foram usados os seguintes orbes:

8º : conjunções, trígonos, quadraturas, oposições e quincunces
6º : sextil
2º : aspectos menores (raramente usados em sinastria)

Esses orbes podem ser expandidos – especialmente no caso de planetas exteriores em interaspecto com planetas interiores – quando se trata de questões fortemente delineadas nos mapas natais ou quando um interaspecto se repete no mapa em duas direções ("duplo vaticínio"). Uma oposição de 10º entre planetas exteriores e pessoais pode ser considerada, caso acompanhe um trígono de 6º e reflita uma conjunção de 4º de um dos mapas natais, por exemplo.

COMPARAÇÃO ENTRE DOIS MAPAS

Os aspectos entre os dois mapas (interaspectos) mostram diferentes tipos de interação.

Os aspectos entre o Sol, a Lua e os ângulos de um dos mapas com os do outro são imediatamente perceptíveis porque favorecem uma relação harmoniosa. As conjunções favorecem a atração imediata, especialmente entre o Sol e a Lua, enquanto os aspectos com os ângulos sugerem um relacionamento de longa duração. Esses aspectos são sentidos num nível muito pessoal.

Aspectos fáceis entre Mercúrio, Vênus e Marte tendem a ser harmoniosos e podem levar à atração imediata e ao companheirismo constante, especialmente quando há outros fatores favoráveis. Aspectos difíceis entre esses planetas indicam uma atração inicial que pode provocar irritação. Esses aspectos são sentidos na vida cotidiana.

Os aspectos entre Mercúrio, Vênus ou Marte de um mapa com o Sol, a Lua ou os ângulos do outro podem favorecer a harmonia recíproca, mas não são muito significativos por si sós. Esses aspectos são sentidos na vida diária.

Os aspectos entre os planetas pessoais de um mapa e os planetas exteriores do outro, especialmente no caso de um "duplo vaticínio", são de grande importância porque indicam questões e atitudes postas em evidência para serem resolvidas – e karma a ser resgatado. Esses aspectos são sentidos no nível da alma. Os aspectos unidirecionais sugerem karma em formação: karma gerado na presente interação ou questões que não estão no nível pessoal para o casal, mas que um deles – ou os dois – precisa trabalhar.

Aspectos entre planetas exteriores tendem a ter pouco impacto pessoal: atuam na esfera de uma geração inteira.

Os aspectos dos Nodos são altamente significativos, já que favorecem ou atrapalham a expressão do propósito kármico ou anímico. Quando um planeta pessoal está em conjunção com os Nodos, o relacionamento parece ser entre almas gêmeas, embora as conjunções com o Nodo Sul indiquem um tempo de mudança. Qualquer planeta em conjunção com o Nodo Sul é enfraquecido, tendendo ao beco sem saída do passado. Um planeta em conjunção com o Nodo Norte leva a um novo modo de ser e um planeta em quadratura com os Nodos pode trazer uma solução ou um rompimento.

COMO IDENTIFICAR INTERASPECTOS

Localizar interaspectos é como descobrir aspectos num mapa natal, só que há dois mapas a considerar. Procure seguir as indicações abaixo usando os mapas do exemplo.

– Observe, num dos mapas, o grau em que o Sol está.

– Observe, no outro mapa, os graus em que os planetas estão.

– Se qualquer um dos planetas estiver no máximo a 8° do grau-Sol, seja de que lado for, formando um aspecto maior, anote.

– Repita com os planetas restantes do primeiro mapa.

– Repita com os planetas do segundo mapa.

– Examinando as listas, coloque um asterisco onde houver interaspectos entre os mesmos pares de planetas. Esses aspectos são bidirecionais ("duplo vaticínio").

– Finalmente, anote se algum planeta de um dos mapas está em aspecto com os nodos do outro e vice-versa.

Há programas de computador que calculam rapidamente os interaspectos, formando grades ou listas (ver exemplos). O jeito mais fácil de trabalhar com elas é circundar em vermelho os interaspectos bidirecionais e sublinhar os aspectos unidirecionais importantes.

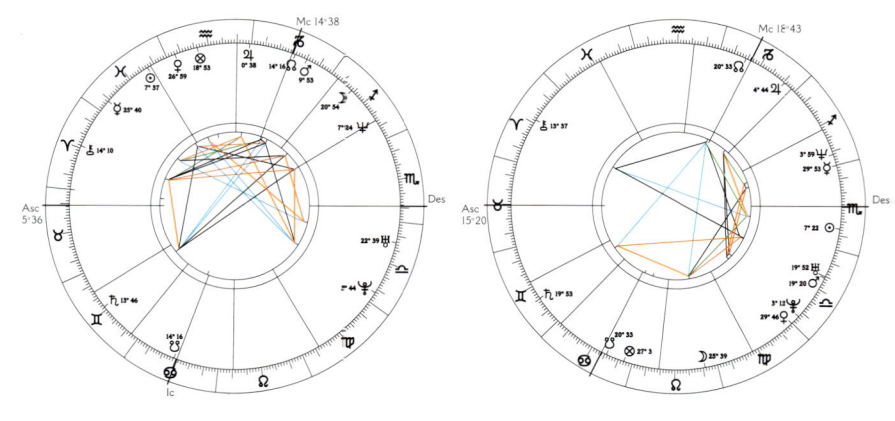

Exemplo – mapa A   *Exemplo – mapa B*

EXEMPLO DE LISTA DE INTERASPECTOS

	☉	△	☉	0.3
	☉	□	☿	7.7
	☉	⚻	♀	7.9
*	☉	⚹	♃	2.9
	☉	□	♆	3.6
	☉	⚻	♇	4.4
	☽	△	☽	4.7
	☽	⚹	♂	1.6
	☽	☍	♄	1.0
*	☽	⚹	♅	1.0
	☽	⚻	As	5.6
	☽	△	⚷	7.3
	☿	⚻	☽	0.0
	☿	△	☿	4.2
*	☿	☍	♀	4.1
	☿	⚻	♂	6.3
	☿	□	♄	5.8
	☿	⚻	♅	5.8
*	☿	☍	♇	7.5
	☿	⚹	☊	5.1
	♀	☍	☽	1.3
*	♀	□	☿	2.9
	♀	⚻	♀	2.8
	♀	△	♂	7.7
	♀	△	♄	7.1
	♀	△	♅	7.1
	♀	□	♆	7.0
*	♀	⚻	♇	6.2
	♂	⚹	☉	2.5
	♂	☌	♃	5.1
	♂	□	♇	6.7
	♂	△	As	5.5
	♂	□	⚷	3.7
*	♃	⚻	☉	6.7
	♃	△	☽	5.0
	♃	☍	☿	0.8
	♃	⚻	♀	0.9
	♃	□	♆	3.4
	♃	⚻	♇	2.6
	♄	⚻	☉	6.4
	♄	△	♂	5.6
	♄	☌	♄	6.1
	♄	△	♅	6.1
	♄	⚻	Mc	4.9
	♄	⚻	☊	6.8
	♄	⚹	⚷	0.2
*	♅	⚹	☽	3.0
	♅	☌	♂	3.3
	♅	△	♄	2.8
	♅	☌	♅	2.8
	♅	⚻	As	7.3
	♅	□	Mc	3.9
*	♅	□	☊	2.1
	♆	☌	☿	2.5
	♆	☌	♆	5.1
	♆	⚹	♇	6.7
	♆	⚻	As	5.5
	♆	△	⚷	3.7
*	♇	⚹	☿	3.9
*	♇	☌	♀	4.0
	♇	□	♃	1.0
	♇	⚹	♆	0.2
	♇	☌	♇	0.5
	As	☍	☉	1.8
	As	⚻	☿	5.7
	As	⚻	♀	5.8
	As	△	♃	0.9
	As	⚻	♆	1.6
	As	⚻	♇	2.4
*	☊	□	♅	5.4

* = duplo vaticínio

Os planetas na coluna da esquerda dizem respeito ao mapa A. Os planetas na coluna da direta dizem respeito ao mapa B. Foram identificados os aspectos entre os dois.

EXEMPLO DE GRADE DE INTERASPECTOS

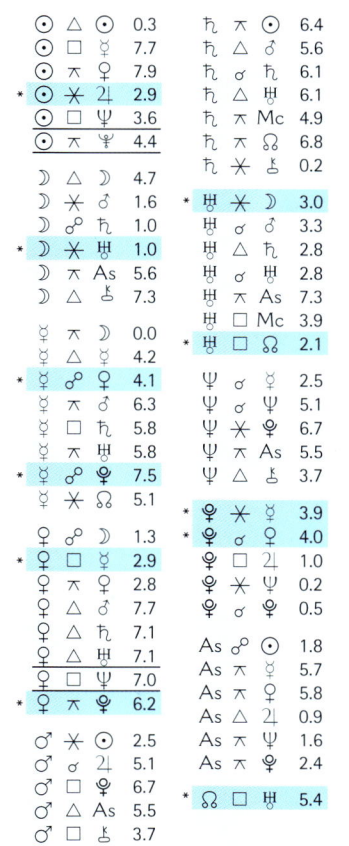

	☉	☽	☿	♀	♂	♃	♄	♅	♆	♇	As	Mc	☊	⚷
☉	+△ 0°15	•	+□ 7°45	+⚻ 7°51	•	+⚹ 2°54	•	•	+□ 3°39	+⚻ 4°26	•	•	•	•
☽	•	△ 4°45	•	•	+⚹ 1°35	•	+☍ 1°02	+⚹ 1°02	•	•	+⚻ 5°34	•	•	+△ 7°17
☿	•	+⚻ 0°01	△ 4°12	☍ 4°06	+⚻ 6°21	•	+□ 5°48	+⚻ 5°48	•	☍ 7°32	•	•	+⚹ 7°07	•
♀	•	+☍ 1°20	□ 2°53	⚻ 2°47	+△ 7°40	•	+△ 7°07	+△ 7°07	□ 6°60	⚻ 6°13	•	•	•	•
♂	+⚹ 2°30	•	•	•	•	+☌ 5°09	•	•	•	+□ 6°41	△ 5°28	•	•	□ 3°45
♃	□ 6°45	+⚻ 4°59	+⚹ 0°45	+△ 0°52	•	•	•	•	⚹ 3°21	△ 2°34	•	•	•	•
♄	+⚻ 6°24	•	•	•	△ 5°33	•	☌ 6°06	△ 6°06	•	•	•	⚻ 4°56	⚻ 6°47	+⚹ 0°09
♅	•	⚹ 3°00	•	•	+☌ 3°19	•	+△ 2°46	+☌ 2°46	•	•	+⚻ 7°19	+□ 3°56	+□ 2°06	•
♆	•	•	+☌ 7°31	•	•	•	•	•	+☌ 3°25	+⚹ 4°12	⚻ 7°56	•	•	△ 6°13
♇	•	•	+⚹ 3°51	+☌ 3°58	•	□ 0°60	•	•	⚹ 0°15	+☌ 0°32	•	•	•	•
As	☍ 1°46	•	+⚻ 5°43	+⚻ 5°50	•	+△ 0°52	•	•	+⚻ 1°37	+⚻ 2°24	•	•	•	•
Mc	•	•	•	•	□ 4°42	•	⚻ 5°15	□ 5°15	•	•	△ 0°42	☌ 4°05	☌ 5°55	+□ 1°01
☊	•	•	•	•	□ 5°04	•	⚻ 5°37	□ 5°36	•	•	△ 1°04	☌ 4°27	☌ 6°17	+□ 0°39
⚷	+⚻ 6°48	•	•	•	☍ 5°09	•	⚹ 5°42	☍ 5°42	•	•	•	□ 4°32	□ 6°23	+☌ 0°33

Esse mapa mostra as mesmas informações num formato diferente. Os planetas na linha de cima dizem respeito ao mapa B e os planetas na vertical dizem respeito ao mapa A.

PLANETAS EM INTERASPECTO

Observe que os termos "fácil" e "difícil" dizem respeito a como a energia é experimentada e não ao tipo de aspecto. Constam aqui apenas interaspectos que podem ser significativos num relacionamento.

☉ INTERASPECTOS DO SOL

Sol com Sol
Fácil Aproximação imediata, relacionamento harmonioso e duradouro.
Difícil Atitudes totalmente diferentes diante da vida resultam numa relação sem harmonia.

Sol com Lua
Fácil Forte atração, forte ligação emocional e muita compreensão; comum no casamento.
Difícil A atração é forte, mas as diferenças fundamentais podem causar problemas.

Sol com Mercúrio
Fácil Ligação mental e interesses compartilhados.
Difícil Um não consegue compreender o outro.

Sol com Vênus
Fácil Forte atração, valores e desejos compartilhados.
Difícil Valores e desejos fundamentalmente diferentes.

Sol com Marte
Fácil Atração imediata, mas o relacionamento pode ser volátil.
Difícil Probabilidade de discussões.

Sol com Júpiter
Fácil Relacionamento expansivo, benéfico para os dois; pode envolver viagens.
Difícil Sugere descuido, exagero e gastos excessivos.

Sol com Saturno
Fácil Relacionamento ancorado e estável.
Difícil Inibição e restrição.
Kármico Dívidas, deveres, lições e obrigações entre as partes.

Sol com Quíron
Fácil Interesse compartilhado na cura e na integração do passado.
Difícil É uma interação capaz de magoar profundamente, no caso de "duplo vaticínio".
Kármico Mágoas emocionais e kármicas a serem curadas.

Sol com Urano
Fácil Relacionamento estimulante mas imprevisível, que precisa de espaço.
Difícil Disruptivo e volátil.
Kármico Dilema liberdade/envolvimento.

Sol com Netuno
Fácil Idealizado, idílico e romântico
Difícil Desilusão, ilusão e decepção
Kármico Dificuldade para distinguir uma pessoa da outra; individualidade compartilhada.

Sol com Plutão
Fácil Tem e transmite poder.
Difícil Simbiótico e opressivo.
Kármico Simbiose – um tinha poder sobre o outro ou era dono do outro.

Sol com os Nodos
Almas gêmeas, mas ainda precisam se separar.
Nodo Norte Um ajuda o outro a crescer e a evoluir.
Nodo Sul Uma pessoa é puxada de volta para o que era antes, em vez de evoluir.

☽ INTERASPECTOS DA LUA

Lua com Lua
Fácil Emoções harmoniosas e compreensão mútua.
Difícil Conflito emocional; probabilidade de problemas domésticos.

Lua com Mercúrio
Fácil Boa comunicação emocional.
Difícil Mal-entendidos emocionais.

Lua com Vênus
Fácil Expressão emocional fácil e afetuosa.
Difícil Mal-entendidos emocionais.

Lua com Marte
Fácil Forte atração.
Difícil Forte atração física mas possibilidade de conflitos emocionais.

Lua com Saturno
Fácil Envolvimento emocional.
Difícil Inibição e repressão emocional.
Kármico Disposição para ficar juntos, mas um dos dois pode se sentir inadequado.

Lua com Quíron
Fácil Potencial para curar feridas emocionais.
Difícil Potencial para ferir emocionalmente.
Kármico Necessidade de curar velhas feridas.

Lua com Urano
Instável, imprevisível e volátil.
Kármico Dilema liberdade-envolvimento.

Lua com Netuno
Fácil Romântico e idealizado.
Difícil Enganoso e ilusório.
Kármico "Atingas almas gêmeas" com dificuldade para distinguir entre os sentimentos de um e de outro; pode haver necessidade de separação.

Lua com Plutão
Simbiótico, sufocante, problemas ligados à figura da mãe reaparecem em forma de abandono, rejeição e dor emocional. Parceiro se transforma em "mãe".
Kármico Trabalhar problemas ligados à mãe e ao abuso emocional. Mãe/filho.

Lua com os Nodos
Almas gêmeas, mas a separação pode ser necessária.
Nodo Norte Um dos dois é aquilo que o outro luta para ser.
Nodo Sul Puxado de volta para velhos padrões emocionais e interações kármicas.

☿ INTERASPECTOS DE MERCÚRIO

Mercúrio com Vênus
Fácil Compreensão mútua.
Difícil Discordância mútua.

Mercúrio com Marte
Fácil Estímulo mental.
Difícil Estimulante, mas pode haver discordâncias intelectuais.

Mercúrio com Júpiter
Favorece o aprendizado e o crescimento mental.

Mercúrio com Saturno
Fácil Um parceiro ajuda a estruturar as idéias do outro.
Difícil A mente de um é inibida pela mente do outro.
Kármico Um dos parceiros é controlado pela mente do outro.

Mercúrio com Quíron
As palavras podem ferir.
Kármico Necessidade de curar feridas infligidas por palavras.

Mercúrio com Urano
Idéias estimulantes e compreensão intuitiva.

Mercúrio com Netuno
Fácil Uma pessoa entende totalmente a outra.
Difícil Confusão e desilusão.
Kármico Um antigo contato telepático precisa ser rompido; dificuldade para distinguir os próprios pensamentos.

Mercúrio com Plutão
Fácil Possibilidade de conhecimentos profundos.
Difícil Probabilidade de controle mental e coerção.
Kármico Um tem controle sobre a mente do outro.

♀ INTERASPECTOS DE VÊNUS

Vênus com Marte
Forte atração sexual.

Vênus com Saturno
Fácil Relação emocionalmente estável.
Difícil Relação emocionalmente repressiva.
Kármico Dívidas mútuas; um concordou em sustentar o outro.

Vênus com Quíron
Potencial para curar ou provocar feridas emocionais.
Kármico Caso amoroso do passado que deixou mágoas.

Vênus com Urano
Emocionalmente volátil.
Kármico Antiga amizade ou dilema liberdade-envolvimento.

Vênus com Netuno
Esse é um aspecto associado a almas gêmeas, com potencial para o amor incondicional.
Kármico Antigas almas gêmeas, ausência de fronteiras, a separação pode ser necessária; "dicotomia santa-prostituta".

Vênus com Plutão
Fácil Forte atração emocional.
Difícil Simbiose emocional ou luta pelo poder.
Kármico Relação simbiótica, em que uma pessoa foi propriedade da outra.

Vênus com os Nodos
Um aspecto associado a almas gêmeas.
Com o Nodo Sul Possibilidade de volta a um antigo relacionamento que precisa ser superado.

♂ INTERASPECTOS DE MARTE

Marte com Júpiter
Incentivo mútuo.

Marte com Saturno
Pode trazer estabilidade ou obstrução.
Kármico Uma situação "senhor-escravo" na qual uma pessoa teve controle total sobre a outra.

Marte com Quíron
Kármico Dano à vontade ou à afirmação tem que ser curado.

Marte com Urano
Altamente disruptivo mas estimulante.

Marte com Netuno
Harmonia ou confusão física.

Marte com Plutão
Possibilidade de abuso e de mau uso do poder; agressividade, geralmente kármica.

CONJUNÇÕES COM OS ÂNGULOS

Sol em conjunção com um Ângulo
Contato poderoso, que incentiva ou inibe a auto-expressão dentro do relacionamento.

Lua em conjunção com um Ângulo
Contato emocional poderoso, que pode puxar de volta para o passado.

Mercúrio em conjunção com um Ângulo
A comunicação é de máxima importância no relacionamento.

Vênus em conjunção com um Ângulo
Foco na intimidade.

Marte em conjunção com um Ângulo
Energiza a relação mas pode criar desacordos.

Júpiter em conjunção com um Ângulo
Indica um relacionamento expansivo e vantajoso, que envolve muitas viagens.

Saturno em conjunção com um Ângulo
Pode trazer estabilidade ou restrição ao relacionamento.

Urano em conjunção com um Ângulo
Age como catalisador da mudança e cria o caos.

Netuno em conjunção com um Ângulo
As ilusões românticas impedem que um parceiro enxergue o outro, além de criar confusão e decepção.

Plutão em conjunção com um Ângulo
Pode indicar uma atração física e emocional compulsiva, mas uma pessoa tem poder sobre a outra.

BICÍRCULOS

A análise de um relacionamento por meio da comparação de dois mapas pode ser ainda mais aprofundada quando se sobrepõe um mapa ao outro, descobrindo assim quais os planetas que caem nas diversas casas. Essa forma de sinastria, que fica mais fácil com o uso de um programa de computador (ver a ilustração abaixo), indica as áreas da vida que são estimuladas na relação e em que se tem uma experiência mais direta do parceiro.

O quadro a seguir é uma referência geral. A natureza dos planetas envolvidos nos aspectos e interaspectos afeta a natureza da interação.

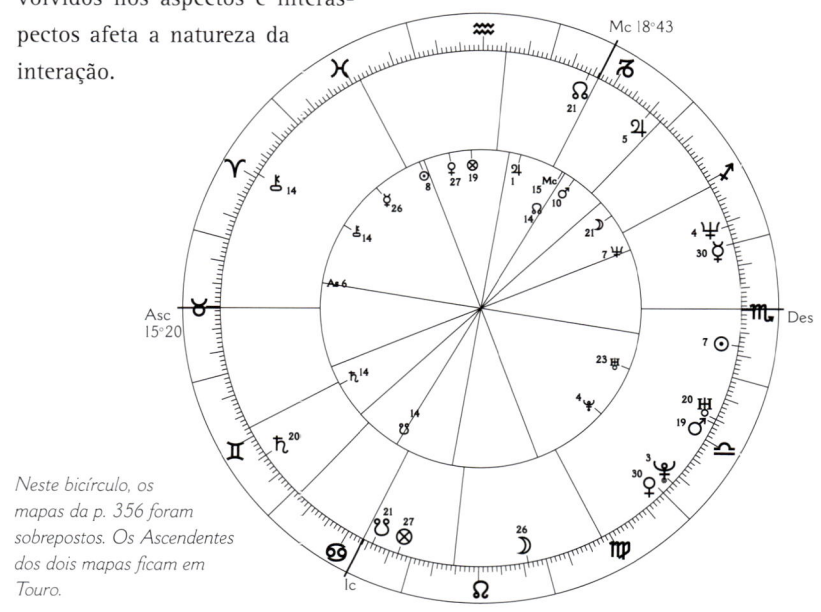

Neste bicírculo, os mapas da p. 356 foram sobrepostos. Os Ascendentes dos dois mapas ficam em Touro.

PLANETAS NAS CASAS DO PARCEIRO

Primeira casa	Estimulam a auto-expressão e a interação com o mundo exterior. O parceiro pode causar um impacto sobre a aparência ou a personalidade.
Segunda casa	Um parceiro intimamente ligado à segurança e às finanças pessoais.
Terceira casa	A comunicação com o parceiro é especialmente importante, sendo que o relacionamento pode envolver viagens curtas e constantes.
Quarta casa	Levantam questões ligadas à casa e à educação dos filhos.
Quinta casa	Animam a vida, sugerindo atividades de lazer e atitudes conjuntas na criação dos filhos.
Sexta casa	Indicação de que os parceiros trabalham juntos – ou de doenças que interferem na relação.
Sétima casa	Têm um efeito profundo sobre o relacionamento (ver pp. 252-53).
Oitava casa	Apontam para experiências sexuais e recursos compartilhados.
Nona casa	Trazem um foco filosófico ao relacionamento; as convicções religiosas compartilhadas podem ser importantes.
Décima casa	Impacto sobre aspectos sociais e profissionais da relação.
Décima primeira casa	Trabalho conjunto pelo bem da sociedade ou adesão a um movimento social.
Décima segunda casa	Sugerem dinâmicas ocultas subjacentes à relação, que podem ser de natureza kármica.

MAPAS COMPOSTOS E DE RELACIONAMENTO

Um mapa composto é derivado dos pontos médios das localizações dos planetas e ângulos nos dois mapas, enquanto um mapa de relacionamento é derivado do ponto médio das duas datas de nascimento. A leitura dos dois é igual à do mapa natal e revela as áreas da vida em que o relacionamento se destaca, os seus desafios, o seu propósito e a sua dinâmica (ver pp. 352-57).

Uso dos mapas

Ao destacar fatores essenciais, esses mapas lançam mais luz sobre os interaspectos formados, identificando as forças e fraquezas da relação e focalizando melhor as questões (ver Interaspectos, pp. 350-57).

Um mapa composto ou de relacionamento pode também ser lido juntamente com os mapas natais. Num mapa composto, os planetas que caem nos aspectos planetários ou nas casas do mapa natal ativam as questões do aspecto ou da casa em questão, deixando mais aparentes as dinâmicas do relacionamento (ver p. 365).

Exemplo – mapa A

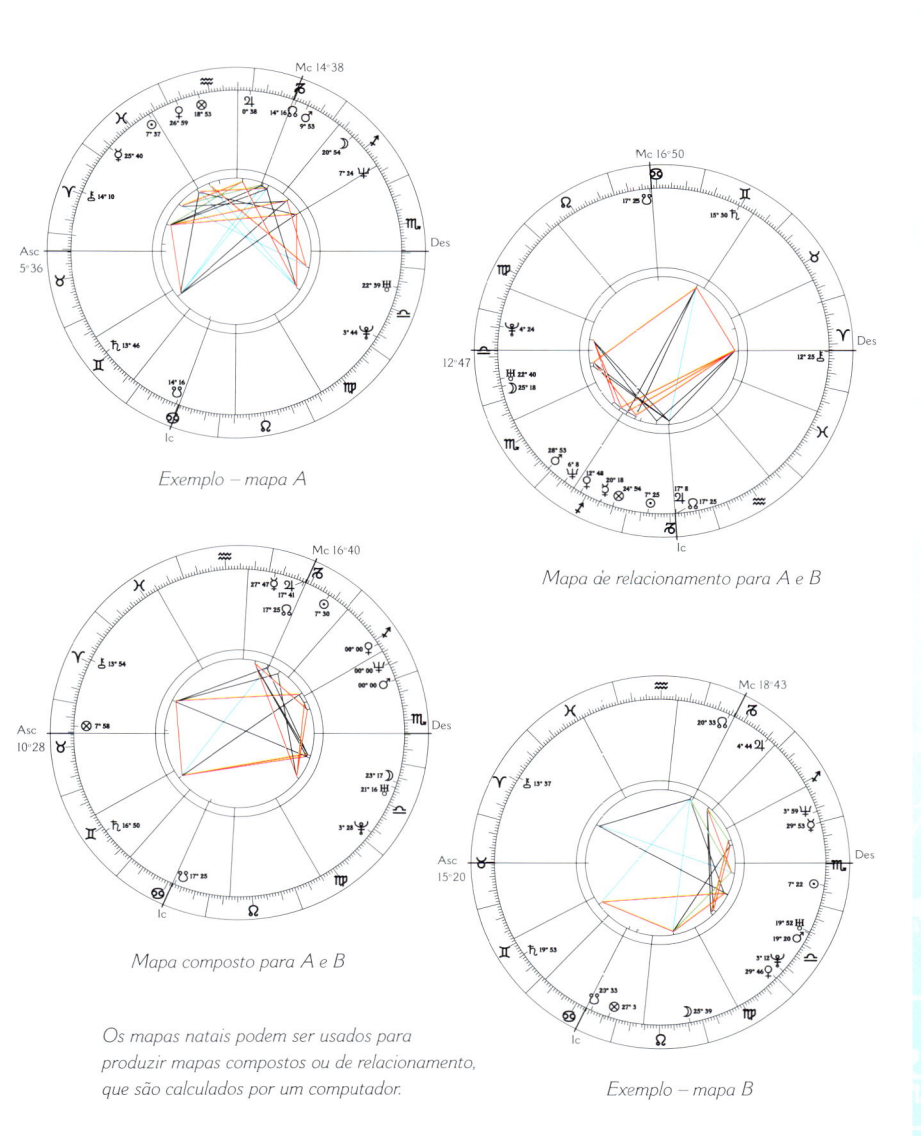

Mapa de relacionamento para A e B

Mapa composto para A e B

Os mapas natais podem ser usados para produzir mapas compostos ou de relacionamento, que são calculados por um computador.

Exemplo – mapa B

MAPAS COMPOSTOS E DE RELACIONAMENTO

Astrologia

A astrologia pode localizar desequilíbrios criados pela falta ou excesso de um elemento. Cada signo reage ao stress à sua maneira. Assim, sais bioquímicos e remédios florais relacionados com um determinado signo podem reajustar sensivelmente a reação do corpo. No mapa natal, o Sol mostra o nível de vitalidade da pessoa e indica possíveis fraquezas físicas. A Lua indica o efeito psicossomático das emoções sobre a saúde, além de governar os processos fisiológicos. Planetas na primeira casa indicam vitalidade e resistência. Na sexta casa, enfatizam questões de saúde, especialmente problemas crônicos.

e Saúde

Os problemas psicológicos se revelam na décima segunda casa. Tradicionalmente, os signos cardeais e os planetas dinâmicos, como Marte, precisam de tranqüilidade, enquanto os signos fixos e os planetas passivos, como Netuno, precisam de mais atividade. Já os signos mutáveis e os planetas neutros, como Mercúrio, precisam de mais coordenação, alinhamento e ritmo. Os planetas no signo da cúspide da sexta casa podem indicar uma predisposição a certos problemas, exigindo remédios apropriados.

ASTROLOGIA MÉDICA

Os humores

Tradicionalmente, os astrólogos acreditavam que cada pessoa era caracterizada por um dos quatro humores, que são indicados pelo signo solar e pelo regente planetário. Os humores ajudavam a definir a personalidade e as doenças prováveis.

As pessoas coléricas eram consideradas emocionalmente voláteis, dadas à raiva e a problemas a ela associados e com tendência a doenças do tipo quente e seco, como febres. As pessoas melancólicas tinham constituição fraca, eram dadas à tristeza e sujeitas a doenças do tipo frio e seco, como desequilíbrios metabólicos. As pessoas sangüíneas eram agradáveis e otimistas, mas essencialmente dóceis e dadas a súbitas mudanças. A natureza úmida e quente do humor se refletia em problemas como infecções virais. As pessoas fleumáticas, embora com pouca vitalidade, eram discretamente fortes. Mas a natureza fria e úmida do humor podia se refletir em problemas como úlceras.

Correlações fisiológicas

Os signos e planetas sempre foram relacionados com diferentes partes do corpo e aos órgãos nelas localizados. A astrologia moderna estabeleceu associações astrológicas de órgãos mais sutis, como o sistema endócrino. Determinadas doenças do corpo podem ser relacionadas à polaridade astrológica. A tendência ariana às dores de cabeça, por exemplo, pode ter origem num déficit de energia nos rins, que são regidos por Libra, o signo oposto.

Cabeça: Áries

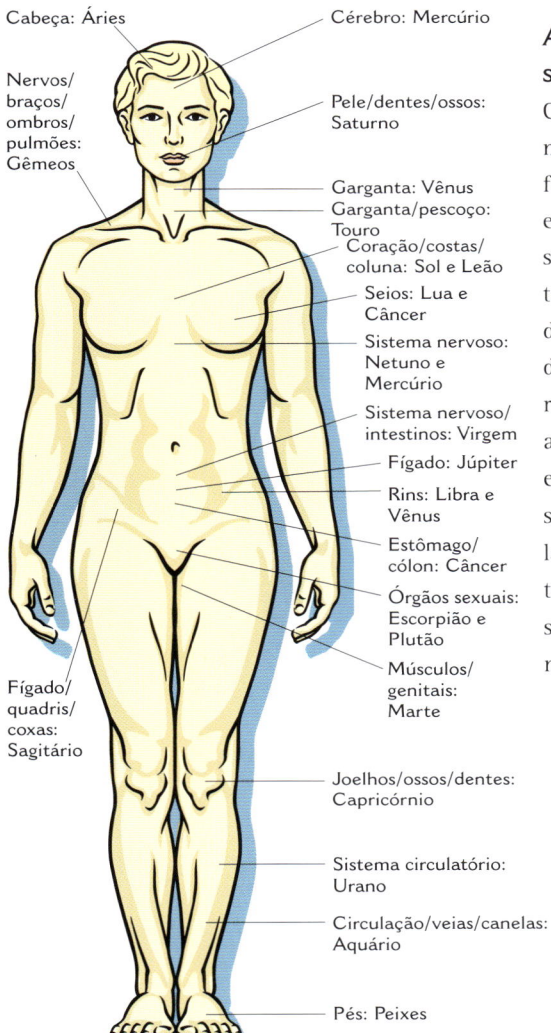

Nervos/braços/ombros/pulmões: Gêmeos

Cérebro: Mercúrio

Pele/dentes/ossos: Saturno

Garganta: Vênus
Garganta/pescoço: Touro
Coração/costas/coluna: Sol e Leão
Seios: Lua e Câncer
Sistema nervoso: Netuno e Mercúrio
Sistema nervoso/intestinos: Virgem
Fígado: Júpiter
Rins: Libra e Vênus
Estômago/cólon: Câncer
Órgãos sexuais: Escorpião e Plutão
Músculos/genitais: Marte

Fígado/quadris/coxas: Sagitário

Joelhos/ossos/dentes: Capricórnio

Sistema circulatório: Urano

Circulação/veias/canelas: Aquário

Pés: Peixes

A saúde e os signos solares

Cada signo solar é relacionado a uma parte do corpo, favorecendo certas doenças e uma reação particular ao stress. Essas doenças características podem ser tratadas com o sal bioquímico do signo, associado a um remédio floral de Bach, a alimentos favoráveis e a ervas. Sabendo como o stress e a tensão se acumulam e mudando de comportamento para combater esse processo, você poderá melhorar a sua saúde.

ÁRIES

Humor: colérico
Temperamento: quente e seco
Fisiologia: cabeça e rosto, glândulas supra-renais
Doenças: fortes dores de cabeça e enxaquecas, nevralgia, inflamação, febres, insolação, traumatismos na cabeça, hemorragia, erupções cutâneas, varíola, lábio leporino, pólipos, epilepsia, apoplexia ou derrame, dor de dente, calvície, tontura e transtornos psiquiátricos
Stress: essa constituição forte convive bem com o stress, mas o excesso de tensão provoca dores de cabeça, febres e distúrbios digestivos
Ervas/alimentos favoráveis: briônia, urtiga, ranúnculo, madressilva, ruibarbo, tomate
Sal bioquímico: kali phos. (fosfato de potássio)
Floral de Bach: *impatiens*
Meridiano da acupuntura: rim
Para otimizar a saúde: seguir uma dieta balanceada e nutritiva e descansar regularmente; controlar o temperamento, já que a irritação drena a energia

TOURO

Humor: melancólico
Temperamento: frio e úmido
Fisiologia: garganta, cordas vocais, pescoço, glândula tireóide, ouvidos
Doenças: dor de garganta, difteria, problemas na tireóide, bronquite, obesidade, dor de ouvido, problemas genitais e uterinos, desequilíbrios metabólicos, rigidez no pescoço
Stress: esse signo tem uma forte constituição mas não reage bem ao stress, o que acaba afetando a garganta. A dificuldade para relaxar e a tendência a assumir responsabilidades demais causam rigidez no pescoço e outros problemas psicossomáticos
Ervas/alimentos favoráveis: menta, araque, feijão, sabugueiro, aipo
Sal bioquímico: nat. sulph. (sulfato de sódio)
Floral de Bach: *gentian*
Meridiano da acupuntura: triplo aquecedor
Para otimizar a saúde: exercitar-se para liberar energia, relaxar com massagem e não comer demais, usar cachecol no frio, na chuva e no vento

GÊMEOS

Humor: sanguíneo
Temperamento: frio e seco
Fisiologia: sistemas nervoso e respiratório, mãos e braços, timo
Doenças: doenças nervosas, tosse, infecções virais, exaustão, cansaço ocular, reumatismo, distensões ou fraturas, fraqueza ou dor muscular nos braços, ombros e mãos; problemas pulmonares, como asma, bronquite, pneumonia, pleurisia
Stress: essa constituição resiliente reage bem ao stress – até que ocorra um colapso nervoso
Ervas/alimentos favoráveis: alcaravia, cenoura, samambaia, pé-de-lebre, lavanda, alface, couve-flor
Sal bioquímico: kali mur. (cloreto de potássio)
Floral de Bach: *cerato*
Meridiano da acupuntura: fígado
Para otimizar a saúde: concentrar-se em uma coisa por vez, fazer exercícios regulares, relaxar e dormir bem; suplementar a dieta com vitaminas e minerais, especialmente vitamina C

CÂNCER

Humor: fleumático
Temperamento: frio e úmido
Fisiologia: seios, sistema linfático, órgãos reprodutores femininos, canal digestivo
Doenças: perturbações gástricas e digestivas, úlceras, retenção de líquido, problemas no útero e nos seios, deficiência imunológica
Stress: esse signo reage mal ao stress, o que leva a problemas estomacais, mas se recupera rapidamente; o sistema imunológico é fortemente afetado pelas emoções
Ervas/alimentos favoráveis: erva-cidreira, linhaça, quebra-pedra, agrião, leite
Sal bioquímico: calc fluor (fluoreto de cálcio)
Floral de Bach: *clematis*
Meridiano da acupuntura: estômago
Para otimizar a saúde: manter o equilíbrio emocional, evitar preocupações, comer regularmente e deixar de lado os ressentimentos e o passado

LEÃO

Humor: colérico
Temperamento: quente e seco
Fisiologia: coração, coluna, base das costas
Doenças: pleurisia, problemas cardíacos, dor na base das costas, febres, icterícia, pressão alta
Stress: embora tenha uma constituição forte, Leão não gosta de stress, que lhe afeta rapidamente as costas ou o coração
Ervas/alimentos favoráveis: louro, celidônia, nozes, ameixa, ervilha, laranja
Sal bioquímico: mag phos. (fosfato de magnésio)
Floral de Bach: *vervain*
Meridiano da acupuntura: coração
Para otimizar a saúde: evitar frustrações, exercitar-se regularmente, manter atividade sexual e evitar superindulgência, raiva e stress

VIRGEM

Humor: melancólico
Temperamento: frio e seco
Fisiologia: abdômen, intestinos, baço, sistema nervoso central, enzimas digestivas, diafragma
Doenças: perturbações digestivas e nervosas, incluindo parasitas, cólica, úlcera, apendicite, síndrome do cólon irritável, eczema, pedras na vesícula, hipocondria
Stress: Virgem tem a constituição um tanto delicada e tende a usar a energia nervosa como combustível. O stress vai direto às entranhas. Esse signo é propenso a doenças psicossomáticas
Ervas/alimentos favoráveis: lavanda, alcaravia, marroio-branco, murta, limão
Sal bioquímico: kali. sulph. (sulfato de potássio)
Floral de Bach: *centaury*
Meridiano de acupuntura: intestino grosso
Para otimizar a saúde: parar de se preocupar, relaxar, evitar a autocrítica

LIBRA

Humor: sanguíneo
Temperamento: frio e úmido
Fisiologia: veias, rins, região lombar, sistema endócrino
Doenças: problemas renais, incluindo pedras; lumbago, metabolismo preguiçoso, fadiga crônica
Stress: o stress não é bem tolerado por essa constituição delicada, que reage com dores de cabeça, fadiga e problemas tóxicos
Ervas/alimentos favoráveis: aloés, aspargo, castanha, margarida, menta, morango
Sal bioquímico: nat. phos. (fosfato de sódio)
Floral de Bach: *scleranthus*
Meridiano de acupuntura: circulação, sexualidade
Para otimizar a saúde: cuidar bem do corpo, evitar noitadas e alimentos ricos demais, desintoxicar-se regularmente, beber muita água

ESCORPIÃO

Humor: fleumático
Temperamento: frio e úmido
Fisiologia: genitais, órgãos reprodutores masculinos, bexiga, uretra, reto
Doenças: distúrbios genitais e reprodutivos, doenças venéreas, pedras renais, rupturas, catarro nasal, úlcera, adenóides, pólipos, constipação, fístulas
Stress: essa constituição resiliente pode usar o stress a seu favor, mas stress demais diminui a libido e pode causar constipação crônica. A tensão nervosa provoca dores nas costas e nos ombros.
Ervas/alimentos favoráveis: hamamélis, giesta, tojo, lúpulo, tabaco, ameixa seca
Sal bioquímico: calc. sulph. (sulfato de cálcio)
Floral de Bach: *scleranthus*
Meridiano de acupuntura: bexiga
Para otimizar a saúde: parar de se esforçar tanto, deixar rolar, conversar sobre o que acontece, consumir muita fibra e desintoxicar-se

SAGITÁRIO

Humor: colérico
Temperamento: quente e úmido
Fisiologia: nervo ciático, quadris e coxas, glândula pituitária
Doenças: problemas nos quadris, ciática, reumatismo, problemas nos pulmões e no fígado, febres, lesões esportivas, distensões e fraturas
Stress: esse signo tende a se forçar demais e então sucumbe, mas a recuperação é rápida. O stress pode levar a infecções no peito
Ervas/alimentos favoráveis: borragem, betônica, dente-de-leão, musgo, aspargo, cavalinha
Sal bioquímico: silica (óxido de silício)
Floral de Bach: *agrimony*
Meridiano de acupuntura: pâncreas, baço
Para otimizar a saúde: exercitar o corpo e a mente e evitar a superindulgência de qualquer tipo

CAPRICÓRNIO

Humor: melancólico
Temperamento: frio e seco
Fisiologia: joelhos, pele e ossos, vesícula, metabolismo do cálcio
Doenças: perturbações digestivas, doenças de pele, problemas nas articulações, deterioração dos dentes, depressão, fadiga crônica, queda de cabelo, hanseníase
Stress: esse signo se sai bem sob pressão, mas não sabe quando parar, o que pode enfraquecer o sistema imunológico. O stress muitas vezes se revela na pele e nos ossos, mas pode resultar em depressão
Ervas/alimentos favoráveis: confrei, amaranto, beterraba, cicuta, cebola, repolho, couve galega
Sal bioquímico: calc. phos. (fosfato de cálcio)
Floral de Bach: *mimulus*
Meridiano de acupuntura: vesícula
Para otimizar a saúde: deixar rolar, relaxar e parar de se preocupar com a velhice, fazer longas caminhadas, cuidar dos dentes e das gengivas; consumir bastante cálcio e vegetais frescos

AQUÁRIO

Humor: sanguíneo
Temperamento: frio e seco
Fisiologia: canelas e tornozelos, sistema circulatório, glândula pineal
Doenças: varizes, distensão no tornozelo, problemas cardíacos e circulatórios, depressão, dores de cabeça, cãibras, coágulos, males súbitos que não duram
Stress: com Urano como co-regente, muitas vezes Aquário acha o stress estimulante, mas pode forçar demais a resistência de Saturno e entrar em colapso
Ervas/alimentos favoráveis: mandrágora, amor-perfeito, cânhamo, nêspera, marmelo, romã
Sal bioquímico: nat. mur (cloreto de sódio)
Floral de Bach: *water violet*
Meridiano de acupuntura: pulmão
Para otimizar a saúde: ir mais devagar, exercitar-se, beber muita água, usar a medicina complementar ou fazer massagens; reservar tempo para si mesmo

PEIXES

Humor: melancólico
Temperamento: frio e úmido
Fisiologia: pés, sistema circulatório, glândula pineal, sistema linfático
Doenças: joanetes, gota, erupções nos pés, perturbações psicossomáticas, especialmente no abdômen; problemas no fígado ou nos rins, vícios e dependências de todos os tipos, anemia, furúnculos
Stress: esse signo adaptável reage ao stress fluindo de um lado para o outro, mas acaba sucumbindo. Uma constituição sensível que não combina com a tendência ao excesso emocional
Ervas/alimentos favoráveis: prímula, labaça, figo, sálvia, tâmara, uva passa, cereais
Floral de Bach: *rock rose*
Meridiano de acupuntura: intestino delgado
Para otimizar a saúde: viver perto da água; não sucumbir à emotividade; evitar a bebida e as drogas, prescritas ou recreativas; cuidar dos pés e consultar um reflexologista ou podólogo

DIS-FUNÇÃO

O equilíbrio dos elementos dentro do mapa pode indicar dis-funções sutis, escassez ou excesso. Os desequilíbrios podem ser inatos (mapa natal) ou temporários (mapas progredidos, retornos solares e fortes trânsitos).

ÁGUA

Escassez de água resulta em sede, desidratação, cãibras, insônia, falta de memória, incapacidade de mostrar os sentimentos

Antídotos para a escassez de água beber muita água, sucos de vegetais e chás de ervas; viver perto da água; banhos de mar ou água salgada; comer alho e alimentos com muito sumo; interessar-se por alguma forma de arte; usar turmalinas, pérolas, opalas ou quartzo enfumaçado

Excesso de água cria muco; causa pneumonia, retenção de líquido, obesidade, obstrução das artérias; retenção linfática

Antídotos para o excesso de água exercício; evitar alimentos crus, muito salgados ou muito doces, além de carne e *snacks*; tomar chás de ervas, como sabugueiro e urtiga; ouvir música de flauta e ter boa interação social; usar quartzo rosa, turmalina rosa, kunzita, fluorita ou aventurina verde

TERRA

Escassez de terra resulta em fraqueza, falta de coesão, fraturas que demoram a curar

Antídotos para a escassez de terra exercício, jardinagem, trabalhar com argila, comer raízes

Excesso de terra gera obesidade, bloqueios, depressão, ossificação, calcificação, perda de sensibilidade sensorial

Antídotos para o excesso de terra exercício, dormir menos, alimentos leves e condimentados, cultivar a receptividade

AR

Escassez de ar resulta em má circulação, falta de autoconfiança, desânimo, pesadelos, náusea, toxicidade, baixa oxigenação, falta de ar, fadiga

Antídotos para a escassez de ar exercícios respiratórios, climas desérticos, sacudir as cobertas todas as manhãs, comer vegetais folhudos, fazer longas caminhadas, dançar, ter vida social

Excesso de ar provoca perturbações nervosas, inquietação, hipersensibilidade a poluentes, sons e odores; pele áspera, cabelo, unhas e ossos quebradiços, flatulência, asma, tosse, constipação, insônia, esquizofrenia, artrite

Antídotos para o excesso de ar beber mais líquidos, especialmente chá de camomila, comer grãos integrais e vegetais folhudos, tomar vitaminas do complexo B, magnésio e manganês; banhos quentes ou de vapor; aumentar o consumo de óleos saudáveis; massagens com óleos aquecidos; roupas quentes e exercícios moderados ao ar livre; climas úmidos; consumir laticínios, usar as cores violeta e azul-profundo; usar lápis-lazúli, safira, água-marinha, turmalina azul, crisocola, calcita verde; floral *white chestnut*

FOGO

Escassez de fogo resulta em baixa vitalidade, desânimo, perda de apetite, palidez, frio, digestão lenta e inadequada, enxaqueca, fobias, baixa imunidade, má circulação e pouco tônus muscular

Antídotos para a escassez de fogo luz do sol, exercício aeróbico, comidas e bebidas quentes e condimentadas, pimenta-de-caiena, cardamomo, canela; chá de gengibre ou hortelã-pimenta; usar vermelho e laranja; aplicar cristais como rubi, pedra-do-sangue, cornalina, topázio

Excesso de fogo provoca raiva e agressividade, azia, problemas de fígado e vesícula, perturbações digestivas, úlcera, excesso de bílis, febre, erupções cutâneas, tendência a odor corporal, visão enevoada, hipoglicemia

Antídotos para o excesso de fogo aplicar toalhas molhadas no corpo, aumentar a ingestão de líquidos, comer alimentos doces, beber chá de camomila, usar azul e verde, aplicar cristais como esmeralda, granada verde, aventurina, malaquita, água-marinha, calcita verde

PLANETAS, SAÚDE E A SEXTA CASA

A sexta casa é a casa da saúde e do bem-estar. O signo na cúspide dessa casa (ver pp. 250-51) e os planetas nela situados indicam o tipo de distúrbio que pode surgir. Como essa casa é ligada também às vocações, localizações como Saturno podem indicar que a experiência de um problema crônico se dá através de uma profissão – enfermagem, por exemplo. Quando não há planetas na sexta casa, examine o seu regente.

OS PLANETAS E A SAÚDE

Os planetas são vistos há muito tempo como indicadores de saúde, ou de falta de saúde. Indicam propensão a um determinado tipo de doença, especialmente quando localizados na sexta casa.

Sol	Vitalidade e crescimento. O Sol indica propensão a problemas associados às correlações fisiológicas do signo, pois está ligado ao coração e aos quadros febris. Na sexta casa, o Sol indica uma constituição forte.
Lua	Equilíbrio dos fluidos corporais, processos fisiológicos, gravidez e problemas ginecológicos, especialmente os que vêm pela linha materna. Na sexta casa, a Lua sugere que uma determinada doença pode ser psicossomática.
Mercúrio	Sistema nervoso e problemas oriundos do excesso de estímulo mental ou de preocupações.

Vênus	Rins e retenção de líquido. A sua localização num signo pode indicar males causados por auto-indulgência, doenças venéreas ou miasmas (influências sutis) transmitidas pela linha familiar.
Marte	Erupções e quadros febris, ferroadas e mordidas, cirurgias iminentes. Marte pode indicar falta de coordenação e propensão a acidentes causados por impaciência ou excesso de trabalho.
Júpiter	Fígado e problemas causados por excessos, além de quadros de crescimento excessivo, como tumores. Na sexta casa, Júpiter indica problemas provocados pelo abuso ou mau uso do corpo numa vida passada.
Quíron	Feridas kármicas, doenças hereditárias e problemas que exigem integração.
Saturno	O princípio conectivo relacionado à pele e aos ossos. Associado a doenças crônicas, esse planeta depressivo deixa tudo mais lento, provocando bloqueios, mau funcionamento e cristalização. Na sexta casa, Saturno pode indicar preocupação crônica com a saúde e doenças oriundas de atitudes e emoções arraigadas.
Urano	Acidentes, tensão nervosa e funcionamento errático. Urano pode indicar que os circuitos elétricos do corpo estão falhando. Há probabilidade de acontecimentos súbitos, como rupturas ou hemorragias.
Netuno	Relacionado a dependências de todos os tipos, doenças debilitantes, alergias, falta de energia, delírios e transtornos psiquiátricos. Os problemas de Netuno raramente são diretos. Muitos deles vêm do excesso de sensibilidade e podem ser tratados com homeopatia.
Plutão	Sistemas reprodutor e excretor. Pode indicar fobias e doenças kármicas. O stress subjacente pode ser a causa dos problemas.

Eclipses

Os eclipses – totais ou parciais – ocorrem duas vezes ao ano, na Lua nova e na Lua cheia, com 14 dias entre uma e outra. Em raras ocasiões, ocorrem três eclipses, o que nos tempos antigos era sinal de acontecimentos catastróficos.

Durante os eclipses, a luz da consciência (o Sol) é bloqueada, permitindo que o subconsciente e as forças coletivas (a Lua) venham à tona, ou a consciência racional (o Sol) sobrepuje a irracional (a Lua). Assim, um eclipse pode ser o momento em que energias reprimidas irrompem com muita força, liberando atitudes arraigadas e karma, pessoal ou coletivo.

Um eclipse em conjunção com um planeta do mapa natal provoca questões e acontecimentos em torno desse planeta. A casa em que o eclipse ocorre também é significativa, assim como qualquer planeta em aspecto com ele e qualquer incidência do eclipse no ponto central entre dois planetas. Devido à distribuição dos eclipses pelos céus, algumas pessoas nunca têm a experiência do seu forte efeito sobre o mapa natal, enquanto outras são regularmente afetadas por ele. No entanto, o efeito coletivo é sentido por todo mundo.

O EFEITO DO ECLIPSE

Um eclipse é como a maré lunar: traz à superfície o que estava oculto e torna manifestas as energias da sombra. É um período em que emergem intuições e descobertas, e que pode ser extremamente positivo. Os efeitos do eclipse podem ser pessoais ou coletivos. Os efeitos pessoais ocorrem quando alguma coisa no mapa natal é despertada, provocando situações inesperadas que tenham efeito pessoal. O efeito coletivo é visto através de acontecimentos no mundo exterior.

Eclipses e o mapa natal

O efeito de um eclipse atinge o auge no mês que precede o evento em si, embora possa haver indícios até seis meses antes. Quando o eclipse faz aspecto com um planeta do mapa natal, o efeito continua por uns seis meses depois do evento e, caso um trânsito reative o grau do eclipse den-

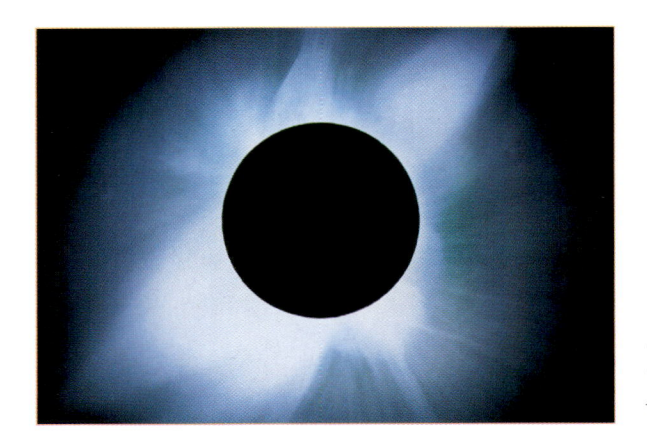

Um eclipse solar ocorre quando a Lua fica entre a Terra e o Sol.

tro desses seis meses, o efeito é reiterado. No mapa natal, o eclipse é na verdade um trânsito. Assim, o orbe é em geral de 2º, embora trânsitos dentro de 3 ou 4º possam ter um efeito visível, especialmente quando envolvem planetas ou pontos sensíveis. A influência declina à medida que o orbe aumenta.

Quando incide sobre um ponto sensível no mapa natal, o eclipse motiva a pessoa a se libertar do passado. Esse é muitas vezes um período de confrontação dos demônios – e anjos – interiores. Os eclipses lunares em particular podem ser períodos de grande conflito interior, em que a pessoa questiona convicções profundamente arraigadas a respeito de si mesma.

Os eclipses e os elementos

Um eclipse é afetado pelo elemento em que cai, produzindo um desafio na parte da vida representada por esse elemento. Nos signos do fogo, o eclipse desafia a atividade e o fluxo de energia; nos signos da terra, a existência física e material; nos signos do ar, os processos mentais e de comunicação; nos signos da água, as emoções e as questões de segurança.

Os eclipses e as casas

A casa em que um eclipse cai indica uma área da vida em que é necessário um processo de limpeza. Talvez você precise abandonar velhas atitudes, mudar de comportamento, abrir mão do passado ou aceitar um fim. Quando o processo não é aceito espontaneamente, pode haver uma crise, especialmente se um planeta em trânsito passar pelo grau do eclipse. A crise abre caminho para um renascimento e para novas possibilidades, de acordo com a natureza da casa.

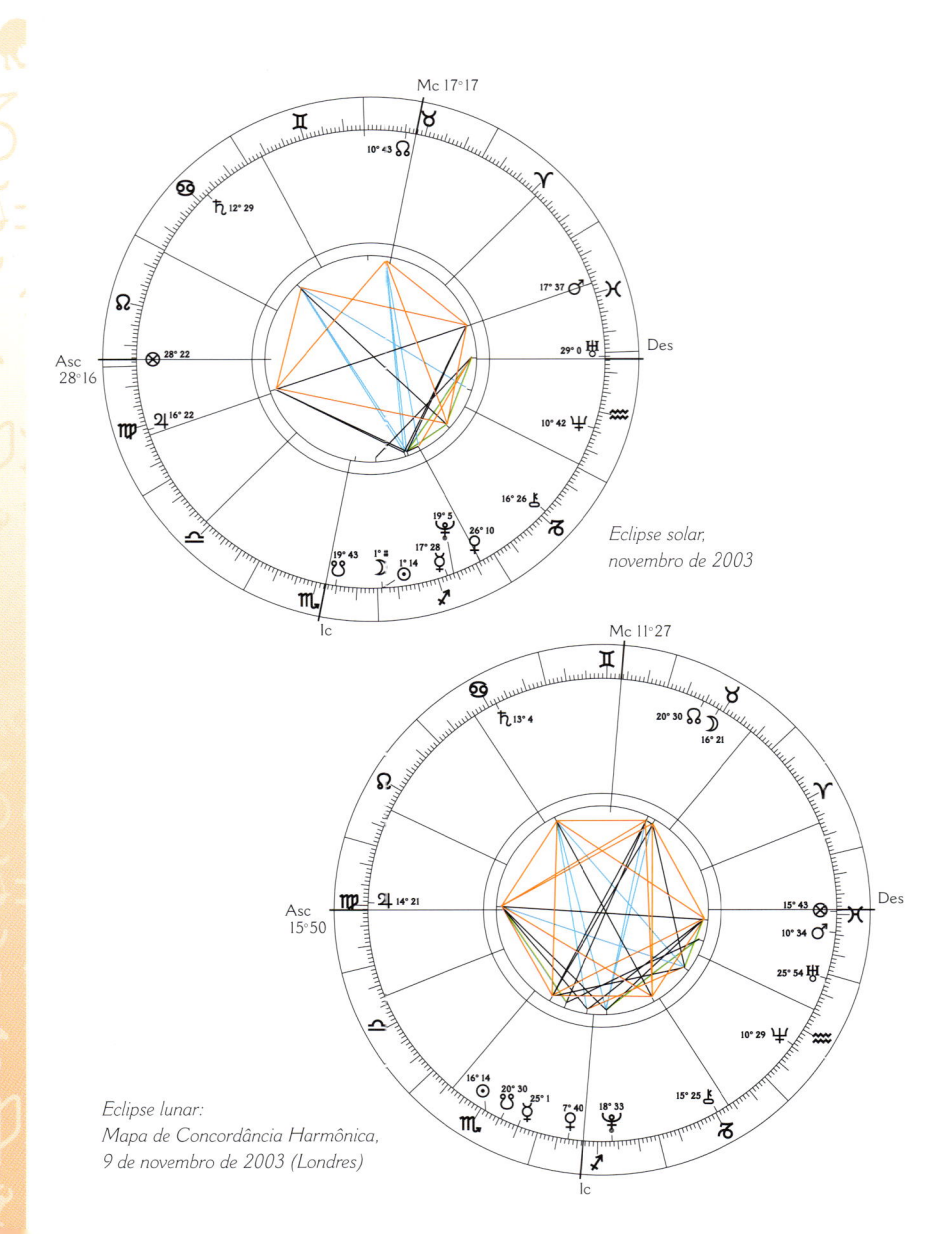

Eclipse solar, novembro de 2003

Eclipse lunar:
Mapa de Concordância Harmônica,
9 de novembro de 2003 (Londres)

A CONCORDÂNCIA HARMÔNICA

Em 9 de novembro de 2003, um eclipse lunar em conjunção com os nodos da Lua em Escorpião e Touro formou parte de um grande sextil disposto em torno de uma porta para a consciência superior, a Estrela de Davi. Muitos astrólogos chamaram essa formação de Concordância Harmônica, esperando que fosse um presságio de paz mundial e de cura da Terra. No mapa de 9 de novembro, Urano, o Grande Despertador, estava isolado no final de Aquário, ligado ao resto do mapa apenas por uma quadratura com Mercúrio. O eclipse solar que se seguiu, em 23 de novembro, estava isolado em Sagitário, sendo o seu único aspecto uma quadratura quase exata com o revolucionário Urano, que acabava de entrar em Peixes.

Nas semanas entre os eclipses, os atos de terrorismo uraniano se multiplicaram e carros-bomba explodiram pelo mundo. Depois dos eclipses, o mundo começou a questionar os fundamentos da "guerra contra o terror". Quando os Nodos atingiram o grau exato do eclipse lunar, a Lua nova em Leão entrou em quadratura com o eclipse lunar, em 6 de fevereiro de 2004. Nos dois lados do Atlântico, eram questionadas as informações vindas de agências de inteligência, que tinham servido de base para a convocação da guerra, mas o terrorismo (Urano e Plutão) continuava. Mudanças fundamentais se fizeram necessárias em todos os níveis e o que estava oculto teve que vir à luz.

PERGUNTAS SOBRE ECLIPSES

Um eclipse em conjunção com um planeta do mapa individual provoca acontecimentos e questões fundamentais em torno desse planeta. A casa em que o eclipse ocorre também é significativa, assim como qualquer planeta que faça aspecto com ele e qualquer incidência do eclipse no ponto central entre dois planetas.

PERGUNTAS FUNDAMENTAIS

Eclipse em conjunção com o Sol natal Como brilhar? Como ser mais eu mesmo e manifestar a minha criatividade e o meu potencial? Como cuidar de mim mesmo?

Eclipse em conjunção com a Lua natal Como ficar mais em contato com os meus sentimentos? Quais dos meus padrões emocionais não são mais apropriados? Que desejos inconscientes estão me impulsionando? Como me libertar de tudo e descobrir um jeito melhor de cuidar de mim mesmo?

Eclipse em conjunção com Mercúrio O que eu preciso para me comunicar? Como me livrar de antigas convicções e descobrir um jeito novo de pensar e de me comunicar?

Eclipse em conjunção com Vênus O que tem valor para mim? O que preciso modificar nos meus relacionamentos? Como ter mais contato com a minha energia feminina e expressá-la melhor?

Eclipse em conjunção com Marte Até que ponto eu me afirmo? Qual a linha de ação mais adequada? Como ter mais contato com a minha energia masculina e expressá-la melhor?

Eclipse em conjunção com Júpiter O que fazer para me expandir? Será que as minhas convicções podem ter mais verdade? Que oportunidades estou deixando de aproveitar?

Eclipse em conjunção com Saturno Quais as responsabilidades de que devo me livrar e quais devo assumir? Que lições kármicas estou aprendendo? Que limites tenho que transcender?

Eclipse em conjunção com Quíron Onde preciso ser curado? Como me livrar das minhas mágoas e integrar novas energias?

Eclipse em conjunção com Urano O que eu tenho ignorado e qual será a catarse? O que está fazendo o meu terrorista interior? Como encontrar um catalisador para o meu crescimento? Como fazer para mudar e transformar esta parte da minha experiência? O que preciso deixar para lá?

Eclipse em conjunção com Netuno O que fazer para me reconciliar com o passado? Como atingir a unidade comigo mesmo? Como remover a ilusão da minha vida? Como ter mais contato com as minhas fontes de inspiração e com o que me sustenta espiritualmente?

Eclipse em conjunção com Plutão O que preciso eliminar da minha vida? O que preciso transformar? O que estou escondendo e o que está sendo escondido de mim? Como usar mais construtivamente a minha vontade e o meu poder?

Eclipse em conjunção com o Nodo Norte natal Que habilidades, talentos e comportamentos tenho que desenvolver e expressar para me tornar a pessoa que sou capaz de ser? Como realizar o propósito da minha alma?

Eclipse em conjunção com o Ascendente O que fazer para deixar a minha marca? Como as pessoas me vêem? O que está por trás do rosto que apresento ao mundo?

Eclipse em conjunção com o Descendente Como encontrar relacionamentos sinceros? Que mudanças devo fazer na minha parceria?

Eclipse em conjunção com o Meio do Céu Como posso contribuir com a sociedade? Pelo que devo lutar? O que fazer para ficar no topo do mundo?

Eclipse em conjunção com o IC Como chegar ao meu âmago? O que fazer para lançar raízes e me sentir seguro?

GLOSSÁRIO

ANGULAR: uma casa é angular quando começa com o Ascendente, o Descendente, o IC ou o MC.

APLICAÇÃO: quando dois planetas não estão ainda em conjunção, mas o mais rápido dos dois logo "alcançará" o outro, diz-se que estão em "aplicação".

CADENTE: a casa que precede o Ascendente, o Descendente, o IC ou o MC.

COMBUSTO: uma conjunção com um orbe de menos de 5°.

CÚSPIDE: uma divisão entre duas casas.

DESFAVORÁVEL: a astrologia tradicional considerava que certos planetas tinham um intento não muito bom. Os planetas desfavoráveis eram Marte, Saturno e Plutão.

DETRIMENTO: um planeta está em detrimento, ou no ponto em que exerce menos influência, quando está na casa ou signo oposto ao que rege.

DIRETO: o avanço dos planetas, como é visto da Terra.

DIS-FUNÇÃO: sensação de desacordo com o corpo físico ou com o ambiente, que se manifesta como doença ou distúrbio emocional ou psiquiátrico. Uma pessoa sofre de dis-função quando o corpo, a mente e as emoções não estão em harmonia.

DISPOSITOR: o planeta que rege o signo em que outro planeta está situado. Quando Mercúrio está em Leão, por exemplo, o dispositor é o Sol.

DUPLO VATICÍNIO: um interaspecto entre dois planetas que se repete no mapa nas duas direções. É especialmente significativo quando reflete um aspecto de um dos mapas natais ou dos dois.

ECLÍPTICA: o caminho aparente do Sol em torno da Terra.

EGRESSO: o momento em que um planeta sai de um signo.

ELEVAÇÃO: na astrologia tradicional, o planeta mais próximo do Ascendente ou do MC era considerado extremamente poderoso, conseguindo sobrepujar planetas desfavoráveis ou favoráveis acima dos quais se elevava.

ESTACIONÁRIO: um planeta que aparentemente faz uma parada antes de se tornar retrógrado ou direto.

EXALTAÇÃO: um planeta está em exaltação quando está situado no signo em que exerce a sua influência mais forte e característica.

FAVORÁVEL: em astrologia tradicional, certos planetas eram considerados especialmente favoráveis. São eles: Vênus (o menos favorável), Júpiter (o mais favorável), o Sol, a Lua e o Nodo Norte.

INGRESSO: o momento em que um planeta entra num signo.

LOCALIZAÇÃO NODAL REVERSA: o signo do Nodo cai na casa oposta à sua localização natural. Peixes na sexta, por exemplo, e Virgem na décima segunda.

LUMINARES: o Sol e a Lua.

MAPA DE DECUMBITURA: o mapa traçado por um astrólogo médico para coincidir com o início da doença, sendo usado para diagnóstico e tratamento.

MAPA SIMPLES: mapa que usa o Sol como Ascendente e o método das Casas Iguais, elaborado para examinar um acontecimento sem data determinada ou quando a hora do nascimento é desconhecida.

PARALELA: dois planetas com a mesma declinação ao norte ou ao sul do equador celestial estão em paralela. O efeito astrológico é semelhante ao de uma conjunção.

PARTE DA FORTUNA: simbolicamente, a posição da Lua ao nascer do sol. A distância entre esse ponto e o Ascendente é igual à distância entre a Lua e o Sol.

PLANETAS DINÂMICOS: planetas que são ativos e reativos, que iniciam a mudança e têm uma qualidade masculina, ou seja, o Sol, Marte, Saturno, Urano e Plutão.

PLANETAS NEUTROS: planetas sem energia significativa que podem ser passivos ou dinâmicos, dependendo dos planetas com que se associam; Mercúrio e Quíron.

PLANETAS PASSIVOS: planetas plácidos, ou seja, a Lua, Vênus, Júpiter e Netuno.

PONTO MÉDIO: o ponto que fica exatamente a meio caminho entre dois planetas e reúne as energias. Num mapa natal, os pontos médios são significativos quando coincidem com uma outra posição planetária e nos trânsitos quando um planeta em trânsito ativa o ponto médio, estabelecendo uma relação entre os dois planetas. Um trânsito pelo ponto médio pode explicar acontecimentos sem ligação óbvia com o trânsito.

QUEDA: um planeta está em queda quando está situado no signo oposto àquele em que exerce a sua influência mais forte.

RECEPÇÃO MÚTUA: dois planetas estão em recepção mútua quando cada um está no signo da regência ou exaltação do outro.

REGÊNCIA DE UMA CASA: a regência da casa é atribuída ao regente do signo em sua cúspide.

REGÊNCIA: planetas com especial afinidade com um signo eram considerados o regente desse signo. O Sol e a Lua regem um signo cada um, e os cinco planetas visíveis a olho nu regem dois signos cada um.

REGENTE DO MAPA: o regente do signo Ascendente. Na astrologia medieval, o regente era conhecido como Senhor do Horóscopo e era visto como a divindade que presidia o nascimento e que guiava a pessoa pela vida.

RETIFICAÇÃO: um processo pelo qual acontecimentos significativos são examinados através de trânsitos ou progressões e de sua correlação com pontos significativos do mapa, como o Ascendente ou Descendente, para estabelecer a hora do nascimento ou o início preciso de um empreendimento.

SEPARAR: quando dois planetas que estavam em conjunção se distanciam um do outro, eles estão se separando.

SIGNO ASCENDENTE: o signo do zodíaco que se ergue sobre o horizonte oriental no momento do nascimento ou quando a pergunta é feita.

SIGNO INTERCEPTADO: um signo que cai totalmente dentro de uma casa, com um signo parcial de um dos lados.

SIGNOS DE ASCENSÃO LONGA E CURTA: os signos de longa ascensão ascendem lentamente e os de ascensão curta ascendem rapidamente.

SIGNOS DUAIS: signos extremamente adaptáveis, que têm por natureza dois lados distintos. Gêmeos, Sagitário e Peixes estão incluídos nessa categoria. Libra também pode ser considerado um signo dual por causa da sua forte necessidade de relação entre duas coisas.

SINASTRIA: comparação de dois mapas para entender a relação.

SINTONIA: Sintonia: o estado de estar em harmonia consigo mesmo e com as energias do espírito universal.

SOLITÁRIO: um planeta inesperado. A energia de um planeta solitário é difícil de ser expressa, mas se faz sentir de maneira súbita e inesperada, com muita força.

STELLIUM: cinco ou mais planetas num só signo ou casa são conhecidos como *stellium*, dando grande ênfase àquela área do mapa.

SUCEDENTE: casa que cai entre uma casa angular e uma cadente.

ZODÍACO SIDERAL: um zodíaco que gira com as estrelas.

ZODÍACO TROPICAL: um zodíaco que é fixado pelas estações.

BIBLIOGRAFIA

Hall, Judy, *The Crystal Bible*, Godsfield Press, 2003. [*A Bíblia dos Cristais*, publicado pela Editora Pensamento, São Paulo, 2008.]

Hall, Judy, *The Hades Moon: Pluto in aspect to the Moon*, Samuel Weiser, 1998.

Hall, Judy, *Karmic Connections*, Wessex Astrologer, 2001.

Hall, Judy, *Illustraded Guide to Astrology*, Godsfiled Press, 1999.

Hall, Judy, *Past Life Astrology*, Godsfield Press, 2002.

Hall, Judy, *Patterns of the Past*, Wessex Astrologer, 2000.

Hall, Judy, *Sun Signs for Lovers*, Godsfield Press, 2005.

Hand, Robert, *Planets in Transit*, Para Research, Rockport MA, 1976.

Marks, Tracy, *The Astrology of Self Discovery*, CRCS Publications, 1985. [*A Astrologia da Autodescoberta*, publicado pela Editora Pensamento, São Paulo, 1989.]

Michelsen, Neil, *The American Ephemerides for the 20th and 21st Centuries*, ASC Publications, San Diego, CA, 1996.

Starck, M., *Earth Mother Astrology*, Llewellyn, St Paul, MN, 1990. [*A Astrologia da Mãe-Terra*, publicado pela Editora Pensamento, São Paulo, 1994.]

ÍNDICE

abordagem mental *ver* cada signo individualmente; processos de pensamento
adaptação 169
alimento 162, 185-86
amor 209-10, 249, 349-51
 ver também relacionamentos; Vênus
amor incondicional 209-10
ângulos 228-63, 282-83, 363
aparência 233
 ver também cada signo individualmente
aparência física 233
 ver também cada signo individualmente
Aquário 108-15, 132-33, 142-43, 342-43, 377
 ver também signos do zodíaco
Áries 24, 28-35, 128-29, 140-41, 322-23, 372
 ver também signos do zodíaco
Ascendente (ASC) 27, 228-29, 231-33, 293
aspectos 264-87, 293-94, 301
 ver também interaspectos
aspectos desfavoráveis 265
aspectos favoráveis 265
aspectos maiores 268-69

aspectos menores 268
assuntos de família 295
astrologia antiga 10-1
astrologia atual 11
astrologia de vidas passadas *ver* astrologia kármica
astrologia eletiva 15
astrologia empresarial 15
astrologia horária 14
astrologia kármica, 14, 192, 221, 263, 346-47
 ver também cada signo individualmente
astrologia médica 14, 370-77
astrologia medieval 10-1
astrologia mundana 15
astrologia natal *ver* mapas natais
astrologia preditiva 13
atividades de lazer 248-49
 Aquário 114
 Áries 33-4
 Câncer 57-8
 Capricórnio 106
 Escorpião 90
 Gêmeos 50
 Leão 65-6
 Libra 82
 Peixes 122
 Sagitário 98
 Touro 41-2
 Virgem 73-4

auto-expressão 244-45

bicírculos 364-65

Câncer 52-9, 134-55, 140-41, 328-29, 373
 ver também signos do zodíaco
Capricórnio 100-07, 130-31, 140-41, 340-41, 376
 ver também signos do zodíaco
casas 228-63
 cálculo 230-31
 eclipses 383, 385, 388
 mapas natais 293
 Nodos Lunares, 220-27
 relacionamentos 346-47, 365
 saúde 368-69, 380-81
 trânsitos 305
chakras 307
ciclo da vida 215
círculos 16
círculos astrológicos 16
cometas 198
compatibilidade 319-21, 348, 350
comunicação, planeta da 167
Concordância Harmônica 387
conjunções 282-83, 363
consciência social 260-61

correlações fisiológicas 370
correspondências 8
  Aquário 115
  Áries 35
  Câncer 59
  Capricórnio 107
  Escorpião 91
  Gêmeos 51
  Júpiter 189
  Leão 67
  Libra 83
  Lua 165
  Marte 183
  Mercúrio 171
  Netuno 213
  Peixes 123
  Plutão 219
  Quíron 201
  Sagitário 99
  Saturno 195
  Sol 159
  Touro 43
  Urano 207
  Vênus 177
  Virgem 75
criação 248-49
criatividade 156, 186
cura 197, 198-99
cúspides 229

dados 16-9
décima casa 258-59
décima primeira casa 260-61
décima segunda casa 262-63
Descendente (DES) 228, 234-35
desejo 173-74, 349-51

dieta 162, 185-86
dinheiro
  Aquário 112
  Áries 32
  Câncer 56
  Capricórnio 104
  Escorpião 88-9
  Gêmeos 48
  Leão 64
  Libra 80
  Peixes 120
  Sagitário 96
  Touro 40
  Virgem 72

disciplinas astrológicas 12-5
dis-função 378-79

eclipses 382-89
efemérides 20-1
elemento água 124-25, 127, 134-35, 353, 378
elemento ar 124-25, 127, 132-33, 353, 379
elemento fogo 124-25, 127-29, 353, 379
elemento terra 124-25, 127, 130-31, 353, 378
elementos 124-35
  atração 352-53
  casas 231
  combinações 127
  dis-função 378-79
  efeito eclipse 385
  equilíbrio 124, 126-27, 129, 131, 133, 135, 290
  fluxos de energia 138-39
  emoções 294

ver também cada signo individualmente
equilíbrio dos elementos 124, 126-27, 129, 131, 133, 135, 290
equinócios 17-8
escolhas da profissão 236-37, 250-51, 295
ver também cada signo individualmente
Escorpião 25, 84-91, 134-35, 142-43, 336-37, 375
ver também signos do zodíaco
esferas da vida 230-31
espiritualidade 257
estrutura geocêntrica 16
Eu 155, 237, 238, 252-53, 255
Eu interior 238
evolução 222
expansão 185
expectativas 241

fluxos de energia 138-39

Gêmeos 25, 44-51, 132-33, 144-45, 326-27, 373
ver também signos do zodíaco
glifos 153
grades, sinastria 354-57
Grande Ano (o) 16-8
graus do zodíaco 19

Hora Média de Greenwich (GMT – *Greenwich Mean Time*) 20
humores 370

IC (Imum Coeli) 228, 238-39
idéias para presentes *ver* cada signo individualmente
individualidade 240-41
infância
   Aquário 113
   Áries 33
   Câncer 57
   Capricórnio 105
   Escorpião 89
   Gêmeos 48-9
   Leão 65
   Libra 81
   Peixes 121
   ver também planetas
   Sagitário 96-7
   Touro 41
   Virgem 72-3
interaspectos 317, 354-63
interpretação dos mapas 288-97
irmãos 245

Júpiter 184-89, 278-79, 303-04, 308
   ver também planetas

lar 246-47
Leão 60-7, 128-29, 142-43, 330-31, 374
   ver também signos do zodíaco
Libra 76-83, 132-33, 140-41, 334-35, 375
   ver também signos do zodíaco
Lua 160-65
   aspectos da 273-75

eclipses 382, 386, 388
fluxos de energia 139
interaspectos 359-60
mapas natais 292
Nodos 19, 220-27, 303-04
progressões 312-13
retornos 314-15
trânsitos 302, 306
ver também planetas
luminares, 139, 221
ver também Lua; Sol
lunar *ver* Lua

mães 163
ver também pais
mapas compostos 366-67
mapas gerados por computador 22
mapas natais 12, 22-3
   casas 228-63
   desdobramento 298-315
   eclipses 383-85, 388-89
   formas 286-87, 290
   interpretação 288-97
   sinastria 354-57, 364-67
   síntese 9
   usos 6
mapas *ver* mapas natais
Marte 178-83, 277-78, 303, 312, 350-51, 362
ver também planetas
Meio do Céu (MC) 228, 236-37
mente *ver* cada signo individualmente; processos de pensamento
Mercúrio 166-71, 275-76, 293, 303, 312, 360-61
ver também planetas

metafísica 254-55
mortalidade 254-55

Netuno 208-13, 281, 303
ver também planetas
Nodo Norte 220, 222-23, 303
Nodo Sul 220, 224-25, 303
Nodos Lunares 19, 220-27, 303-04
nona casa 256-57

oitava casa 254-55
oposições, planetas 304, 307, 309
orbes 266-67, 300, 354
órbitas dos planetas 150

pai 157
ver também pais
pais 247, 259
ver também signos individuais
paixão 181
parcerias *ver* relacionamentos
Peixes 116-23, 134-35, 144-45, 344-45, 377
   ver também signos do zodíaco
Perséfone 217
personalidade 296
   ver também cada signo individualmente
planetas 148-227
   aspectos 264-87
   casas 230-31 240-63, 346-47
   eclipses 382, 386-89
   e o que os cerca 9

efemérides 20-1
elementos 124, 126, 128-35
fluxos de energia 138-39
glifos 153
interaspectos 358-63
mapas natais 292-93
movimento 150-51, 302
polaridades 146-47
relacionamentos 346-51, 353, 354-63, 365-67
retornos 314-15
saúde 368-69, 380-81
sem aspecto 284-85
sétima casa 346-47
signos cardeais 140-41
signos fixos 142-43
signos mutáveis 144-45
trânsitos 298-309
planetas femininos 174-75, 180
planetas masculinos 156-57, 174-75, 180
planetas pessoais 311-12
ver também planetas
planetas regentes 152, 231
planetas retrógrados 151, 302
planetas sem aspecto 284-85
Plutão 214-19, 281, 303
ver também planetas
polaridade negativa 136-37, 147
polaridade positiva 136-37, 146
polaridades 136-47, 292
precessão dos equinócios 17-8

primeira casa 240-41
processos de pensamento 168, 203-4, 294
progressões 310-13
projeção 253

qualidades cardeais 136, 140-41
qualidades dos signos 136-47, 292
qualidades fixas 142-43
qualidades mutáveis 136, 144-45
quarta casa 246-47
quinta casa 248-49
Quíron 196-201, 280, 303, 307-09

recreação 248-49
ver também atividades de lazer
recursos 243
relacionamentos 13-4, 316-67
Descendente 234
estilos 318-19
mapas 366-67
mapas natais 295
setima casa 253
Vênus 173
ver também sinastria
religião 257
remédios florais 368, 371-77
remedio floral de Bach 371-77
retornos, planetas 304, 307, 309, 314-15
riqueza 295

Sagitário 25, 92-9, 128-29, 144-45, 338-39, 376
ver também signos do zodíaco
sais bioquímicos 368, 371-77
Saturno 190-95, 279-80, 303-04, 307
ver também planetas
saúde 251, 294, 368-81
segredo 262-63
segunda casa 242-43
segurança 161-62, 243
serviço 250-51
ver também Virgem
sétima casa 252-53, 346-47
sexta casa 250-51, 380-81
sexualidade 255
signo ascendente 231
signos do zodíaco 24, 123
(MC) Meio do Céu 236-37
Ascendente 231, 233
cardeal 140-41
Descendente 235
elementos 124-35
fixos 142-43
IC (Imum Coeli) 239
influência de Quíron 200
Júpiter, influência de 188
Lua, influência da 164
Marte, influência de 182
Mercúrio, influência de 170
mutáveis 144-45
Netuno, influência de 211-12
Nodos Lunares 223, 225

Plutão, influência de 216, 218
polaridade negativa 147
polaridade positiva 146
polaridades 136-47
qualidades 136-47, 292
relacionamentos 320-45, 349, 351
Saturno, influência de 194
saúde 370-77
signos da água 134-35
signos da terra 130-31
signos do ar 132-33
signos do fogo 128-29
Sol, influência do 158
Urano, influência de 206
Vênus, influência de 176
sinastria 13-4, 317, 319-21, 354-67
ver também relacionamentos
síntese, mapas natais 9, 296
sol – signos 158, 371
ver também signos do zodíaco
Sol 154-59
aspectos 272-73
dança de Mercúrio 167-68
eclipses 382, 386, 388
fluxos de energia 139
interaspectos 358-59
mapas natais 292-93
Nodos Lunares 221
progressões 312
retornos 314-15
trânsitos 302
ver também planetas; solar

solar
ano 27
progressões por arco 311
retornos 314-15
ver também Sol
solstícios 17
sombra 25
Aquário 111
Áries 32
Câncer 55
Capricórnio 103
Escorpião 25, 88
Gêmeos 25, 47
Leão 63
Libra 79
Peixes 119
Sagitário 25, 95
Saturno 193
Touro 25, 39
Virgem 71

tempo 20-1, 192-93
tempo astrológico 20-1
terapia astrológica 13
terceira casa 244-45
terrorismo 387
Touro 25, 36-43, 130-31, 142-43, 324-25, 372
ver também signos do zodíaco
trabalho 250-51
ver também escolhas da profissão
trabalho em equipe 251
trânsitos planetários 298, 309
trânsitos relacionados com a idade 304
"um dia equivale a um ano" progressões secundárias 311

Urano 202-07, 281, 303-04, 307
ver também planetas

valores 242
Vênus 172-77
aspectos de 276-77
interaspectos 361-62
progressões 312
relacionamentos 348-49, 361-62
trânsitos 303
ver também planetas
vício 210
Virgem 68-75, 130-31, 144-45, 332-33, 374
ver também signos do zodíaco

yang ver polaridade positiva
yin ver polaridade negativa

zodíaco 8-9, 18-9, 24, 123
ver também signos do zodíaco
zodíaco simbólico 18-9

AGRADECIMENTOS

AKG, Londres/Bibliotheque Nationale 11. **Corbis UK Ltd.**/34,49, 72, 87, 90 a maior parte, 93, 101, 102, 104-05, 345; James L. Amos 71 a maior parte; Craig Aurness 58; /Bettmann 181, 204; /Leland Bobbe 39;/Roy Botterell 243; /Andrew Brookes 109; /Christie's Images 209; /Geoffrey Clements 174; /Richard Cummins 46; /Randy Faris 98 a maior parte; /Charles Gupton 175; / Richard Hamilton Smith 122; /Martin Harvey/Gallo Images 118; Hermann/Starke 80; /Matthias Kulka 12; /Danny Lehman 185; /Araldo de Luca 169, 187, 192, 198; /Francis G. Mayer 179;/Tim Page; /Jose Luiz Pelaez 61; /Carmen Redondo 86; /Roger Ressmeyer 8; /Bill Ross 106; Joseph Sohm/ChromoSohm Inc. 121; Hubert Stadler 216; /David Turnley 203; /William Whitehurst 157; Tim Wright 113; Mike Zens 70. **Creatas/**341/Image Source 15, 319. **Eyewire Images/**253. **Getty Images** 29, 63, 66, 95, 160, 163, 199, 247, 249, 255, 259; /Philippe Poulet/Mission 88. **Octopus Publishing Group Limited/**30, 32, 40, 44, 48, 50 topo de página, 64 topo de página à direita, 64 pé de página à esquerda, 71 pé de página direita, 73, 78, 82, 90 pé de página direita, 92, 98, 103, 156, 166, 173, 205, 211, 263; /Mark Bolton/Design: Yvonne Mathew & Don Appleby, RHS Chelsea Flower Show 2001 37; /Colin Bowling 94; /Jean Cazals 335; /Steve Hathaway 339; /Alistair Hughes 85, 119, 331; /David Jordan 81;/Andy Komorowski 55 pé de página, 111: /David Loftus 114; /Peter Myers 42, 215; /Ian Parsons 65, 180, 323; /Peter Pugh-Cook 245, 325, 337; /William Reavell 45, 69, 241, 261; /Russell Sadur 167; /Debi Treloar 47; /Ian Wallace 74; /Paul White 50 pé de página. **Nasa/** 152, 172, 178, 184, 190, 196, 202, 208. **Rubberball Productions/** Dreamscapes 79, 161. **Science Photo Library** / Rev. Ronald Royer 384.

Ilustradores Colin Elgie, Kuo Kang Chen